Espiritualidad Celta

La Guía Definitiva sobre Druidismo, Paganismo Irlandés, Chamanismo, Morrigan y Brigid

Su regalo gratuito

¡Gracias por descargar este libro! Si desea aprender más acerca de varios temas de espiritualidad, entonces únase a la comunidad de Mari Silva y obtenga el MP3 de meditación guiada para despertar su tercer ojo. Este MP3 de meditación guiada está diseñado para abrir y fortalecer el tercer ojo para que pueda experimentar un estado superior de conciencia.

https://livetolearn.lpages.co/mari-silva-third-eye-meditation-mp3-spanish/

Tabla de Contenido

Primera Parte: Magia celta

Desvelando el druidismo, la magia de la tierra, el chamanismo irlandés, la magia de los árboles y el paganismo escocés

Introducción

La wicca moderna tiene sus raíces en la magia celta, y muchas de las prácticas que se enseñan hoy en día derivan de estas antiguas tradiciones. Los druidas eran conocidos por incursionar en la adivinación y el misticismo, de muchas formas que incluso se conocen hoy en día. Participar en himnos y cantos, crear conjuros, escribir y recitar bendiciones y maldiciones son los fundamentos de la magia celta y, más concretamente, de la wicca.

Este tipo de magia se ha practicado durante más de dos mil años, y ahora, gracias a la práctica guía que tiene en sus manos, los wiccanos modernos pueden sentirse aun más conectados con su pasado común. Este libro proporciona una introducción exhaustiva pero comprensible sin precedentes a los poderes transformadores de la magia práctica. Aprenderá a aprovechar sus habilidades naturales mientras profundiza en las antiguas tradiciones y honra el trabajo de tantos que nos precedieron. Este libro también abarca la historia de los celtas y cómo sus tradiciones nos influyen hoy en día.

Las vibrantes tradiciones, los mitos y la magia de esta parte de Gales, de singular belleza, se tratarán a fondo en los siguientes capítulos. Pase las páginas y descubrirá a los dioses y diosas mágicos cuya presencia aun se siente hoy en día y a los espíritus cuya magia forma las vibraciones fundacionales que siguen llevando la religión wicca. Se dilucidan diversos rituales y se sentirá más cerca que nunca de la energía divina de la naturaleza. Aprenderá a trabajar con hechizos, invocaciones y herramientas mágicas, que se hacen accesibles por primera vez en estas páginas, pero cuyas historias proceden de auténticos recursos celtas.

La magia celta conserva su sistema de creencias y sus prácticas totalmente exclusivas de la región de Gales. Por supuesto, la práctica contemporánea de la wicca se inspira mucho en los sistemas celtas de magia y en tradiciones no celtas, como la teutónica, la grecorromana e incluso la de los nativos americanos. Sin embargo, estas mezclas confunden a los practicantes contemporáneos y confunden a la gente en cuanto a cómo se originaron estos sistemas particulares. En esta guía, la sensibilidad celta y las formas particulares de magia se estudiarán dentro de su contexto cultural específico, y no se incluirán versiones diluidas.

En última instancia, revivir las antiguas tradiciones, prácticas, relatos e historias populares consiste en mantener vivo un importante legado y su corazón. Otras narraciones sobre los celtas y su magia los observan con la mirada distante del antropólogo, "alienando" efectivamente al sujeto y aplanando sus características sin tener en cuenta la especificidad de su historia. Este libro pretende hacer todo lo contrario y proporcionar una experiencia de inmersión profunda al lector. Si es usted un nuevo practicante en el mundo de la magia o alguien que quiere aprender más sobre esta religión y práctica únicas, este libro es para usted. Otras guías de hoy en día se decantan demasiado por las parábolas y las historias pretenciosas. Aunque siempre hay lugar para eso, este libro ofrece una introducción más directa a las fascinantes prácticas mágicas de los celtas y explora las formas en que siguen influyendo en la magia contemporánea.

Capítulo 1: Fundamentos de la magia celta

Para entender la magia celta es esencial comprender de dónde procede la tradición de esta magia, los antiguos celtas. Si nunca ha oído hablar de ellos, no se preocupe. Este capítulo trata todo lo que hay que saber sobre los antiguos celtas y los fundamentos de la magia celta y el neopaganismo celta, la wicca celta y la magia celta actual. Cuando haya terminado de leer el capítulo, tendrá respuestas a todas las preguntas que pueda tener sobre el tema.

Los antiguos celtas

"Celta" es el nombre colectivo de varios grupos de pueblos antiguos que vivieron en Europa y Anatolia. Su familia relacionada con las lenguas celtas los une, de ahí el uso de la palabra "celta". Los celtas estaban formados por:

- Británicos
- Gaélicos
- Galos
- Gálatas
- Celtíberos y muchos más

Además, estos grupos tenían varias similitudes culturales, lo que ayudó a conectarlos.

Se cree que su historia se remonta al año 1200 a. C., si no más. Sin embargo, la palabra "Keltoi" se utilizó por primera vez en las fuentes griegas en el siglo V a. C. En cl siglo I a. C., Julio César informó de que los galos se referían a sí mismos como celtas, lo que indica que las tribus adoptaron el nombre griego en algún momento entre los cuatro siglos. La palabra moderna "celta" se utilizó por primera vez en el siglo XVIII.

Durante su apogeo, los celtas ocuparon territorios que se extendían desde España hasta el mar Negro, lo que los convirtió en el mayor grupo étnico de la antigua Europa. Sin embargo, es importante recordar que los celtas eran un conjunto de tribus dispares unidas por una lengua, una familia y unas costumbres culturales comunes, y no un único reino. Esto hace que rastrear una única historia de los celtas sea un reto.

Los celtas prosperaron gracias al vasto territorio que habitaban. Por ejemplo, mientras el Imperio romano se expandía por Europa, los celtas de las islas de Irlanda y Gran Bretaña permanecieron relativamente aislados y crecieron como cultura. Aunque Julio César y sus sucesores lanzaron una batalla selectiva para destruir a los celtas en la Europa continental, su intento de invasión de Gran Bretaña no tuvo éxito, lo que convirtió a las islas en un refugio para los celtas supervivientes. Por ello, las tradiciones culturales celtas son especialmente frecuentes en Irlanda y el Reino Unido y la fuente del neopaganismo celta moderno.

Aunque las fuentes griegas y romanas se refieren a los antiguos celtas como guerreros bárbaros, sería un error pensar en ellos como tales. La naturaleza bárbara registrada de los celtas se debe a una combinación de propaganda y guerra - el Imperio romano, en particular, se benefició de retratar a sus enemigos de forma negativa, ya que hizo que sus ejércitos estuvieran más dispuestos a luchar y justificó la guerra contra los celtas. Además, cuando César decidió abandonar la invasión de Britania, la decisión se justificó en parte haciendo referencia a la "barbarie" de los celtas y yuxtaponiéndola al "civilizado" mundo mediterráneo.

Sin embargo, existen pruebas significativas de la complejidad y riqueza de la cultura celta. Por ejemplo, los antiguos túmulos funerarios celtas demuestran sus habilidades como metalistas y joyeros y las complejidades de la cultura social celta. Mientras que las fuentes griegas y romanas describen a los celtas como "bebedores excesivos", los descubrimientos de túmulos funerarios demuestran que la bebida era una forma de que las tribus fortalecieran sus alianzas, y la entrega de alcohol (y otros elementos de un gran festín) era un signo de la generosidad de un buen líder.

Los celtas también eran conocidos por su intrincado armamento de bronce y hierro, que incluía espadas y escudos altamente personalizados con motivos adaptados a cada individuo. Estas armas les ayudaron a derrotar a los primeros romanos en las islas británicas y establecieron su reputación como fieros guerreros. Sin embargo, el detalle de las armas también demuestra que a menudo se utilizaban con fines rituales.

Lenguas celtas

Como se ha mencionado anteriormente, algo que unía a tribus celtas dispares era una familia lingüística compartida. Aunque las lenguas celtas han evolucionado hasta convertirse en muchas lenguas actuales, había dos grupos lingüísticos principales que probablemente hablaban los antiguos celtas: el celta insular y el celta continental.

El celta continental se extinguió aproximadamente en el siglo V d. C., y el ejemplo mejor documentado se encuentra en la documentación antigua de la Galia. El celta insular evolucionó en una serie de lenguas, y algunas se siguen hablando hoy en día, entre ellas

- Cumbriano (extinto)
- Bretón (en peligro de extinción, pero en proceso de resurgimiento)
- El córnico (revivido recientemente)
- Galés (aún se habla hoy en día)

- Gaélico irlandés y escocés (aún es hablado hoy en día)
- Manx (revivido recientemente)

El resurgimiento de las antiguas lenguas celtas puede estar vinculado a la oposición al dominio británico. En los siglos XIX y XX se produjo un renacimiento de la identidad celta en las islas británicas (incluida la religión celta, como trataremos más adelante en este capítulo) y fue impulsado principalmente por la ira contra el dominio británico sobre otros países del Reino Unido como Irlanda, Gales y Escocia. Aunque el gobierno británico restringió las antiguas lenguas celtas, este abrazo a la identidad celta también condujo al resurgimiento de las lenguas y a su uso en situaciones cotidianas y formales.

La antigua religión celta

Aunque los celtas siguen siendo un fascinante tema de estudio para personas de todo el mundo, el elemento de su cultura que más sirve es su religión y su sistema de creencias espirituales. No existe un "nombre" para la antigua religión celta, y algunos elementos se comparten con otros sistemas de creencias contemporáneos, entre ellos

- Politeísmo
- Ofrendas a los dioses
- Una creencia en el más allá, caracterizada por dejar objetos valiosos y cotidianos en las tumbas de los difuntos

En el caso del pueblo celta, no existía una religión única y compartida por todas las tribus. Sin embargo, aunque los dioses principales, las ofrendas y los lugares de culto pueden haber diferido de una tribu a otra, estas religiones dispares eran extraordinariamente similares en otros aspectos, entre ellos

- Una reverencia por la cabeza humana y la creencia de que era la sede del alma
- La creencia de que los tótems -especialmente los tótems animales como el ciervo y el jabalí- tenían un poder protector
- La veneración por los lugares sagrados, especialmente los relacionados con la naturaleza como arboledas, ríos y manantiales
- Ceremonias religiosas que, en la mayoría de los casos, eran dirigidas por druidas

- Las normas religiosas y comunitarias debían cumplirse y a menudo se garantizaban mediante el uso de tabúes para las personas que iban en contra de ellas

Es muy probable que los antiguos celtas practicaran los sacrificios humanos. Sin embargo, los sacrificios humanos eran bastante más raros que los sacrificios de animales y las ofrendas de otros artículos, como alimentos y armas. En los casos en los que se practicaba el sacrificio humano, este difería según el dios al que se sacrificara. Se cree que algunos cuerpos enterrados descubiertos son de reyes locales o de personas sacrificadas por los celtas.

Hay que tener en cuenta que todo lo que se sabe hoy en día de la antigua religión celta se basa en los artefactos que han sobrevivido y en las tradiciones orales transmitidas durante siglos en comunidades cerradas. Los druidas y los poetas no solían estar dispuestos a plasmar por escrito los conocimientos sagrados. Por lo tanto, el conocimiento de la magia y las prácticas religiosas celtas procede de los romanos y los griegos, que documentaron ampliamente las prácticas celtas, y de las reconstrucciones basadas en los artefactos celtas existentes. Es posible que muchos más artefactos celtas fueran destruidos durante la invasión de las tierras celtas por las tribus romanas y germánicas. La existencia de los homólogos romanos de las deidades celtas indica que los romanos tenían un conocimiento mucho más amplio de la naturaleza y los atributos de estas deidades de lo que podemos suponer a partir de los artefactos existentes en la actualidad.

La mayoría de los estudiosos estan de acuerdo en que los celtas practicaban una forma de animismo, la creencia de que todas las partes del mundo natural tenían sus propios espíritus. Algunos dioses celtas eran espíritus locales. Por ejemplo, las diosas celtas irlandesas Boann y Sioann estaban asociadas a los ríos Boyne y Shannon, y El Morrígan estaba vinculado al río Unius. Además, algunos dioses y diosas, como Artio (oso) y Epona (caballo), estan vinculados a animales.

Los celtas no solo asociaban a sus deidades y espíritus con elementos de la naturaleza, sino que también creían en la importancia espiritual de estos elementos. Según la tradición celta, estos seres superiores vivían en las cimas de las montañas, en los árboles, en las masas de agua... y cuando llegaba el momento, salían para ayudar a la gente. Los celtas solían celebrar sus rituales en los puntos donde se unían dos elementos naturales importantes. Estas eran las zonas comunes donde los habitantes de los mundos físico y sobrenatural podían comunicarse libremente entre sí.

En las obras de arte que han sobrevivido al paso del tiempo, Cernunnos, también conocido como "el dios con cuernos", es el dios celta más conocido y más frecuentemente representado. Su papel en el panteón de dioses sigue estando envuelto en el misterio, aunque generalmente se le representa en posición sentada con cuernos de ciervo. Otros dioses y diosas importantes son la diosa sanadora Brigid (conocida como Brigantia), el dios guerrero Lugh (conocido como Lugus y Lleu Llaw Gyffes) y la diosa triple Matrones. Las deidades triples eran un fenómeno relativamente común en la religión celta. Algunas deidades como Lugh y El Morrígan eran consideradas a menudo deidades triples y figuras individuales, dependiendo de la tribu y de la tradición religiosa.

La antigua religión y la magia celta

Los druidas y los poetas lideraban la religión celta antigua, y ambos grupos estaban relacionados con la magia.

Los druidas eran esencialmente los sacerdotes de la antigua religión celta y se encargaban de vincular a los humanos con los dioses. También eran los guardianes de la historia de una comunidad y eran respetados por su conocimiento de las costumbres, las tradiciones y la sabiduría en todas las cosas.

Dirigían las ceremonias religiosas, pero esto era solo una parte de sus funciones. También eran adivinos que adivinaban el futuro e interpretaban los acontecimientos naturales, hacían pócimas medicinales y utilizaban plantas sagradas que a la gente común no le estaba permitido usar (como el muérdago). Además, se encargaban de lanzar tabúes (lo que ahora llamamos hechizos) a las personas que desobedecían las normas religiosas y comunitarias.

Al igual que con la antigua religión celta, el conocimiento de la tradición druídica procede de los escritos de romanos y griegos. Los druidas no dejaron apenas fuentes escritas de las que podamos aprender. Sin embargo, cabe destacar que los registros escritos romanos de origen celta contienen los mismos elementos que las antiguas canciones populares celtas y las leyendas orales transmitidas por los druidas, los poetas y los bardos.

Convertirse en druida era un procedimiento complejo y a menudo podía llevar hasta 20 años de formación. Algunas fuentes señalan que los druidas eran capaces de

- Producir tormentas de nieve
- Tener poder sobre los elementos
- Crear ilusiones para engañar a los enemigos en tiempos de guerra

Los druidas a veces adoptaban posturas específicas mientras lanzaban hechizos, pero gran parte del poder mágico estaba en las palabras reales, por lo que su amplio conocimiento de estos hechizos era tan vital. También explica la falta de fuentes escritas, ya que escribir estos hechizos permitiría a otros entender y utilizar su poder.

Aparte de los druidas, el conocimiento de la magia también lo tenían los poetas celtas, especialmente en Irlanda, conocidos como los fili. Al igual que los druidas, convertirse en poeta requería una amplia formación, los poetas tenían la tarea de recordar numerosos y largos poemas (a veces cientos). Este amplio conocimiento y capacidad de memorización hacía que los poetas fueran asignados como guardianes de la sabiduría de las comunidades.

En la Irlanda celta, los poetas eran vistos y tratados como personas con una capacidad mágica; se creía que la poesía, o la expresión poética, esta intrínsecamente relacionada con una forma de magia o clarividencia mágica que daba a los poetas un poder inusual en la sociedad. Como se ha mencionado anteriormente, los hechizos y las maldiciones dependían de la palabra hablada más que de cualquier gesto por parte del lanzador, y los poemas satíricos pronunciados por un poeta se consideraban a menudo maldiciones lanzadas sobre la persona o personas a las que se satirizaba en el poema.

Hay que señalar que los poetas eran diferentes de los bardos en Irlanda. Los bardos eran recitadores de poemas existentes, mientras que los poetas eran artistas con habilidades mágicas que podían crear nuevos poemas. Sin embargo, en Gales, poetas y bardos eran términos intercambiables.

Según algunas fuentes romanas, también existía una clase separada de videntes, distinta de los druidas y los poetas. Se suponía que estos videntes interpretaban los acontecimientos naturales, como el vuelo de los pájaros, para adivinar el futuro. Sin embargo, la mayoría de las fuentes combinan la orden de los videntes con la de los druidas.

Aparte de la magia codificada de los druidas y los poetas, hubo casos de magia más "cotidiana" entre los antiguos celtas. La más significativa de esta magia "menor" es el uso de amuletos. Los amuletos eran amuletos que se creía que tenían la capacidad de alejar el peligro. Estaban destinados a las personas vivas (y a los muertos) y a menudo se encontraban en las tumbas de mujeres y niños. Además, los talismanes eran una clase diferente de objetos mágicos que se creía que traían suerte al portador o al propietario.

La magia celta en la actualidad

Con el tiempo, las sociedades celtas sufrieron una cristianización gradual (al igual que gran parte de Europa). El último país celta en convertirse al cristianismo fue Irlanda, pero para el siglo V-VII d. C., la Iglesia relegó las prácticas celtas tradicionales a la irrelevancia, y los poetas y druidas fueron rebautizados como practicantes demoníacos y paganos. Para desalentar aun más las prácticas paganas, las hadas y otros guías espirituales naturales también fueron transformados en entidades malévolas por los sacerdotes cristianos.

Sin embargo, la religión y la tradición celtas sobrevivieron en piezas y en el folclore de los países celtas. Si los celtas no podían adorar a sus dioses y diosas abiertamente, los convirtieron en héroes y heroínas en leyendas transmitidas a las siguientes generaciones. De hecho, la tradición oral celta era tan fuerte que estas historias son casi las mismas hoy en día que se registraron en fuentes más antiguas.

Algunos rituales, en particular los que se creía que tenían propiedades curativas, como la peregrinación a los pozos de clootie, la práctica de vestirse de pozo y el uso de árboles de los deseos, siguieron utilizándose incluso durante el apogeo del cristianismo. En algunas zonas aisladas de estos países, como las islas Inishkea, situadas frente a la costa de Irlanda, los rituales celtas se practicaron hasta bien entrado el siglo XIX.

Además, en la década de 1900 resurgió el interés por las tradiciones celtas y la religión celta. Como se ha mencionado anteriormente, era una forma de resistir al dominio británico sobre otros países del Reino Unido, especialmente Escocia e Irlanda. Dado que el uso de muchas lenguas celtas estaba prohibido o severamente desalentado y penalizado, este periodo también vio un resurgimiento del interés por estas lenguas.

Paganismo celta reconstruccionista

El Paganismo Reconstruccionista Celta es quizás el enfoque más conocido del neopaganismo celta y adopta un enfoque reconstruccionista de la religión. Da prioridad a la exactitud histórica frente a la combinación de la religión celta con otras tradiciones paganas, común en el neodruidismo y la wicca celta.

El Paganismo Reconstruccionista Celta se originó a partir de varias religiones paganas modernas de los años 70 y 80 y creció como religión en los años 80 y 90. Las partes fundamentales de esta tradición incluyen el estudio y la recuperación de las lenguas celtas y la concentración en las actividades culturales celtas, como la música, la danza e incluso las artes marciales tradicionales.

Los practicantes también se centran en preservar importantes lugares arqueológicos y sagrados de los celtas, como los sitios alrededor de la colina de Tara, y han participado en protestas para asegurar su supervivencia.

Los rituales incluyen:

- Reconocer los reinos de la tierra, el mar y el cielo.
- Utilizar el fuego de la inspiración como fuerza que une y vincula estos reinos.
- Mantener altares y santuarios a las deidades personales.
- Algunos practicantes también practican la adivinación con la ayuda del alfabeto tradicional Ogham o a través de la interpretación de sucesos naturales como los movimientos de las nubes y los pájaros.

Wicca celta

Aparte del Paganismo Reconstruccionista Celta, la otra versión conocida del neopaganismo celta es la Wicca Celta. Este subconjunto de la práctica wiccana moderna combina las creencias wiccanas con la mitología celta.

Los wiccanos celtas creen en las mismas costumbres básicas que otros wiccanos, incluyendo la Rede Wicca y la Regla de los Tres. También adoran a la Diosa y al Dios divino. Sin embargo, a diferencia de la Wicca tradicional, la Wicca celta no es dúo-teísta. Los wiccanos celtas también adoran a otras deidades de la mitología celta, con deidades importantes como

- Brigid
- Cerridwen
- Rosmerta
- Rhiannon
- Cernunnos (como se ha mencionado anteriormente, Cernunnos se conoce a menudo como el dios con cuernos. Para los wiccanos celtas, se le suele equiparar y combinar con el macho divino, el Dios)
- Lugh

Cabe señalar que la forma en que una persona practica la Wicca Celta es a menudo excepcionalmente personal. Muchos practicantes se centran más en un aspecto sobre el otro, la Wicca sobre la religión celta, o viceversa. Los wiccanos celtas que se centran en la religión celta encontrarán a menudo que la Rede Wicca es incompatible con la ética celta de la mortalidad heroica. Los que se centran más en el aspecto de la Wicca incorporarán los cuatro elementos en sus tradiciones espirituales.

Los wiccanos celtas generalmente celebran los mismos ocho Sabbats que los demás wiccanos - la Rueda del Año Wicca y los Sabbats tienen orígenes en las tradiciones celtas, lo que los convierte en un aspecto central de la tradición wiccana celta. Sin embargo, a diferencia del Paganismo Reconstruccionista Celta, la Wicca Celta sigue siendo una combinación de dos tradiciones religiosas más que un movimiento centrado en la exactitud histórica.

Neodruidismo

Como se ha mencionado anteriormente, otra tradición neopagana celta es el neodruidismo. Es, esencialmente, un renacimiento del druidismo celta y sus orígenes en el interés por la religión celta durante los siglos XVIII y XIX.

Durante el movimiento romántico del siglo XVIII en Gran Bretaña, el interés por los antiguos celtas alcanzó su punto máximo. Los primeros neodruidas pretendían imitar a los druidas originales y revivir la cultura celta.

Como se ha comentado anteriormente, existe poca información sobre los druidas originales, especialmente en las fuentes primarias. Debido a esta cuestión, el neodruidismo se basó en sociedades secretas como la masonería y utilizó a los druidas como símbolo de la espiritualidad indígena de la antigua Gran Bretaña. Hubo varias sociedades de neodruidas, y algunas eran -y siguen siendo- de naturaleza puramente cultural. Sin embargo, otras se orientaron hacia un aspecto más espiritual, incluyendo el culto a la naturaleza, la creencia en el Awen (la idea de la divinidad y el espíritu de la Deidad), el culto a la diosa y la veneración de los antepasados.

Cabe mencionar que, al igual que la Wicca celta, el neodruidismo no es históricamente preciso. Aunque los druidas modernos participan en ceremonias y rituales, celebran durante los Sabbats y realizan otras prácticas mágicas, como la herboristería y la adivinación, esto no significa que representen con exactitud las antiguas órdenes druídicas.

Incluso el Paganismo Reconstruccionista Celta es, en última instancia, un enfoque reconstruccionista hacia la antigua religión celta. La falta de fuentes primarias hace que la reproducción exacta de la religión sea un reto en el mejor de los casos, y los practicantes han tenido que innovar sus versiones de la religión.

Si esta interesado en aprender más sobre la magia celta, incluyendo cómo practicar la adivinación ogham, utilizar la magia de los árboles y realizar rituales celtas, esta en el lugar adecuado. El siguiente capítulo detallará los dioses y diosas que encontrará como parte del panteón celta. Se le presentará la magia celta en Irlanda y Escocia, se le dará una mejor comprensión del druidismo y del camino del druida, y aprenderá mucho más. Siga leyendo para aprender todo lo que necesita saber sobre la religión celta.

Capítulo 2: El panteón celta

La mitología celta es siempre encantadora, y cuando la exploramos, no estamos hablando de un grupo particular que pasó a dominar un reino específico. En su lugar, nos centramos en explorar la dinámica cultura de la época celta que influyó fuertemente en muchas regiones, como el Danubio, Portugal, Irlanda y otras. Dado que la mitología celta, tal y como la conocemos hoy en día, cuenta con numerosos relatos y tradiciones prestados, una nota importante es recordar que sus dioses y diosas tienen deidades asociadas o cognados, dependiendo de la región. Por ejemplo, Lugus, como era conocido en la región de la Galia, también era conocido como Lugh en Irlanda. Exploremos los dioses y diosas más importantes de la majestuosa Era Celta.

1. Dana: diosa de la naturaleza

Es uno de los dioses más antiguos de la mitología celta. Dana es conocida por muchos nombres como Annan, Danu, Anu y a menudo es reconocida como la diosa madre primordial. Esta diosa celta es representada como una mujer imponente y sabia, profundamente vinculada a la naturaleza y a la esencia espiritual de las entidades naturales. Dana también representa la regeneración, la prosperidad, la sabiduría y la muerte.

Esta diosa desempeñó un papel importante en la mitología celta y fue considerada como la madre divina de Tuatha De Danann (el pueblo de la diosa Dana). Tuatha De Dannan era uno de los mayores panteones de la Irlanda precristiana y se consideraba una tribu o raza sobrenatural de dioses celtas.

¿Cómo honrar hoy?

Seleccione un momento en el que pueda concentrarse en el ritual de honra, alrededor de media hora o, como mínimo, dedique 10 minutos. Los mejores momentos son antes del amanecer o después de la puesta de sol, pero puede seleccionar cualquier momento del día si estos no le convienen. Lo ideal es que el ritual para adorar a Dana se realice al aire libre, pero en el interior estará bien si se siente incómodo con esto. Tendrá que repetir los fundamentos del ritual, incluyendo la toma de tierra, la respiración profunda para centrarse y luego pasar por los pasos de un ritual de purificación. Ahora esta listo para conectar con la deidad Dana. Puede llamarla con cualquier nombre o título que sienta más cercano a su corazón. La invocación debe ser sincera en lugar de prolija, y debe hacer una ofrenda (vino, agua o cerveza). Después, siéntese en silencio y visualícela. Cuando aparezca ante usted (quizás la oiga o reciba una señal), salúdela, deje que se comunique con usted y escúchela con respeto. Una vez que sienta que la comunicación ha concluido, sirva otra ofrenda a la diosa y beba un poco usted mismo. Es importante no precipitarse en el ritual y ser cortés y paciente.

2. Dagda El jefe de todos los dioses

Resulta ser una importante deidad paterna y se le llama dios alegre y jefe de todos los dioses celtas. Dagda es una deidad vinculada con todos los aspectos nutritivos y terrenales, incluyendo la fertilidad, la fuerza masculina, el clima y la agricultura. Pero esto no es todo; se creía que los poderes divinos de Dagda abarcaban también la sabiduría, el conocimiento, la druidez y la magia. A menudo intriga al lector conocer la apariencia física de la deidad Dagda como un hombre sencillo y regordete que ha envejecido. A menudo se le representa vistiendo una túnica rústica y vieja. Sin embargo, el único elemento interesante que siempre se ve en las imágenes o representaciones de la deidad Dagda es el Lorg Mór (gran bastón o el garrote) con poderes mágicos. Su bastón mágico podía resucitar a los muertos o provocar la muerte de varios simultáneamente. La deidad sencilla y nutritiva, Dagda, nunca estaba sin su caldero mágico y un gran cazo, conocido como "coire ansic". El caldero representaba su conexión con los aspectos mágicos, misteriosos y surrealistas de este mundo, mientras que el cazo era una representación simbólica del inmenso poder de Dagda sobre la comida, el sustento y la abundancia en general. También tuvo muchas amantes, entre ellas la diosa Morrigan.

¿Cómo honrarlo hoy?

Para celebrar al paternal Dagda, simplemente haga diferentes ofrendas, como gachas de avena, cerveza y mantequilla al fuego mientras realiza el ritual. Coloque en el altar diferentes símbolos de generosidad y abundancia, incluyendo productos que haya cultivado, y cargue un gran caldero con comida casera y verduras cultivadas en casa. Otra forma de honrarlo es hacer donaciones de alimentos al banco de alimentos local o ser generoso y hospitalario con los demás a su alrededor.

3. Morrigan La diosa del destino

Según el folclore mitológico celta, la diosa del destino también es reconocida como una misteriosa deidad conocida con el nombre de Morrigu. Además, parece ser una figura ominosa vinculada a guerras terroríficas y misterios del destino. Se creía que Morrigan tenía poderes proféticos de premonición de la fatalidad. Hay varias interpretaciones de su nombre en la historia que son bastante intrigantes, pero una de las más interesantes es la de "reina fantasma", ya que era capaz de cambiar de forma o figura y normalmente se convertía en un cuervo.

Como ya se ha mencionado, Morrigan ha estado vinculada a la fatalidad anunciada, y su reputación de deidad ominosa es cierta, ya que, según las historias, atraía a los soldados al frenesí del campo de batalla. También es popular entre los creyentes como deidad de la soberanía y se la consideraba protectora de la tierra y de los creyentes. Cuando se examina la historia de Morrigan, es interesante observar la conexión que se ha establecido con otras deidades, como Nemain, Badb y Macha. No solo esto, sino que Morrigan también compartió un interesante encuentro con Dagda en Samhain.

¿Cómo honrarlo hoy?

Primero debe conocer a esta deidad en profundidad, así que dedique mucho tiempo a estudiarla y a saber cómo se manifiesta en las distintas culturas. Prepare un altar dedicado a ella y coloque dibujos o una estatua de Morrigan. Utilice velas negras o rojas, un paño de altar y ciervos y cuervos decorativos. Tenga también un recipiente con agua. Puede realizar rituales chamánicos de cambio de forma y practicar la meditación o los tambores chamánicos.

4. Lugh Dios guerrero

Es el dios guerrero, conocido por Lugus, Lugos, Lugh Lámhfhada (Lugh del brazo largo) y Lleu Llaw Gyffes (Lleu de la mano hábil), y representado como una deidad poderosa y valiente. Se encuentra entre las deidades más respetadas y célebres por su hipnotizante personalidad guerrera y su aspecto juvenil. Sin embargo, no hay que dejarse engañar por la apariencia juvenil de la deidad Lugh, ya que su poder era inigualable. Lugh fue la única deidad que mató al jefe de los Formorii, un formidable Balor tuerto (un enemigo de la tribu de los dioses, es decir, los Tuatha De Danann). Una ironía interesante o un giro del destino fue que, aunque Lugh fue anunciado como el asesino de Balor, era uno de los descendientes de Balor. Lugh estaba relacionado con los linces, las tormentas eléctricas, los delirios y era conocido como Samildanach (hábil en todas las artes). Algunas historias míticas y folclóricas interesantes relacionan a Lugh y a Cu Chulainn (que era un héroe irlandés) como padre e hijo. Cabe mencionar que Cu Chulainn es bastante parecido a Hércules/Heracles y a Rostam. El folclore y la mitología tienen una extraña y hechizante interconexión que no deja de divertir a los estudiosos hasta la fecha.

¿Cómo honrarlo hoy?

Para honrar al dios de la guerra, Lugh debes llevar pan, granos, maíz u otros símbolos de la cosecha como ofrendas. Antes de comenzar el ritual de honra a Lugh, dedique un tiempo a hacer un inventario personal de sus puntos fuertes, talentos, objetivos, etc. Coloque en el altar los objetos que hablen de sus talentos. Necesitará una vela para simbolizar a Lugh y colocarla en el centro del altar. Cuando encienda la vela, tómese otro segundo para refrescar todos los logros de su vida. Haga un conjuro en honor a Lugh y preséntese como un devoto experto. Enorgullézcase de sus habilidades (pero no sea descortés o snob por estar hablando con una deidad). Después, pregunte sobre lo que quiere mejorar. Haga otra ofrenda, concluya el ritual con gratitud y dedique unos minutos más a reflexionar sobre sus habilidades.

5. Brígida: Triple diosa de la curación

La diosa triple, Brígida, es bastante popular por su reputación de diosa de la primavera y deidad de la herrería, así como de la curación. También esta fuertemente asociada con algunos atributos peculiares de Morrigan. En cuanto a la mitología y el folclore celtas, Brigid es reconocida como la hija de la deidad Dagda y ha sido un miembro estimado de la tribu divina de deidades, los Tuatha De Danann. Un aspecto llamativo de la diosa Brígida es su fuerte conexión con los animales domésticos, incluidos los bueyes, los jabalíes y las ovejas. Estos animales avisaban lealmente a la diosa de cualquier calamidad que se avecinara. Esta diosa era generalmente venerada como la poeta, la sanadora y la herrera. En otras palabras, puede que incluso se la considerara una triple deidad.

¿Cómo honrarlo hoy?

Empiece por informarse y leer textos míticos sobre ella. El siguiente paso es montar un altar para ella, ya que a Brígida le encanta tener un pequeño espacio dedicado en las casas de sus seguidores. Es una diosa del hogar, así que la cocina puede ser el lugar perfecto. Puede decorar el altar con una foto o estatua de ella, un vaso de agua y una vela. Es tan sencillo como eso. Mientras se dirige a ella, no olvide encender una vela para conectarse profundamente con Brígida. También puede honrarla reconociendo otros elementos, como el agua. Todo lo que tiene que hacer es visitar un manantial o pozo cercano o cualquier masa de agua natural que sirva para este propósito. Simplemente muestre su gratitud y pida humildemente la curación de su alma, cuerpo y mente.

6. Epona Diosa guardiana de los caballos

Epona se considera la deidad femenina y sirve como protectora de los caballos, las mulas y los asnos. Esta diosa celta también esta relacionada con la fertilidad. Los jinetes del Imperio romano veneraban a la diosa Epona y la favorecían mucho. La diosa Epona era muy popular entre los Equites Singulares Augusti, que eran los guardias a caballo imperiales. Estos guardias eran los homólogos de la Guardia Pretoriana, y según algunas historias, Epona fue la que realmente infundió un espíritu de inspiración en Rhiannon. Los relatos sobre la mítica galesa Rhiannon, que también fue reconocida por su tenacidad y etiquetada como la dama del otro mundo, estan fuertemente vinculados con la diosa Epona.

El símbolo de Epona es un caballo, ya que se la considera la diosa protectora de los animales. A veces se la muestra llevando maíz en su regazo o una copa y se cree que inspira providencia, amor y fertilidad. También puede ayudar en situaciones en las que se necesita más autoridad.

¿Cómo honrarlo hoy?

Si quiere mostrarle su respeto, coma maíz y deje rosas como ofrenda para ella. También puede utilizar incienso de rosa o pétalos de rosa. Si eso no es una opción para usted, utilice incienso de sándalo. El color que más se asocia con ella es el blanco, así que no olvide coger una vela de ese color. Es una diosa vinculada a varios aspectos de nuestra vida. Puede pedirle que se cumplan sus sueños, y ella bendice los que vemos mientras dormimos. Pero también es la diosa de la ambición y la esperanza. Así que, si quiere manifestar sus sueños y buscar protección, es la diosa a la que debe honrar hoy. Se la representa como cuidadora, así que ruéguele para que proteja a los niños, las familias y las mujeres embarazadas.

7. Belenus El Dios del Sol (Beli Mawr, Bel y Belenos)

El Dios del Sol fue uno de los dioses más venerados e idolatrados de la historia celta. A menudo se le mostraba surcando el cielo en un majestuoso y divino carro de caballos. También se le representa a veces lanzando rayos, montando un solo caballo o utilizando la rueda mística como escudo. Los romanos lo relacionaron con Apolo (también conocido como el dios de la luz). Por ello, Belenus también es aclamado por sus poderes regenerativos y curativos.

¿Cómo honrarlo hoy?

Puede honrar a Belenus realizando ofrendas similares a las de otros dioses y diosas, aprendiendo primero más sobre él antes de pasar a los rituales de purificación y de puesta a tierra. Las ofrendas típicas de Belenus incluyen caballos de terracota y estatuas de niños envueltos en piedra.

8. Aonghus Dios del amor

El nombre de esta deidad se traduce a menudo como "verdadero vigor", y se le relaciona popularmente con el amor. Al igual que la deidad Lugh, Aonghus, o Aengus, es otra deidad que se celebra por su aspecto juvenil. También se le rinde culto popularmente por su relación con los espíritus o los temas del amor y la poesía. Según las historias mitológicas, Dagda y Bionn (la diosa de los ríos) eran supuestamente sus padres. Según el folclore, Dagda y Bionn mantuvieron una relación ilícita y, como consecuencia, Bionn quedó embarazada. Sin embargo, Dagda intentó ocultar su embarazo y la verdad de su relación ilícita controlando mágicamente el clima. La mitología narra que Dagda congeló o detuvo el sol durante nueve meses enteros, ¡y así fue como nació la deidad Aengus en cuestión de un día! A pesar de la peculiar historia de sus padres, el dios Aonghus creció hasta convertirse en una deidad vivaz y llena de amor y afecto por las criaturas que le rodeaban. Se veían sus representaciones con cuatro pájaros siempre a su alrededor. Más tarde, Aengus engaña a su padre (Dagda) en un intento de confiscar y gobernar la tribu divina de los Tuatha De Danann, Bru na Boinne. Sin embargo, fue coronado como la deidad del amor, principalmente por su historia. Aengus se enamoró de Caer Ibormeith, a quien vio en un sueño. Finalmente la encontró y se casó con ella.

¿Cómo honrarlo hoy?

Comience con los mismos rituales de honrar y ofrendar a los dioses y primero aprenda más sobre él para conectar con él a un nivel más profundo. La oración a Aengus debe incluir su alabanza. Después, comparta lo que agradece y pídale humildemente las cosas para las que necesita orientación.

9. Taranis El Dios del Trueno

Taranis era uno de los dioses de la tríada de dioses celtas (junto con Esus y Toutatis) y era llamado el dios del trueno. Este rasgo es especialmente interesante porque a menudo se le comparaba con el dios Júpiter y con Zeus. Los retratos o ilustraciones de Taranis suelen representar a Hum con un rayo, y su aspecto físico es similar al del dios Zeus. Otra cosa digna de mención es que Taranis se asociaba con el fuego (el cielo o el aire). Se le mostraba en las imágenes sosteniendo la rueda solar.

¿Cómo honrarlo hoy?

Hay varias formas de honrar a Taranis y expresar su devoción y dedicación a este dios. Una de ellas es encontrar un roble iluminado y llevar un trozo de él con usted. Otra es llevar consigo bellotas y hojas de roble secas en una mini bolsita. Cuando vaya a realizar un ritual al aire libre para Taranis, haga siempre una ofrenda para buscar el buen tiempo. Se recomienda hacer una ofrenda de fuego. Además, encienda una vela y ofrezca una oración a Taranis durante los relámpagos o los truenos, mostrando su sumisión a él. Otro detalle importante a recordar es concluir el ritual haciendo la segunda ofrenda mostrando su agradecimiento.

10. Ogma Dios de la Elocuencia

Las deidades vinculadas a las lenguas no son frecuentes en el folclore antiguo. Esta deidad constituye una excepción a la regla general porque Ogma es el dios de la elocuencia. Algunas historias representan el parecido físico entre Ogma y Hércules. Si se observan las representaciones de Ogma, hay cadenas de color ámbar o dorado que estan unidas a sus creyentes a través de su lengua. También fue un personaje importante en los relatos mitológicos aragoneses. Inventó el Ogham, que era un antiguo sistema de escritura en Irlanda. Era famoso por ser una deidad del Conocimiento.

¿Cómo honrarlo hoy?

Para honrar a Ogma, inicie el camino del conocimiento, y el mejor comienzo es reunir toda la información posible sobre él. Si realiza un ritual para mostrar su dedicación y alabanza a Ogma, el altar debe estar colocado de una manera específica. Como es el dios de la elocuencia, ofrezca una pieza de valor de conocimiento o haga una ofrenda equivalente. Difundir el conocimiento o la sabiduría es también una indicación de dedicación hacia Ogma.

11. Cernunnos Señor de todas las cosas salvajes

Resulta ser uno de los más imponentes e impresionantes de todos los dioses celtas porque era la deidad de todo lo salvaje. A Cernunnos se le dio el título de "Coronado" y se le relacionó frecuentemente con los bosques, los animales y la fertilidad en la mitología politeísta celta. En la mitología celta, se le describe como hijo de la deidad Lugh y luchaba por asegurar la supervivencia de los animales salvajes y los bosques. Sus representaciones suelen reflejar todas las características asociadas. Tiene una cornamenta bastante llamativa en la cabeza y epítetos poéticos y representa la energía paternal masculina de la madre tierra. Atraviesa los ciclos de la muerte y la vida; después de la muerte, renació y fue impregnado por la diosa de Beltane. Por lo tanto, no solo nació a través de la tierra, sino que también desempeñó un papel importante en su fecundación. Sin embargo, esta interpretación es bastante nueva asociada a Cernunnos. Sus armas estaban hechas de materiales naturales, incluidas las raíces de los árboles.

¿Cómo honrarlo hoy?

Ofrezca cerveza negra, sidra, conejo asado, ponche de frutas, tallas de hueso, bellotas, setas, velas verdes, piel de jabalí y fragancias de flores. Al igual que otras deidades, un aspecto esencial para honrarlo es aprender más sobre él para acercarse a él. Sin embargo, la naturaleza es un componente clave para honrar a Cernunnos. Puede honrar a Cernunnos ofreciendo ofrendas rituales dedicadas mediante la purificación, la toma de tierra y la visualización mientras espera que el dios de todas las cosas salvajes responda.

La mitología celta no se limita a las pocas deidades aquí mencionadas. También pueden incluirse muchos otros dioses y diosas como relevantes. Cada deidad tiene sus atributos únicos, y para mostrar su devoción, debe honrar a cada deidad teniendo esto en cuenta.

Capítulo 3: La magia celta en Irlanda y Escocia

Las personas que no tienen un conocimiento profundo de la mitología celta suelen asumir que la magia celta es similar a la Wicca y a muchas otras formas de prácticas neopaganas. En realidad, esto no podría estar más lejos de la realidad, y nada lo ilustra mejor que las prácticas únicas de magia celta de Irlanda y Escocia.

Además de tener una historia que se remonta al año 400 d. C., la representación celta del universo se basa en la naturaleza, mientras que, por ejemplo, la Wicca se basa en los cuatro elementos. El sistema de creencias de la mayoría de los paganos modernos fomenta el uso de la magia únicamente para curar y proteger y nunca para hacer daño. Los antiguos celtas eran poderosos guerreros que no veían nada malo en dañar a alguien si eso significaba su supervivencia. Esto hizo posible que ocuparan Irlanda y Escocia, creando un nuevo territorio para difundir sus creencias. La característica más importante que diferencia al paganismo irlandés y escocés de otras formas es el politeísmo. Este es otro elemento que queda del sistema de creencias de los antiguos celtas, en el que cada dios y diosa tiene su origen y función únicos en el universo. Aunque la Wicca y otros practicantes paganos modernos similares suelen reconocer la existencia de múltiples deidades, se dice que estas son descendientes de un solo dios. Esta ideología se debe probablemente a los orígenes mixtos de estos sistemas de creencias.

La magia celta en Irlanda

Irlanda es una isla, aislada del resto del mundo. Debido a esto, no había nada que pudiera influir en la difusión de las antiguas creencias paganas. Además, las prácticas de Irlanda evolucionaron rápidamente. Primero tuvo que mezclarse con la magia popular, también basada en la búsqueda de poder en la naturaleza, y más tarde con el cristianismo, que fue un proceso mucho más largo. Sin embargo, esto enseñó a los celtas irlandeses una gran lección. Aprendieron que los lugares sagrados no podían crearse. Solo podían encontrarse, y una vez encontrados, hacían todo lo posible por conservarlos.

En la mitología pagana irlandesa, el nacimiento, la muerte y el renacimiento estan siempre entrelazados, representando los elementos de un mismo ciclo. Todas las criaturas se encuentran en tres reinos diferentes, este mundo, el inframundo y el otro mundo. Este último suele estar vinculado a los Tuatha Dé Danann, la conocida y antigua tribu celta de Irlanda. Según la leyenda, el "otro mundo" fue creado como un mundo paralelo al nuestro, para que los desterrados de este mundo pudieran seguir viviendo allí. Las deidades y otros seres elementales lo pueblan. Utilizando la meditación y el viaje, viajar entre los reinos es posible y a menudo se aconseja si se busca orientación. Los practicantes suelen hacerlo con las habilidades necesarias para reunir y compartir la sabiduría sagrada en cualquiera de los dos reinos.

La llegada del cristianismo supuso el cambio más sustancial en las prácticas paganas irlandesas. Los sacerdotes asumieron el papel de los druidas, haciendo que sus seguidores cambiaran también de creencias. Sin embargo, muchos druidas conservaron sus creencias paganas puras, a pesar de haberse convertido al cristianismo o de haberse convertido en sacerdotes.

Tuatha Dé Danann

Los Tuatha Dé Danann (el Pueblo de la Diosa Danu) fueron una de las primeras tribus celtas que echaron raíces en Irlanda. Sus dioses se llamaban Eriu y todavía se utilizan como nombre de Irlanda en los círculos celtas paganos. Al llegar a la costa irlandesa, los Tuatha Dé Danann quemaron sus barcos, mostrando su absoluta determinación de apoderarse de esta nueva tierra. Tras ganar la batalla con el gobernante, el Fir Bolg, triunfaron y gobernaron con éxito Irlanda durante más de 200 años. A pesar del absoluto dominio con el que se apoderaron de Irlanda, los Tuatha eran bastante civilizados. Su cultura fue admirada por los conquistados, y pronto sus habilidades y tesoros se convirtieron en la fuente de los cuentos que aun se cuentan hoy en día. Según estos cuentos, los Tuatha Dé Danann poseían cuatro talismanes, y cada uno de ellos era un testimonio de gran poder.

Los cuatro talismanes eran

1. La Piedra de Fal señalaba cuando un verdadero rey de Irlanda estaba sobre ella.
2. El Dios del Sol Lugh, con la honda siempre precisa.
3. La espada mágica de Nuadha, que solo infligía heridas mortales.
4. El Caldero de Dagda, que proporcionaba un suministro interminable de sustento a los guerreros.

A pesar de su arsenal y sus poderes divinos, el gobierno de dos siglos de los Tuatha Dé Danann llegó a su fin cuando los mortales melesianos los derrotaron. Fueron relegados a vivir bajo tierra y más tarde al otro mundo mágico, pero finalmente asumieron un nuevo papel como portadores de las hadas. Pasaron a ser conocidos como la gente del túmulo, Aes sidhe o Aos Sí.

Aos Sí

Viviendo en el otro mundo, los Aos Sí son representados en diferentes formas. Estos seres místicos se describen a veces como criaturas parecidas a los elfos, ocultas a los ojos humanos. En otras representaciones, se asemejan a pequeñas hadas. Esta última es la caracterización moderna de las hadas irlandesas, que en el caso de los Aos Sí, es la menos precisa. Aunque esta interpretación parece ser la más popular, no se refleja en las descripciones proporcionadas por las fuentes orales disponibles de la antigüedad. La mayoría de los cuentos irlandeses los describen como altos como los humanos, justos y hermosos.

Pueden cruzar entre los dos reinos y a menudo visitan los túmulos de Irlanda, donde se les puede ver haciendo travesuras o buenas acciones. Para apaciguarlos hay que tratarlos con mucho respeto y hacerles ofrendas regularmente. Como siempre han sido más avanzados que los mortales, rara vez muestran interés por los humanos que han aprendido a compartir su tierra con ellos.

Además, la cultura popular moderna describe a menudo a las hadas como criaturas mágicas con predilección por las supercherías. Sin embargo, según la tradición celta, estas criaturas no siempre son tan benévolas. Algunos ejemplos de Aos Sí maliciosos son la doncella vampiro de las hadas, Leanan Sídhe, el jinete sin cabeza, Dullahan, un duende malvado, Far Darrig, y la Bean Sídhe, o banshee (como se la conoce por su nombre moderno). Se les pueden atribuir catástrofes naturales, enfermedades, deformidades de nacimiento o incluso un simple caso de mala suerte.

Las leyendas sobre los Aos Sí suelen tener un motivo recurrente que enfatiza la importancia de alejarlos. Los amuletos protectores, llevar la ropa del revés y ciertos alimentos pueden mantener a estas criaturas alejadas de las personas y los animales. Como se sabe que salen del otro mundo por lugares específicos, se puede evitar que se extravíen evitando estas zonas.

Tír na nÓg

Se dice que el hogar de Aos Sí (y de muchas otras criaturas) es un lugar mágico en el que el tiempo se detiene y no se producen muertes, enfermedades ni otros percances. Esta parte del otro mundo se encuentra justo fuera del reino humano. La única forma de llegar a ella es utilizando la magia, que es como muchos han conseguido encontrar el camino para cruzar. Algunos toman este camino en busca de la juventud eterna que ofrece Tir na nOg, mientras que otros simplemente quieren respuestas a preguntas relacionadas con su vida en el reino humano. Según la tradición celta, Tir na nOg (conocida como la tierra de la juventud) es el hogar de muchos héroes cuyos destinos estaban ligados a este lugar.

Un cuento popular describe la historia de Oisin, un joven guerrero irlandés que se enamoró de Niamh, la hija del rey de Tir na nOg. Niamh ayudó a Oisin a llegar a la tierra mágica, donde vivieron felices juntos durante trescientos años. Sin embargo, Oisin echaba de menos Irlanda, y Niamh acabó enviándolo de vuelta a su tierra natal. Cuando llegó, se dio cuenta de que mientras el tiempo se detenía en el otro mundo, habían pasado muchos años en su propio reino. Sus seres queridos se habían ido hace tiempo y su hogar estaba abandonado. Decidiendo volver a Tir na nOg, inició su viaje cuando se fijó en una piedra que quería llevarse. Cuando trató de recogerla, se cayó, y el tiempo lo alcanzó al instante, ya que tener más de 300 años significaba que había cruzado su vida. Sin embargo, ahora estaba en paz.

El chamanismo celta irlandés

El chamanismo, en general, se refiere a una práctica de reconexión con la naturaleza como una forma de experimentar la conciencia divina. Durante su viaje místico, los chamanes extienden una conexión espiritual hacia el mundo exterior y su conciencia al mismo tiempo. El chamanismo celta irlandés esta arraigado en la energía espiritual de esta tierra. Es una antigua tradición que honra los arquetipos del panteón celta y los lugares sagrados conocidos por los linajes chamánicos orales y los cuentos de la Irlanda celta.

A través de las prácticas del chamanismo celta irlandés, puede aprender a viajar al mundo del Espíritu y recuperar los conocimientos necesarios para la orientación, la curación o la adivinación. Al mismo tiempo, la versión contemporánea suele centrarse en acercarle a la naturaleza y a usted mismo. Tomar este camino le permitirá emerger de la experiencia como una versión empoderada de sí mismo que busca la verdad universal y no tiene miedo de experimentar la vida al máximo.

Los términos "curación" y "recuperación" son intercambiables en el idioma irlandés (gaélico), lo que indica que al revelar las partes ocultas de uno mismo, o al recuperarlas, se puede sanar y volver a estar completo. Cuando se recuperan todas las partes dañadas, usted se convierte en un luchador en lugar de un espectador, o peor, en una víctima. En el chamanismo celta irlandés, no hay diferencia entre la visión sagrada del alma y el amor y la compasión que provienen del hogar. Por eso es tan liberador adoptar el modo de vida celta, incluso en estos tiempos modernos. Al conectarnos con la naturaleza, podemos recargar nuestra energía espiritual para llenar todo nuestro día con una intención positiva. Una intención fuerte, a su vez, abre nuestros corazones para que podamos percibir el significado de la vida.

A medida que esté más en sintonía consigo mismo, experimentará energías espirituales más poderosas que fluyen hacia usted desde la naturaleza. Su percepción del mundo empieza a cambiar a un nuevo ámbito de comprensión. Al igual que en la antigüedad, el chamanismo celta irlandés sigue siendo un camino que le lleva a nuevas aventuras y le permite forjar conexiones con todas las formas de vida que existen en esta tierra.

La magia celta en Escocia

Aunque todas las pruebas históricas demuestran que el paganismo escocés tiene las mismas raíces que su homólogo irlandés, existen algunas diferencias notables entre ambos sistemas de creencias. Aunque los celtas invadieron Escocia poco después de apoderarse de Irlanda, las diferentes ubicaciones geográficas provocaron una divergencia significativa. El hecho de estar conectados con el continente significó que muchas otras religiones y prácticas influyeron en Escocia. Por ejemplo, el folclore basado en la naturaleza tuvo una influencia sustancial en el desarrollo del paganismo escocés. Por lo tanto, los paganos de Escocia llegaron a respetar la naturaleza como fuente sagrada de vida. Los seres humanos representan solo una parte del todo y deben aprender a coexistir pacíficamente con los animales, las plantas y cualquier otro ser vivo y no vivo que exista a su alrededor. Según el paganismo, el nacimiento, el crecimiento y la muerte estan interconectados y suelen tener un significado espiritual. La muerte es solo una fase de transición en el ciclo vital de una persona, y siempre conduce a una nueva existencia cuando la persona se reencarna completamente.

En el paganismo escocés, incluso las divinidades son vistas como una manifestación de la naturaleza. Las distintas divinidades pueden adoptar muchas formas diferentes. Sus dioses y diosas pueden enviar mensajes de muchas maneras diferentes, pero la entrega esta casi siempre relacionada con la naturaleza. Se manifiestan en animales, plantas e incluso en formas humanas, especialmente en los sueños. Se cree que las diosas tienen una afinidad particular para aparecer en los distintos elementos de la naturaleza, por lo que a menudo se las tiene en mucha más alta estima. Si uno busca la verdad espiritual, es mucho más probable que la reciba de una diosa. El uso del simbolismo mágico es una de las principales características del paganismo escocés, al igual que su homólogo irlandés.

El Sìth

Los paganos escoceses tienen una relación muy profunda con su tierra, evidente en los nombres tradicionales (en gaélico antiguo) que utilizan para los lugares de interés y los acontecimientos relacionados con ellos. Esto es el resultado de honrar a sus antepasados enterrados en esas tierras. Creen que pueden mantener una relación con los muertos a través de la tierra. Al igual que el sistema de creencias paganas irlandesas, los escoceses también reconocen la existencia del otro mundo. Sin embargo, los espíritus de los antepasados siguen vivos y les sirven de guía cuando los necesitan.

Sin embargo, según la mayoría de los mitos, el otro mundo también esta poblado por muchas otras criaturas, entre ellas los Síth. Estas criaturas son similares a los Aos Sí de la mitología pagana irlandesa y se describen como seres luminiscentes, parecidos a las hadas. La diferencia más notable es que, mientras que se cree que sus homólogos irlandeses tienen una disposición mayoritariamente neutral, los Síth se describen casi como criaturas malévolas. Se dice que atraen a los humanos con su música, solo para hacerles daño. Pueden aparecer como gatos, perros, serpientes y humanos feos, lo que representa un peligro para los niños y los que no estan familiarizados con su tradición.

Según otro mito, los Síth son descendientes de humanos que vivieron vidas deshonrosas. Al igual que los otros espíritus muertos que viven en el otro mundo pueden comunicarse con los vivos, los Síth también pueden hacerlo, salvo que siempre tienen un motivo oculto. Si alguien quiere comunicarse con ellos, debe comprender el riesgo y estar dispuesto a negociar. De lo contrario, los Síth tratarán de dañar a quien se encuentren.

Los paganos escoceses han aprendido a comunicarse con todos los espíritus de la naturaleza, lo que les permite comprender y explorar los reinos que hay detrás de los suyos. Esta ideología es muy diferente de las prácticas mágicas modernas, basadas en creencias celtas que han perdido la verdadera esencia que reside en el corazón del modo de vida pagano escocés.

El gato Sìth

Una de las criaturas de Escocia de las que los paganos han aprendido a desconfiar es el Gato Sìth. Aunque su tamaño es más parecido al de un perro más grande, tiene unos rasgos felinos muy característicos, incluyendo el suave pelaje negro por todo su cuerpo (de ahí el nombre de Cat Sìth, o gato-hada). Se cree que ronda las Tierras Altas de Escocia y a menudo se le confunde con otros animales más grandes que viven en las montañas. Según los relatos, muchos cazadores y guerreros han perdido la vida dando caza a esta misteriosa criatura. Otros mitos sugieren que las Cat Sìth son brujas con rasgos humanos y se transforman en gatos. Sin embargo, solo pueden hacerlo nueve veces antes de seguir siendo un gato para siempre, una referencia al concepto de que los gatos tienen nueve vidas.

Ya sean hadas o brujas, la opinión general es que no son de fiar. Atraen a la gente, les hacen daño o les roban. Si el Gato Sìth se cruza con un cadáver antes del entierro, pueden robar el alma del difunto. Los dioses no pueden reclamar a los muertos sin su alma, lo que significa que no pueden permanecer en el otro mundo. Para evitar el robo de sus almas ancestrales, los escoceses establecieron guardias para vigilar el cuerpo hasta que fuera enterrado. Estos guardias eran conocidos como Feill Fadalach, y debían desviar la atención de la criatura del cuerpo con los métodos habituales para distraer a un gato. Podían jugar con ellos, utilizar hierba gatera, adivinanzas e incluso música. También es sabido que los gatos se sienten atraídos por el calor. Encender fuego cerca de un cadáver podría atraer al Cù-Sìth a la zona, por lo que hay que evitarlo en la medida de lo posible.

Cù-Sìth

Otra criatura maliciosa que vivía en el otro mundo era el Cù-Sìth, o perro hada. Con su intimidante tamaño, su pelaje desaliñado de color verde oscuro y su cola trenzada o enroscada, el Cù-Sìth representa una imagen realmente aterradora. Al igual que su homólogo felino, el perro de las hadas merodea por las tierras altas y a menudo se le confunde con otros animales del tamaño de un toro. La mayor parte del tiempo se esconden en sus hogares, situados en las grietas de las laderas rocosas de las montañas. Solo se les puede notar por sus ojos brillantes o cuando aparecen de repente delante de quienes cruzan la montaña. Incluso cuando merodean, son cazadores sigilosos y solo advierten a sus presas desde lejos con sus aullidos. Se cree que su aparición es una mala señal, ya que el Cù-Sìth también se considera un presagio de muerte y de noticias alarmantes. Un Cù-Sìth puede llevarse el alma de los muertos al más allá después de aterrorizar a la pobre víctima hasta la muerte. A los que viajan por las montañas se les advierte que si oyen uno o dos aullidos, deben llegar a un refugio antes de oír el tercero, ya que es el último aviso antes de que la criatura ataque.

También existen mitos acerca de que el Cù-Sìth es el sirviente del Daoine Sìth, las criaturas divinas destinadas a vivir en el túmulo de hadas subterráneo. Pedían a las criaturas que trajeran almas humanas para fines específicos. Por ejemplo, las mujeres que amamantaban a sus hijos podían proporcionarles leche, y sus hijos se utilizaban a menudo como cebo para atraerlos. Para evitar que los Cù-Sìth se los llevaran, estas mujeres y sus hijos eran encerrados en cuanto se oían los aullidos.

Las Baobhan Sìth

También conocidas como las banshees de la tradición pagana, las Baobhan Sìth son criaturas parecidas a las hadas que viven fuera de la sociedad humana. Al seguir cada uno de sus movimientos, las Baobhan Sìth atraen fácilmente a sus víctimas invitándolas a bailar. A diferencia de las banshees, los súcubos y otras criaturas similares de los mitos de otras culturas, a los Baobhan Sìth no les importa mucho mantenerse jóvenes o poderosos. Sin embargo, sus víctimas son casi siempre jóvenes y se cree que tienen un significado específico. Por un lado, esto representa un mayor desafío al agotar a la víctima con la danza. Cuando ven que la víctima esta cansada por la danza, la atacan, le abren el cuello con sus largas uñas y beben su sangre. Los jóvenes tienen una sangre más sana y rica, y esta es probablemente otra razón para su elección de víctimas.

Los guerreros y cazadores de las Tierras Altas corrían especialmente el riesgo de ser atraídos cuando vagaban por las montañas y los bosques. Debido al olor de la sangre de sus matanzas, el Baobhan Sìth se sentía atraído por los humanos. Incluso utilizaban trucos como transformarse en lobos y otros animales salvajes para acechar y atraer a sus presas. En otro cuento, los Baobhan Sìth se transforman en mujeres para atraer a los hombres, acercarse a ellos y alimentarse de ellos. Estas mujeres podían ser reconocidas porque tenían pezuñas en lugar de pies, que intentaban ocultar bajo largos vestidos y faldas. Originalmente, también eran mujeres, pero una vez asesinadas por el Baobhan Sìth, se convirtieron en criaturas.

Afortunadamente, estas criaturas también tienen puntos débiles que los humanos pueden utilizar contra ellas. Según un cuento popular escocés, los caballos y el hierro son las dos principales armas utilizadas contra los Baobhan Sìth. Según este cuento, un grupo de jóvenes cazadores se detuvo a pasar una noche en un pabellón de caza abandonado. Para celebrar un exitoso día de caza, encendieron un fuego e hicieron la cena.

En cuanto empezaron a comer y beber, oyeron que llamaban a la puerta. Cuando abrieron la puerta, vieron a cuatro hermosas mujeres que decían estar perdidas en el bosque y preguntaban si podían unirse a los hombres y obtener de ellos comida y refugio. Los cazadores estaban más que contentos de tener compañía femenina y las invitaron a pasar. Cuando las mujeres quisieron bailar, los hombres accedieron de buen grado. Antes de que se dieran cuenta de lo que ocurría, las mujeres les atacaron, mostrando sus largas uñas y pezuñas.

Uno de los hombres se alejó de las mujeres en ese mismo momento y se quedó junto a la puerta. Al ser testigo de la muerte de sus compañeros de caza, lanzó un objeto de hierro hacia la mujer que iba a atacarle y salió corriendo hacia los caballos. Consiguió matar a la sith de Baobhan cuando el hierro impactó, pero los demás le seguían el rastro. Sin embargo, en cuanto llegó a su caballo, notó que las criaturas no se acercaban a él. Permaneció entre los caballos hasta el amanecer, cuando las mujeres regresaron a sus hogares en el bosque. Después de echar un rápido vistazo a los cuerpos sin sangre de los miembros del clan, se dirigió a su casa para contar a su clan lo que había sucedido y les advirtió de las peligrosas criaturas que acechan en forma de mujeres.

Capítulo 4: El camino del druida

Si bien los celtas eran conocidos como grandes guerreros, su élite formaba una clase de personas muy instruidas encargadas de mantener sus costumbres y su orden. Su sabiduría desempeñó un papel fundamental en la configuración del paganismo celta en la práctica única que conocemos. En este capítulo aprenderá más sobre las creencias de estos distinguidos grupos celtas llamados druidas.

¿Quiénes son los druidas?

En la antigüedad, los druidas eran un grupo de celtas que gozaban de un estatus distinguido en su sociedad. Pertenecían a una clase altamente educada, con muchas funciones de responsabilidad. Entre ellos había maestros, jueces, curanderos y magos, posiblemente descritos como el equivalente a los sacerdotes modernos (hombres y mujeres). A pesar de ello, la única evidencia sobre sus vidas y roles en la sociedad celta proviene de fuentes orales. Lo que les hacía aptos para sus funciones era que sus conocimientos eran el resultado de una educación de décadas. Tenían prohibido escribir nada, lo que significaba que todos sus conocimientos debían ser memorizados. Las primeras evidencias de la druidismo provienen de hace más de 2000 años, mientras que el trabajo más destacado de esta clase se documentó durante la Edad de Hierro. Durante este periodo, los druidas eran tenidos en tanta estima que a menudo se les concedía más responsabilidad y libertad que a los líderes de la tribu.

Los druidas eran capaces de consultar a los espíritus de otros mundos y de predecir el futuro, por lo que a menudo se les pedía consejo sobre asuntos que iban desde lo personal hasta la tribu entera. Un método especialmente conocido para orientar antes de tomar una decisión importante consistía en verter un líquido entre dos cucharas (una de ellas tenía un agujero y el líquido se vertía desde arriba en la segunda cuchara de abajo). Si su respuesta era desfavorable, aconsejaban a la tribu que no tomara la decisión en cuestión.

Los druidas también emitían juicios en asuntos legales y dictaban castigos, como la prohibición de que el infractor participara en los rituales de sacrificio. Esto se consideraba una de las formas más graves de castigo porque significaba que la persona no podía recibir las bendiciones, la protección o cualquier otra protección que el resto de la tribu recibía por su sacrificio. A veces un asunto era decidido por una asamblea de druidas, teniendo todos el mismo voto en la toma de decisiones. Los druidas solían reunirse en un lugar sagrado para votar sobre asuntos importantes una vez al año.

La mayoría de sus ofrendas consistían en sacrificios de animales, pero algunas fuentes describen sacrificios humanos. Según estos relatos, cuando alguien era herido en la batalla y estaba a punto de morir, los druidas ofrecían un sacrificio humano para salvarlo. Esto se hacía construyendo enormes mimbres, llenándolos de criminales y quemándolos vivos. Sus vidas se intercambiaban por la de los inocentes heridos.

Rara vez participaban en combates físicos y dejaban los asuntos bélicos principalmente en manos del jefe de su tribu. Muchos jóvenes se unieron a la clase porque significaba librarse de luchar en la batalla. Algunos lo hicieron tras ser animados por sus familias, mientras que otros llegaron a esta resolución por sí mismos. En lugar de luchar y gestionar los campos de batalla, los druidas dedicaban la mayor parte de su tiempo y energía a aprender lo máximo posible sobre filosofía, astronomía, descifrar versos antiguos y el saber de los dioses.

Aunque se sabe poco sobre cómo realizaban sus ritos en sus inicios, es posible que se hicieran en un gran claro al aire libre. Un lugar que se asocia a menudo con el druidismo es *Stonehenge*. Según los mitos, *Stonehenge* fue construido por los druidas y utilizado como templo para sus rituales. La estructura se construyó hace aproximadamente 5000 años, mucho antes de las primeras pruebas del druidismo. Sin embargo, como todo esto se basa en recuerdos orales transmitidos a través de muchas generaciones, no esta claro que los druidas estuvieran en la época en que se colocaron las piedras. La única prueba sólida de esta teoría es que las piedras se alinean perfectamente con el solsticio de invierno y de verano. Este lugar tiene un papel central en las festividades que se celebran con motivo del solsticio de verano, un sabbat que celebran muchos paganos. Los druidas y los celtas viajan todos los años, incluso hoy, el día más largo del año a Stonehenge para celebrar un pequeño ritual al amanecer. Tanto si esto se debe a que los druidas elevaron la estructura como si no, Stonehenge fue y sigue siendo un lugar de importancia espiritual para ellos.

Se puede decir que el druidismo moderno es algo diferente de sus antiguas raíces, después de todo, ha sufrido muchos cambios. Algunos de los cambios fueron esenciales para la supervivencia de la práctica. Con la llegada del cristianismo, los druidas fueron sustituidos por sacerdotes y sus funciones se redujeron a las de poetas e historiadores. Sin embargo, consiguieron transmitir los conocimientos a lo largo de siglos de opresión. Durante el siglo XIX, el interés por el druidismo comenzó a resurgir y se formaron nuevas comunidades en Europa y Estados Unidos. El druidismo moderno representa una mezcla de prácticas tradicionales e ideas y soluciones modernas. Por ejemplo, en sus comunidades ya no se realizan sacrificios de animales o humanos. En su lugar, ofrecen comida, alcohol y estructuras simbólicas construidas para este fin específico, como una estructura rellena de hierbas, dulces, etc.

Aunque a los druidas modernos se les sigue exigiendo una formación rigurosa antes de darles cualquier responsabilidad, se les permite aprender de los libros, escribir lo que quieran y utilizar la tecnología con fines educativos. Conservando la antigua ideología del druidismo, los druidas modernos siguen centrándose en establecer una relación recíproca con sus antepasados y entre los miembros de su comunidad. Aunque sus funciones son mucho más suaves en comparación con los tiempos antiguos, el hecho de terminar su educación otorga a los druidas funciones muy respetables en su comunidad.

La filosofía principal de los druidas

La filosofía central de la druidismo tiene tres partes iguales: la veneración ancestral, el respeto a la naturaleza y la creencia de que todo esta infundido por la naturaleza. Las diferentes asociaciones de druidas suelen tener diferentes puntos de vista sobre la vida después de la muerte. Sin embargo, casi todas creen que las almas pasan a otro reino o cuerpo, continuando un ciclo predeterminado. También estan de acuerdo en que los espíritus ancestrales guardan mucha sabiduría y proporcionan guía y protección, tanto si vuelven en otra forma como si solo transmiten mensajes del otro mundo. La naturaleza desempeña un papel esencial en cada proceso, ya que permite que los espíritus visiten este mundo como una criatura viva o lleva los mensajes a través de pasillos espirituales. Los druidas suelen celebrar rituales para honrar el papel de la naturaleza en su vida. Cada ritual se construye en torno a un mito particular seleccionado por el druida que lo preside. Una de sus mayores festividades es la bienvenida al solsticio de primavera. Durante esta fiesta celebran el despertar del espíritu de la naturaleza, que les trae el sustento durante todo el año.

Awen

Uno de los conceptos centrales utilizados en el druidismo es Awen, el espíritu que proporciona la inspiración. Los druidas a menudo tienen que ir en busca de Awen, persiguiendo y cumpliendo su propósito en la vida. Si se convierten en poetas, historiadores, lingüistas, magos, sacerdotes o filósofos, esta determinado por Awen. Encontrar el Awen significa comprender dónde estan los puntos fuertes del druida para que siga el camino de su destino. El Awen es único para cada alma, lo que hace aun más difícil encontrarlo. Cuando un druida encuentra el Awen, obtiene acceso a la sabiduría de sus antepasados en muchos asuntos vitales. Sin embargo, cada Awen solo puede ser reconocido por la persona a la que esta vinculado.

Encontrar y seguir su Awen es una regla sagrada para los druidas, y requiere prestar mucha atención a su espiritualidad interior. Deben aprender a ignorar su ego, y a todos y cada uno de los demás con los que entran en conflicto, y centrarse únicamente en sus pensamientos intuitivos. Esto les permite obtener una comprensión más profunda de sí mismos, un paso que es crucial para encontrar el Awen. Los druidas también deben dejar de lado todas las convicciones y prejuicios sobre ciertas creencias y su capacidad para hacer de alguien una persona mejor. Dado que cada persona tiene un Awen particular y único para ella, las diferentes creencias también proporcionan una cualidad distintiva.

Druidismo y magia celta

Nada ilustra mejor la antigua relación entre el druidismo y la magia celta que la búsqueda del Awen. Los ritos, hechizos, poemas y sacrificios destinados a encontrar la propia espiritualidad se inspiran en la naturaleza. La magia celta se basa en forjar conexiones espirituales a través de la naturaleza y las fuerzas naturales. Los druidas utilizan la naturaleza como su musa a la hora de enriquecer su práctica y ampliar su creatividad para encontrar el propósito de su vida. Al pasar tiempo en la naturaleza y observar sus colores, sonidos, movimientos y el flujo general, se inspiran profundamente para crear una obra de arte, escribir un poema o un hechizo, diseñar un ritual o una danza, o hacer lo que necesiten para descubrir el camino del Awen. O incluso pueden crear al aire libre, dejando que la naturaleza impregne su trabajo mientras la inspiración fluye a través de ellos.

La naturaleza ayuda a los druidas a obtener una comprensión más profunda del Awen y de cómo cosechar sus beneficios. Según las enseñanzas de los druidas, Arwen fluye, de forma similar a la energía natural. Puede viajar de una persona a otra como el viento y tocarla como el río toca su orilla hasta encontrar su alma correspondiente. Cuando esto sucede, Awen se vierte en un alma, inspirando a su propietario a realizar los cambios necesarios en su vida. Sin embargo, para que esto ocurra, hay que dejar que el Awen fluya libremente. Cuanto más fluya, más rápido encontrará el alma a la que esta destinado a inspirar.

Una buena manera de cultivar el flujo de Awen es recitando el siguiente encantamiento:

"Awen, te canto

Mientras te llamo desde el abismo

Estoy dispuesto a recibir el Awen que se me concede

Doy la bienvenida a su llamada

Aunque su poder sea limitado

Sé que después brotará

Y la inspiración fluirá de nuevo

También puede utilizar este hechizo para invocar a Awen:

Deseo contemplar a Awen, la fuente de inspiración espiritual

Deseo encontrar la musa que guiará mi voz

Entonces, puedo invocar a la naturaleza y a la tierra

A mis ancestros y a mis guías

Les pido que inspiren mi oficio

Y que su creatividad fluya a través de mí

Que reciba las bendiciones de mi alma Awen

Para que pueda permanecer en mi interior a partir de este día".

Ritual para invocar a Awen

Otro método para invocar a Awen es realizar un pequeño ritual antes de cualquier actividad que requiera una creatividad superior.

Recoja agua de un lugar sagrado, como un manantial natural o agua de lluvia, y colóquela en su altar o en el lugar donde vaya a realizar el ritual. Una pequeña cantidad será suficiente, ya que siempre puede hacer más, añadiendo agua de cualquier fuente. Seguirá siendo eficaz mientras contenga una gota de agua de un lugar sagrado. Vierta un poco del agua en un pequeño cuenco y comience su ritual. Respire profundamente unas cuantas veces y deje que su cuerpo y su mente se tranquilicen. Cuando sienta que su mente se ha calmado, cierre los ojos y recite la siguiente frase

"Que el Awen venga a mí y me inspire a través de la naturaleza".

Visualice el Awen fluyendo hacia usted desde la tierra, el cielo y el mar, impregnando su alma y permaneciendo en su interior. Busque la inspiración cuando la sienta, abra los ojos y prosiga con el esfuerzo.

Druidas modernos

Hoy en día, los druidas viven en grupos más pequeños o son practicantes solitarios, pero a menudo se reúnen con otros druidas para compartir sus experiencias vitales. También realizan rituales en ocasiones trascendentales o celebran festivales paganos. A menos que el tiempo lo impida, las reuniones se celebran al aire libre, ya sea en el jardín de alguien, en un parque o en un claro del bosque. Las personas que celebran juntas suelen pertenecer a un Grove, un grupo con al menos dos miembros que se reúnen de vez en cuando. Las reuniones del Grove pueden celebrarse en momentos distintos a las fiestas, dependiendo de la distancia geográfica que separa a los miembros y de los horarios de la gente. Por ejemplo, la iniciación de nuevos miembros o el compartir y explorar nuevas enseñanzas pueden ser también una ocasión para las reuniones de los druidas. Normalmente se consideran reuniones sociales para fortalecer las conexiones espirituales dentro de la comunidad.

Hay muchos Groves en todo el continente, cada uno de los cuales tiene una forma única de llevar a cabo las enseñanzas y de organizar la estructura de sus miembros. Uno de los Groves más populares es el UAOD o *United Ancient Order of Druids.* Fundada en Inglaterra, la UAOD difundió primero sus enseñanzas por el continente europeo, conquistando después Australia y Estados Unidos. Esta arboleda esta abierta a todas las clases sociales y, en muchos países, su objetivo es unir a las personas que se enfrentan a desafíos únicos. Además de proporcionar una excelente oportunidad para que los miembros mejoren sus conocimientos en una materia específica, a menudo organizan eventos benéficos para ayudar a su comunidad.

Otro ejemplo de Arboledas famosas es la Orden de Bardos, Ovates y Druidas, conocida como OBOD. Esta Grove tiene una estructura jerárquica única basada en los años de formación y experiencia de sus miembros. El grado más bajo que pueden ocupar es el de bardo. En su día, los poetas celtas hicieron posible la supervivencia de este sistema de creencias creando diversos relatos sobre la cultura celta y los druidas. El segundo grado esta reservado a los Ovates. Ellos enseñaron a su comunidad los beneficios de confiar en la naturaleza en la magia y en la vida en general. El grado más alto con el mayor nivel de experiencia es el de los Druidas, versados en el viaje y en las prácticas mágicas a través de las cuales sirven a las tradiciones druidas.

Los roles dentro de una Arboleda

Aunque su menor nivel de educación puede sugerir que los bardos ocupan un rango inferior entre los tres, no podría estar más lejos de la realidad. Ser el custodio de la magia sagrada es el mayor honor e influye en las tres funciones de la Druidismo. Estas funciones son la espiritualidad, la educación y la política, todas ellas parte de un triángulo que las une. Esto significa que, aunque los bardos desempeñan un enorme papel en la educación, estan estrechamente relacionados con los otros grados.

Al ser los maestros de la adivinación, el Ovate es responsable de informar a su comunidad sobre todas las profecías y conexiones espirituales relevantes. Además, los mitos les otorgan la capacidad de viajar en el tiempo, lo que les permite curar a los necesitados o al menos obtener los medios para hacerlo. Cuando la Iglesia cristiana oprimió a la druidismo, el Ovate era la única forma que tenían los celtas de buscar ayuda en las fuentes tradicionales. Les enseñó a curar sus heridas y a perseverar en los tiempos difíciles sin dejar de lado sus antiguas costumbres. Aunque hoy en día se enfrentan a retos diferentes, los Ovate siguen utilizando la espiritualidad para curar y guiar a los demás. A través de la espiritualidad, incluso descubren un significado más profundo de la vida, mientras que la ética les guía hacia un camino de luz.

A menudo se describe a los druidas con el rango más alto, pero esto solo se debe a su función; es decir, son los responsables de establecer las leyes o, en los tiempos modernos, de desafiarlas. Antaño, aconsejaban a los reyes y a los soberanos sobre cómo lograr la paz. Ahora, su papel se reduce a resolver las diferencias dentro de su comunidad y a proporcionar asistencia legal o financiera a los necesitados, por lo que necesitan una comprensión más profunda del equilibrio social dentro de una comunidad. No es raro que los miembros del Grove se formen hasta

20 años antes de reunir la sabiduría suficiente para ocupar esta función.

Normalmente, el propósito de un Grove es establecer un sistema en el que todos los individuos reciban la más alta educación, lo que da lugar a una clase de seres con conocimientos superiores, que les permite perseverar en la vida. Independientemente del grado en el que se especialicen, todos los miembros aprenden la historia celta, la genealogía y las leyes vigentes. Esto permite que cada grado se apoye en los otros dos con confianza, ya que juntos pueden hacer frente a cualquier obstáculo con mucha más eficacia.

Capítulo 5: Ogham, un alfabeto mágico

La cultura celta no es comúnmente recordada en estos días. Sin embargo, es una cultura rica y dinámica con una larga historia. Hoy en día, la cultura del norte de Europa, incluidos los vikingos y otros clanes que existían en la región, se diluye con la cultura de los nuevos inmigrantes y colonos. Además, la cultura se ha exportado a diferentes lugares del mundo occidental. Es difícil diferenciarla de la cultura occidental moderna. Sin embargo, algunas joyas del pasado bellamente conservadas han conseguido seguir viviendo. Uno de los elementos únicos de las antiguas culturas del norte de Europa es la lengua. Aunque sigue existiendo hoy en día, es muy diferente de lo que solía ser.

Los orígenes

El Ogham, conocido como el alfabeto druídico asustado y el alfabeto arbóreo celta, es una lengua utilizada para escribir el irlandés primitivo. Sin embargo, este mismo alfabeto también se utilizaba para escribir otras lenguas comunes en la región del norte de Europa, como el galés primitivo y el latín. En la actualidad, quedan pocos restos de esta antigua escritura, aparte de unos pocos artefactos históricos con inscripciones que indican que esta lengua se utilizaba ampliamente en gran parte del Reino Unido occidental y en algunas regiones de Alemania.

Esta lengua se solía grabar en piedras para marcar territorios y, en algunos casos, como señales. Hay pruebas de que esta lengua se utilizaba en la comunicación, aunque no hay muchos artefactos que lo respalden. La mayoría de los expertos estan de acuerdo en que el Ogham es una lengua muy antigua, que probablemente existía en el siglo I, o incluso antes. Sin embargo, la mayoría de los artefactos de piedra encontrados con inscripciones en Ogham son del siglo IV en adelante. Los artefactos más recientes fueron datados en el siglo VI.

Cómo se lee

Esta lengua es única con respecto a las lenguas modernas porque los caracteres individuales del alfabeto reciben el nombre de ciertos objetos, un fenómeno conocido como la tradición Briatharogam. En el Ogham, los alfabetos llevan el nombre de diferentes árboles, lo que hace que la lengua sea única y muestra la importancia de los árboles en la cultura. Los propios alfabetos se conocen como Feda (árboles).

Tradicionalmente, el Ogham tenía 20 alfabetos, pero posteriormente se añadieron cinco más. Los alfabetos individuales se agrupan en 4 "Aicme" (tribus) de cinco alfabetos cada una. Los cinco alfabetos añadidos eran alfabetos Forfeda (especiales), pero no se utilizaban habitualmente, lo que aumentó el número de Aicme a 5, haciendo un total de 25 alfabetos.

Similar, pero no idéntico, a algunos sistemas lingüísticos de Asia oriental, el alfabeto Ogham esta pensado para ser escrito y leído verticalmente, de abajo a arriba. Casi todas las letras, aparte de los caracteres excepcionales, son una serie de líneas trazadas a través de una línea vertical principal que sirve de "tronco" del alfabeto. Todas las letras tienen su sonido único, y algunas incluso suenan de forma similar a los alfabetos ingleses modernos. Sin embargo, la pronunciación varía según el dialecto y la lengua en la que se utilicen. Además, el Ogham se utilizaba habitualmente para escribir nombres y etiquetar cosas para que la gente pudiera saber a quién pertenecía el objeto. Por lo tanto, la estructura de la lengua no es solo un nombre, sino que esta en tercera persona donde la afirmación suena como "esto pertenece a fulano" en lugar de "este es el objeto de fulano".

Cómo recordarlo

Tradicionalmente, el ogham se enseñaba en las escuelas junto con las lenguas modernas, como el inglés y el francés. El proceso era muy similar al del aprendizaje de cualquier otra lengua. A los alumnos se les enseñaba el alfabeto a través de la lectura, la escritura y la fonética y se les enseñaba a utilizar estos alfabetos para construir palabras. Sin embargo, como nunca se utilizaba como medio de comunicación, solo se enseñaba hasta el punto en que los niños podían leerlo y hacerse una idea de su significado y de cómo se construía.

Suponga que quiere memorizar el alfabeto Ogham y aprender la lengua. En ese caso, un buen punto de partida es comprender la estructura de las letras y ponerla en su memoria. Aunque algunos sonidos pueden ser similares a los del alfabeto inglés, el texto es muy diferente pero sencillo de recordar. Puede facilitar las cosas siguiendo el alfabeto según los diferentes Aicme. Todos los diferentes Aicme tienen una estructura específica. Un Aicme solo tendrá líneas que sobresalgan del tronco hacia la derecha, mientras que otro solo las tendrá hacia la izquierda. De este modo, puede simplificar el proceso y recordar los alfabetos según el Aicme en lugar de memorizar 25 caracteres al azar.

El Ogham y los árboles

El Ogham tiene una profunda relación con los árboles. Todos los alfabetos llevan nombres de árboles, como ya se ha mencionado. Por ejemplo, Beith lleva el nombre del abedul y Sail el del sauce. En muchas ilustraciones, el árbol forma parte del alfabeto y pretende facilitar a los lectores la asociación de ciertos alfabetos con los árboles correspondientes.

La cultura celta del pasado tenía una relación muy estrecha con los árboles. Los árboles eran un recurso valioso física y metafísicamente para la gente de aquellos tiempos. Lo más importante es que los árboles son una fuente de sustento gracias a las nueces y los frutos que producen. También son el hogar de muchos pájaros y animales, lo que era otra forma de que los celtas encontraran comida rápidamente, especialmente durante el duro invierno, cuando la caza no siempre era tan rentable. Asimismo, la madera se utilizaba para construir estructuras, fabricar armas y, lo que es más importante, hacer un fuego fuerte para mantenerse caliente y cocinar.

El significado de los árboles también puede verse en la mitología y el folclore, donde desempeñan un papel importante. Son innumerables las historias celtas en las que las fuerzas metafísicas y los seres sobrenaturales estaban relacionados con los árboles, o los árboles tenían un papel en estas historias.

Usos modernos del Ogham

La lengua irlandesa ha pasado por muchas etapas de desarrollo, y lo que se considera el irlandés moderno es muy diferente del Ogham en su forma de hablar y escribir. Por ejemplo, en el irlandés moderno, la letra "gh", que tradicionalmente tenía un sonido "g", no es más que una bajada de tono que un sonido completo. Si se dice Ogham, que técnicamente suena como Oh-G-Ham, ahora en irlandés moderno suena como Om, u Ohm, donde el sonido "g" se omite por completo.

La lengua ogham tiene poco uso funcional en la actualidad. Incluso las lenguas para las que fue diseñado, como el irlandés y el latín, tienen alfabetos muy diferentes. A lo sumo, el Ogham se mantiene como un recuerdo de lo que fue la cultura celta. Hoy en día, la mayor parte del Ogham se utiliza en el arte del tatuaje o en adornos y accesorios para llevar puestos. La popularidad del uso de tatuajes Ogham y otras beatificaciones que utilizan las claves de diseño del Ogham es ampliamente reconocida.

Además, debido a la relación del Ogham con la divinidad, muchos usos de las palabras y las representaciones escritas del Ogham son en la divinidad y la magia. Muchas personas siguen creyendo en el poder sobrenatural de la lengua ogham y la practican según sus creencias. Para otros, la lengua ogham es el único camino para conectar con los dioses celtas, y se utilizan varios mantras y cantos para invocar a ciertos dioses de esta escuela de pensamiento. Al igual que en muchas otras culturas, hay diferentes dioses asociados a distintas cosas, como la comida, la protección y la sabiduría, y los practicantes invocan a los distintos dioses en función de sus necesidades y de su práctica.

El Ogham en la cultura druida

La gente de la cultura celta, como muchas otras culturas, tenía un sistema de castas, siendo los druidas los de más alto rango porque se ocupaban de los asuntos metafísicos. Los druidas eran los responsables de todos los asuntos religiosos en la cultura celta y también eran los líderes religiosos y los eruditos del pueblo celta. En muchos casos, los druidas tenían un rango superior al de otros líderes estatales e incluso al de los reyes porque tenían contacto directo con los dioses. Se creía que los druidas poseían conocimientos, poder y habilidades de las que carecían los humanos comunes, incluidos los reyes y otras personas de alto estatus.

Había diferentes roles dentro de la categoría de los druidas, como sacerdotes, chamanes, curanderos y adivinos. En la cultura celta, los árboles han sido el centro de muchos asuntos similares a los druidas. Se cree que el término druidas proviene de la palabra celta "Doire", que significa "roble". El roble simboliza el conocimiento y la sabiduría en la cultura celta y tiene un estatus muy alto entre los árboles. En la cultura celta, los árboles se solían clasificar en tres categorías: los árboles caciques, los árboles campesinos y los árboles arbustos. Es importante señalar que las diferentes categorías de árboles no suponían una diferencia en la jerarquía o el estatus del árbol. Por el contrario, era una forma de organizar los árboles en función de sus características únicas. El roble pertenece a los árboles caciques. Entre los árboles campesinos se encuentran el abedul, el sauce, el espino, el huso y la madreselva. Los árboles arbustos incluyen el manzano, el álamo blanco, el saúco y el carrizo.

Estudiar a los druidas es un reto, ya que mucha información se basa en la proporcionada por culturas vecinas, como la romana. Lo que hace más complicado el seguimiento es que esta no era una cultura con principios muy claramente definidos. A diferencia de otras religiones, como el Corán del islam o la Biblia del cristianismo, no existía un marco sólido. No hay un método de oración definido, ni un proceso de oración semanal o diaria, ni ningún otro concepto que podamos decir que ha resistido la prueba del tiempo. Aunque el druidismo se sigue practicando hoy en día, ha sufrido una serie de cambios y modificaciones dependiendo de quién y dónde se practique. Es interesante observar las numerosas diferencias regionales entre las personas que practicaban el druidismo en el Reino Unido, donde hacía bastante frío con largos inviernos, y en Roma, donde la temperatura era mucho más cálida y los veranos más largos.

Ogham y adivinación

Para entender cómo trabajaban los druidas con los asuntos divinos, es importante señalar que utilizaban un calendario lunar y no el moderno calendario solar egipcio. Este calendario se conoce como calendario arbóreo celta y esta estrechamente relacionado con el alfabeto Ogham. Según este calendario, el año se divide en 13 meses de 28 días cada uno. Asimismo, las principales fiestas se basan en las transiciones del tiempo, y el entorno natural es importante en el escenario general. Un nuevo año comienza cada 31 de octubre, que es el mismo día de la última cosecha en el Reino Unido. Sin embargo, esto es diferente para un druida en la región romana.

También es importante señalar que la cultura Ogham y el druidismo se basan en el concepto de Bnwyfre, que es similar a la idea del Chi en la filosofía oriental. Se relaciona con la fuerza vital que todos tenemos en nuestro interior y cómo las diferentes prácticas religiosas maximizan esta energía. Además, la cultura se basa en el concepto de Beth-Luis-Nuin, de que primero hubo oscuridad y luego luz para sustituir esta situación. Esto también se refiere a cómo la religión se mide de luna nueva a luna nueva.

Una de las tradiciones más importantes de la cultura druida relacionada con la adivinación es la idea del Ogham de dedos. Se trata de una técnica en la que los druidas utilizan la mano para recibir información de fuentes superiores. La mano representa los diferentes alfabetos del alfabeto Ogham. Las consonantes estan en la punta de los dedos y también representan los meses lunares, mientras que las vocales estan en la base de los dedos. En consonancia con los cinco dedos, el número cinco también tenía un estatus sagrado y suele estar asociado a las diosas y a la idea de los ciclos vitales cambiantes. También es el número que muestra los cinco elementos críticos de nuestra vida: el fuego, el agua, el aire, la tierra y el alma.

El Ogham de dedos se utiliza como adivinación. Se mantiene la mano izquierda sobre una persona o un objeto meditado. La respuesta se basa en las sensaciones que la persona siente en diferentes partes de su mano. La mano ya esta medida con letras, vocales, meses y otras características, lo que ayuda a comprender a qué se refieren las sensaciones en la mano.

Capítulo 6: Desbloquear la magia del árbol

La cultura celta da mucha importancia al medio ambiente: las montañas, los ríos, los animales e incluso las plantas ocupan un lugar único en la cultura. Sin embargo, el más importante de todos ellos son los árboles. Los árboles son apreciados por múltiples razones y numerosos recursos, con un lugar espiritual y sagrado en la cultura. Se refleja en la literatura donde se alaban los árboles en muchos lugares y se destaca cómo las personas más acomodadas de las culturas celtas tenían una estrecha afinidad con los árboles.

Importancia de los árboles en la cultura celta

Para el pueblo celta, los árboles proporcionaban varios recursos naturales. Entre ellos, refugio, materiales de construcción, alimentos, protección y, lo que es más importante, servían de conexión entre los mundos. Podemos ver que los árboles han tenido un gran impacto en la literatura, la religión, el misticismo y la forma de vida de los celtas de diferentes maneras. A través de la sabiduría popular celta que ha sobrevivido, los árboles se han convertido en marcadores de la antigua herencia cultural de los celtas y han permitido la supervivencia de su identidad espiritual.

En la región donde se asentó el pueblo celta hay muchos árboles y, para ellos, todos los árboles eran preciosos y dignos de respeto. El norte del Reino Unido y las regiones europeas limítrofes albergan algunos de los bosques más espesos. De los muchos árboles que hay en estos bosques, al tejo se le otorga un rango superior a los demás. Se le considera el árbol que lo equilibra todo y reúne las fuerzas masculinas y femeninas del mundo.

Los árboles eran tan respetados porque proporcionaban curación. Gracias a la corteza del árbol y a los aceites que se extraen de ella, junto con las hojas utilizadas como medicina, el pueblo celta podía curar una serie de enfermedades. Tanto si se trataba de una simple fiebre como de una grave herida de batalla, había un árbol para prestar ayuda. Además, los celtas creían que todo ser vivo tiene un lado físico y otro metafísico, pero eran únicos porque extendían esta creencia a las plantas. Los árboles eran más importantes en la cultura de los celtas que en cualquier otra, aunque el respeto general y la fascinación por los árboles son evidentes en diferentes culturas de la misma época.

Aliados del espíritu de las plantas

Muchos enfoques chamánicos de culturas de todo el mundo otorgan a las plantas un estatus exaltado en su ideología. Ya sea por las cosas extraídas o por la forma física de la planta, son criaturas únicas con energía y valor. En el mundo moderno, las medicinas derivadas de las plantas son productos químicos y extractos, mientras que, en la medicina tradicional, especialmente en la curación alternativa, la planta de la que se deriva el recurso tiene un valor.

En la cultura celta, este concepto se engloba como el aliado de la planta. Es el proceso por el que una persona se identifica con una planta a un nivel mucho más profundo. Sienten la energía de la planta, comprenden lo que esta les comunica y, en consecuencia, mejoran sus vidas en el proceso. Es más que ser uno con la naturaleza. Se trata de interiorizar la naturaleza e incluso de recibir orientación de la planta aliada.

En algunos casos, la relación con la planta aliada es una interacción momentánea. Por ejemplo, usted camina por un sendero y ve una planta que le recuerda algo o le trae un nuevo pensamiento a su mente. Este era el propósito de la interacción de la planta. En otros casos, la planta aliada tiene una posición mucho más permanente en su vida. La planta se convierte en una entidad con la que puede hablar, comunicarse y desempeñar un papel en su vida como con cualquier otra relación humana. Sin embargo, las plantas no se comunican con nosotros como lo hacen los humanos. Son seres muy diferentes. La naturaleza de la planta y la del ser humano es un contraste directo, pero sigue estando muy vinculada. Las plantas aportan de innumerables formas físicas y aun más formas espirituales y metafísicas.

Conseguir un aliado espiritual vegetal no consiste en comprar una planta, cultivar una planta o incluso interactuar directamente con una. Se trata más bien de esperar ese momento en el que una planta le habla de verdad. Para algunos, esto puede ser algo que descubrieron en su juventud, mientras que muchos mueren en busca de su aliado vegetal. Aunque hay ciertas plantas con las que se conecta más eficazmente, todos los humanos y las plantas pueden conectarse si se esta dispuesto a dedicar el tiempo y el esfuerzo necesarios.

Meditación del árbol

La idea de las plantas aliadas se pone en marcha de forma más eficaz cuando se combina con una práctica como la meditación en el árbol. Como cualquier otra forma de meditación, la meditación en el árbol puede tener una serie de beneficios tanto para la salud física como mental del practicante. El núcleo de la meditación en el árbol es alinear la energía humana y la de la planta para que se concentren y se expandan como una sola.

Hay tres partes principales del árbol que se correlacionan con nuestra existencia y en las que podemos centrarnos durante la meditación en el árbol. La primera son las raíces. Estan enterradas en lo más profundo del suelo, lejos de la vista, pero tienen un enorme impacto en el crecimiento y la estabilidad general del árbol. Además, el árbol comienza su andadura bajo tierra, ya que la semilla esta bajo tierra y se desarrolla primero. Esto se relaciona con el mundo de los sueños y la profunda sabiduría que hay detrás de este fenómeno. Aunque no veamos los sueños con nuestros ojos, seguimos "viendo" los sueños y estos tienen un impacto en nuestras vidas. Del mismo modo, no vemos las raíces, pero no se puede negar que tienen un impacto significativo en la salud del árbol.

La segunda parte del árbol es el tronco, y se relaciona con el mundo material. Dado que utilizamos el tronco del árbol para fabricar una serie de cosas diferentes, la parte visible y física de nuestra existencia es lo que solemos hacer para seguir vivos, ya sea trabajar en un empleo que no nos gusta mucho o atender las necesidades físicas que no se pueden evitar. Esta es la parte física de nuestra existencia, que, para algunos, es el núcleo de su existencia, y para otros, es el peldaño que les lleva a la conciencia superior.

La tercera parte son las ramas y la parte superior del tronco que se extiende hacia el cielo. Se relaciona con nuestra conciencia y con la forma en que trabajamos hacia un nivel de conciencia más elevado a través de la meditación. Aquí es donde tenemos acceso a los poderes superiores, a la divinidad y a la energía más allá de la capacidad humana.

Al igual que un árbol, si obtenemos los recursos adecuados, podemos seguir creciendo y desarrollándonos hasta convertirnos en individuos fuertes que tengan éxito en los aspectos físicos y metafísicos, en nuestra vida personal y profesional y, en definitiva, llevar una vida equilibrada.

Árboles importantes en la cultura celta

El roble

El roble esta muy unido al pueblo druida, e incluso la palabra druida proviene de la palabra celta para roble, "*Duir*". El roble se ha asociado con los dioses más poderosos en algunas culturas diferentes.

Los griegos asociaban el roble con Zeus, el dios de los dioses, y los celtas lo asociaban con Taranis, el dios del trueno. Curiosamente, los robles se asocian con el dios del trueno, o el dios tiene cierto control sobre el trueno, y los rayos y relámpagos suelen caer sobre el roble. La fuerza y la longevidad del roble han sido objeto de discusión para muchos poetas, pensadores y escritores.

Fresno

El fresno también ocupa un lugar muy especial en la cultura celta. Es uno de los tres árboles sagrados, los otros dos son el roble y el espino. El fresno forma parte de la familia del olivo, aunque es mucho más alto y fuerte que este. Este árbol no es tan común hoy en día, ya que fue ampliamente talado por los cristianos en el siglo VII cuando invadieron la región celta, y esta práctica simbolizaba su victoria. Según la tradición, San Patricio utilizó una varita hecha de fresno para protegerse de las serpientes, y aun hoy, el material preferido para una varita mágica es el fresno. También se cree que esta madera tiene poder sobre el agua, y cuando los inmigrantes irlandeses se trasladaban a América, a menudo llevaban un poco de madera de fresno para protegerse de ahogarse.

Manzano

El manzano es habitual en los cuentos de hadas de la cultura celta. Hay innumerables relatos sobre una doncella mágica con acceso a otro reino que utiliza la manzana como cebo. En muchas historias, esta manzana también tenía superpoderes. O bien proporcionaba privilegios como la juventud interminable o se regeneraba en cuanto se consumía.

En casi todos los casos, esta doncella utilizaba la manzana para atraer a un hombre apuesto al otro lado de la existencia, posiblemente a un universo paralelo. Las manzanas eran una fruta que no solo daba buena salud, sino que también daba vida y se asociaba con el renacimiento, y por eso las manzanas se enterraban a menudo con la gente para darles combustible en la próxima vida y ayudarles en su renacimiento. Curiosamente, se han encontrado rodajas de manzanas en tumbas de África y otras partes de Europa. Estas tumbas y sepulturas se remontan hasta el año 5000 a. C. y, en algunos casos, hay tumbas del año 7000 a. C. con restos de manzanas. Podemos suponer que aquella gente utilizaba las manzanas de forma similar o, al menos, las manzanas tenían algún valor para los que pasaban a la otra vida. Sin embargo, en Irlanda existe una especie única de manzana conocida como manzana cangrejo. Lo más probable es que esta manzana tradicional fuera traída a la región por los romanos, ya que no se da de forma natural en la región.

Saúco

El saúco es también un árbol importante, y aunque no forma parte de los árboles sagrados, comparte un estatus similar. Al igual que las normas relativas al espino, estaba prohibido cortar un saúco. El árbol del saúco se utilizaba para muchos fines diferentes en los departamentos culinario, místico y médico, ya que las flores y las bayas pueden utilizarse para hacer vino. Sin embargo, el vino elaborado con las flores se utilizaba como bebida de celebración, mientras que el vino elaborado con el fruto se utilizaba para las adivinaciones, ya que inducía a las alucinaciones. El saúco era un reto a tratar. Por ejemplo, si el proceso de elaboración del vino no se hace correctamente, puede ser fatal. Todo, desde las semillas, las hojas, la corteza, las flores e incluso el fruto, puede ser venenoso si no se recoge en el momento adecuado.

La cultura de no cortar el saúco es común en otras partes de Europa, y aunque el razonamiento difiere, la prohibición de cortar este árbol sigue siendo la misma. Más tarde, el saúco adquirió una mala reputación debido a los cristianos de la época, ya que creían que la cruz en la que fue crucificado Cristo estaba hecha de madera de saúco. Asimismo, se cree que Judas, que traicionó a Jesús, se colgó del saúco, por lo que era inherentemente un presagio de mala suerte. Es muy probable que de ahí provengan las historias de las brujas del saúco, ya que era un árbol asociado con el diablo.

Aliso

Al crecer a lo largo de arroyos, ríos y pantanos, el aliso esta vinculado a fuerzas misteriosas, al secreto y a la mala fortuna. Al ser una orientación cultural y espiritual históricamente arraigada durante todos estos años, la gente de ciertas comunidades irlandesas sigue creyendo que toparse con un aliso es señal de mala suerte o desgracia. La atmósfera sombría de los bosques de alisos los convierte en el escondite ideal para las hadas y otros espíritus, buenos o malos. Las flores y hojas verdes del aliso son perfectas para ocultar a los seres sobrenaturales de los ojos humanos. Caminar entre ellos significaría perturbar sus vidas. Por ello, estos bosques eran poco visitados, sobre todo en primavera, cuando se dice que las hadas son más activas.

Sin embargo, como el aliso crece en condiciones de humedad, los troncos más viejos se vuelven muy duros. Los celtas aprovechaban esta cualidad secando los árboles maduros y utilizándolos como carbón vegetal para encender fuegos de intenso calor, como los necesarios para forjar sus armas. Al arder el aliso bajo el metal calentado, también impregnaba las armas con un poder espiritual natural.

Un aliso vivo y sano suele tener un color pálido; se puede saber que ha sido cortado o afectado de una forma u otra si un color más profundo y cálido empieza a extenderse por él; casi como si estuviera sangrando. Esta imagen dio otra razón para que los celtas desarrollaran una serie de asociaciones negativas con este árbol, vinculándolo con la muerte, las heridas y las dolencias. Al mismo tiempo, veneraban el aliso e incluso relacionaban sus raíces con la fertilidad. De la misma manera que las raíces del aliso prosperan en la tierra húmeda, pueden utilizarse en los rituales para aumentar la fertilidad de la tierra y de la propia vida.

Tejo

Aunque la mayoría de las fuentes relacionan el tejo con la mitología romana, sus registros muestran que este árbol ha sido venerado mucho antes de su dominio en Europa. Originario de las Islas Británicas, el tejo ha formado parte de las prácticas druídicas desde que los celtas llegaron allí. Observaron que las ramas caídas del árbol podían echar raíces y formar nuevos árboles, revelando las increíbles capacidades regenerativas del tejo. Debido a esto, el tejo se convierte en el símbolo de la muerte y la resurrección. Los muertos eran enterrados con ramas de tejo para ayudar a sus almas a seguir adelante, una práctica que continuó hasta bien entrada la era cristiana. Un símbolo similar de resistencia cultural era plantar tejos junto a las iglesias y utilizar las ramas durante las ceremonias cristianas.

Otra conexión entre el tejo sagrado y la muerte era su toxicidad. Las enseñanzas druídicas indican que incluso unos trozos de agujas de tejo eran suficientes para provocar una enfermedad o incluso la muerte. Sin embargo, una tintura hecha con la pulpa de las bayas de tejo puede curar dolencias, especialmente las causadas por una inflamación de algún tipo. El poder del tejo es más fuerte si se recoge durante la luna nueva.

Avellano

Los druidas veneraban el avellano por su capacidad de conceder una sabiduría superior; " *"on*", derivado "e "*cnoc"ch*", que significa sabiduría, es la palabra gaélica para designar la avellana. Según la antigua tradición celta, nueve avellanos crecían alrededor de una masa de agua sagrada en la que crecía el salmón. Cuando maduraban, las nucces caían al agua y eran comidas por los peces. Los salmones absorbían toda la sabiduría que contenían las nueces y eran un recipiente adecuado para su distribución entre los humanos, convirtiéndose en el Salmón del Conocimiento. Si un druida quería ampliar sus conocimientos, necesitaba pescar salmones con manchas brillantes en su cuerpo. Cuantas más manchas brillantes tuviera el pez, más avellanas consumía y más sabiduría recibía.

Según la mitología celta, el avellano también se asocia a otros manantiales y pozos mágicos, no solo al que contiene el Salmón del Conocimiento. La madera de avellano madura contenía tanta sabiduría como las nueces. Las varitas hechas con esta madera podían resolver discusiones o, en algunos casos, incluso administrar la ley. Sea cual sea la parte del avellano que se utilizara, era fundamental preservar la capacidad del árbol para sobrevivir y regenerarse.

Por todo ello, cortar un avellano entero conllevaba a menudo la pena de muerte como castigo.

Las partes de un avellano también se utilizaban en los rituales druídicos como ofrenda, fuego o recipientes para otras herramientas. Las ramitas bifurcadas del avellano se utilizaban para la adivinación, ya que se sabía que ayudaba a localizar masas de agua y otras fuentes naturales de magia. Los celtas también creían que las hojas jóvenes de avellano tenían capacidades curativas para los humanos y los animales. Hacían té con ellas para facilitar la digestión y daban las hojas al ganado para mejorar la producción de leche.

Sauce

Dado que la mayoría de las especies de sauce prosperan cerca de las aguas, no es de extrañar que el folclore celta esté lleno de cuentos basados en este tema acuático. La luna también se asocia a menudo tanto con el sauce como con el agua. Al cubrir el tronco, el agua dota al sauce de magia espiritual, y el ciclo de la luna afecta a la parte del árbol que se cubrirá. Se cree que el sauce contiene menos poder durante la fase menguante de la luna. Por lo tanto, si uno quiere aprovechar los beneficios del sauce, debe esperar hasta la fase creciente para cosechar.

El sauce ha encontrado muchos usos en los rituales y prácticas curativas celtas. Cuando se hace una infusión amarga, la corteza del sauce alivia las fiebres, el dolor y la inflamación. A las deidades asociadas con el poder de la luna se les suelen ofrecer partes de sauce como expresión de gratitud, reverencia o necesidad de ayuda. Al ser una nación cazadora-recolectora, los celtas también han utilizado el sauce para construir barcos, coracles, casas y mucho más.

Aparte de la tradición celta, el poder del sauce también se ilustra en la mitología griega. Sus sacerdotisas y curanderos utilizaban este árbol sagrado para la magia del agua, la curación y otras prácticas de brujería. Los griegos también relacionaban el sauce con la sabiduría y la inspiración, y el árbol era venerado por poetas y filósofos por igual.

Acebo

En la actualidad, las bayas y las hojas del acebo se vinculan con la Navidad, una fiesta religiosa cristiana. Este simbolismo proviene de las similitudes entre las hojas espinosas del árbol y la corona de espinas de Jesús, y entre las bayas rojas y las gotas de sangre del Salvador que derramó por la humanidad. Los artefactos históricos demuestran que el acebo formaba parte de celebraciones similares de Yule precristianas. Los celtas llevaban bayas y hojas de acebo a sus hogares para alegrar los fríos y oscuros días de invierno. Los hombres jóvenes se adornaban con hojas de acebo, mientras que las chicas se ponían hiedra y paseaban por su comunidad. Se dice que este ritual hace que el invierno termine pronto y resurja la fertilidad del Año Nuevo.

El uso del acebo en torno a Yuletide emana de los cuentos de la mitología celta. Según estos, el Rey Roble gobernaba la mitad del año, desde el invierno hasta el solsticio de verano. Luego, luchó con el Rey del Acebo, quien, al derrotarlo, tomó el relevo para gobernar la otra mitad del año. Su gobierno duró hasta que llegó de nuevo el solsticio de invierno y se produjo otra batalla entre los reyes, que esta vez acabó con la victoria del Rey Roble.

Las historias representan al Rey del Acebo como un gigante que empuña un arbusto de acebo y esta cubierto de acebo. Una ilustración similar se encuentra en la leyenda artúrica - donde el Caballero Verde llegó con un conjunto similar desafiando a Gawain durante las celebraciones navideñas.

Aparte de añadir color y un trozo de naturaleza a su hogar, los celtas llevaban el acebo a sus casas por varias otras razones. Utilizaban las hojas como fuente de forraje de invierno para el ganado porque creían que las propiedades mágicas del acebo protegerían a los animales. Plantar acebo cerca de las casas era otra práctica común utilizada para alejar a los espíritus maliciosos y las malas intenciones. Se creía que la caída de todo el árbol era obra de estos espíritus y se consideraba de mala suerte. Sin embargo, si solo caían al suelo partes del árbol, ya habían cumplido su función protectora en el exterior de la casa y era seguro llevarlas al interior.

En otras ocasiones, las ramas de acebo con hojas servían de refugio a los hados benévolos dentro del hogar. Las hojas permitían a estos seres esconderse del duro invierno, así como de las personas que vivían en el hogar. Otro cuento celta describe cómo el acebo se utilizaba para decidir quién tenía más voz en el hogar. Las hojas de acebo se presentan de dos formas: espinosas y lisas. Cualquiera de los dos tipos que se introdujera primero en el hogar en torno a la época de Navidad determinaba si el marido o la mujer gobernarían su hogar durante el año siguiente.

Espino blanco

Este árbol se asocia comúnmente con las hadas y a menudo se piensa que es un árbol amable con poderes mágicos. Por respeto, se le suele llamar el arbusto solitario o simplemente el espino, ya que se considera de mala educación mencionar a las hadas por su nombre. Si un árbol pudiera ser aun peor de cortar que el saúco, tendría que ser el arbusto solitario. Se considera un presagio de mala suerte si uno llega a herir al espino. Es tan apreciado que mucha gente ni siquiera habla de él, y mucho menos daña uno por respeto y miedo. Sin embargo, el espino siempre se ha considerado una fuente de protección contra las amenazas no visibles para el ojo humano. Se cree que los espíritus malignos, las brujas y otras amenazas son impotentes ante el majestuoso espino.

Curiosamente, en la Gran Bretaña moderna, el espino se considera un signo de amor y prosperidad. En verano, los amantes se reunían con frecuencia bajo la sombra amorosa de un espino. Al otro lado de la frontera, en Grecia, las novias solían llevar una corona decorativa de espino. Incluso la antorcha nupcial se hacía con ramas de espino, y daba buena suerte a la pareja que intercambiaba votos.

Por el contrario, los cristianos (no en la actualidad) creían que la corona de espinas colocada en la cabeza de Jesucristo durante la crucifixión estaba hecha de espino. Naturalmente, esta escuela de pensamiento no favorecería tanto a este árbol.

Muchas de las creencias asociadas a los diferentes árboles de las regiones han conseguido perdurar. Incluso hoy en día, vemos que muchas personas, incluso las que no proceden de la cultura celta, se atienen a estas ideologías y respetan los árboles como lo hacía el pueblo celta. Aunque los árboles no desempeñen un papel tan esencial en nuestras vidas hoy en día, siguen siendo cruciales, especialmente para los druidas.

Capítulo 7: La práctica de la adivinación Ogham

El texto Ogham es utilizado para la adivinación por los celtas y por aquellos que desean participar en la cultura Ogham por el aspecto de la divinidad. Al igual que las cartas del tarot utilizadas por los adivinos y otros sistemas utilizados por los quirománticos, el alfabeto Ogham se utiliza para descifrar información sobre el pasado, el presente y el futuro. La cultura Ogham permite comprender cualquier situación a la que pueda enfrentarse. Muchas personas utilizan el sistema de adivinación Ogham a diario para entender cómo deben seguir su día, qué retos pueden afrontar y cómo deben tratar estos asuntos. La otra cosa que hace que esta forma de adivinación sea bastante interesante y única es que diferentes personas pueden interpretar varias cosas de forma diferente. El significado puede ajustarse a sus preferencias personales. Este es un aspecto importante que requiere tiempo para perfeccionarse. Esto no significa que usted leerá lo que quiere leer o eso mataría el propósito de la adivinación. Por el contrario, quiere decir que los significados que usted asigna a los distintos caracteres pueden ser diferentes.

Por ejemplo, si un determinado carácter significa algo positivo, esto puede indicar que algo bueno se acerca a usted. Pero, para otra persona, esto puede significar un día en el que no tendrá que tomar decisiones estresantes, o puede tomarse las cosas con más calma. Por lo tanto, la forma de interpretar las señales puede ser diferente, y eso esta bien. Muchas personas que practican la adivinación a través de las letras Ogham descubren que los significados que asocian a las letras cambian con el tiempo. Dado que todos los alfabetos llevan el nombre de árboles, o al menos estan asociados a un árbol, todos tienen características diferentes que recuerdan la naturaleza o la estructura del árbol que representan. Por ejemplo, el olivo se considera generalmente un árbol femenino. Da muchos frutos nutritivos, tiene propiedades curativas, es pequeño comparado con un roble o una caoba y tiene un crecimiento bastante lento.

Cuando una persona observa estos factores, puede pensar que tendrá un día fructífero, un día en el que las cosas serán cálidas y felices como el olivo prospera en un clima más cálido, o que encontrará algo que produzca múltiples beneficios o esperará una pequeña sorpresa positiva como el olivo. Por otro lado, otra persona puede interpretarlo como un día difícil, ya que tarda en desarrollarse, o un día en el que tienen que tener cuidado con el entorno, ya que el olivo requiere un clima constante para fructificar adecuadamente. Pueden estar considerando múltiples riesgos. ya que el olivo da múltiples cosas, pero incluso si una cosa sale mal, se podrían perder o desperdiciar múltiples cosas.

Por lo tanto, depende de cómo vea las cosas, de su situación, de su forma de vida y de otros factores. De nuevo, cuanto más aprenda sobre el alfabeto, más sabrá y mejor comprensión podrá sacar de esta adivinación. Veamos las dos formas en que se practica la adivinación Ogham.

Adivinación Ogham a través de pentagramas o baldosas

El proceso de adivinación a través de estas herramientas es relativamente sencillo y puede modificarse para satisfacer sus necesidades. Por lo general, se sugiere utilizar al menos tres pentagramas o tres baldosas para descubrir el mensaje. Sin embargo, en algunos casos, en los que la pregunta es un simple sí o no, es conveniente sacar un solo pentagrama o baldosa. En otras situaciones, y dependiendo de sus necesidades en las que busque una respuesta más profunda a una pregunta más abierta, puede ser apropiado utilizar más pentagramas o baldosas.

A la hora de realizar la adivinación propiamente dicha, hay varias formas de hacerlo. Algunas personas prefieren destinar un momento determinado del día para practicar la adivinación, lo que constituye una especie de ritual. A diferencia de las cartas del tarot, en las que el experto se limita a leer las cartas cada vez que le visita, a la hora de realizar la adivinación hay diferentes formas de hacerlo. Algunas personas prefieren rezar una oración, encender velas o incluso limpiarse antes de hacer la lectura. Para otros, es algo que hacen de forma casual, cuando sienten la necesidad. Además, algunas personas prefieren practicar en un lugar concreto de la casa, o al aire libre, o hacerlo durante el día o la noche. Una vez que empiece, es posible que se sienta mejor haciéndolo antes de acostarse para ayudarle a pasar el día siguiente o que prefiera hacerlo a primera hora de la mañana.

Se trata de variables que puede trabajar según lo que le convenga, y que se irán perfeccionando a medida que vaya practicando.

Cuando utilice los alfabetos Ogham para la adivinación, solo deberá utilizar los 20 caracteres principales, ya que los caracteres excepcionales no aportarán mucho valor. Además, es útil recopilar una lista de rasgos y características de los distintos alfabetos y aprender la historia de cada uno. Cuanto más sepa sobre cada carácter que expresa el pentagrama o el título, más intrincadas y precisas serán sus deducciones.

Por ejemplo, el roble, conocido como Duir en Ogham, esta representado por una línea vertical con dos líneas perpendiculares que apuntan hacia la izquierda. Duir es el nombre del alfabeto y, como palabra, significa puerta. De este modo, este árbol es visto como la puerta a la conciencia superior y al mundo invisible. Del mismo modo, el roble se considera el rey del bosque, o el rey de los árboles del bosque, un árbol de crecimiento lento que desarrolla una estructura fuerte y grande con raíces profundas y una red de ramas amplia y alta. El roble es una planta muy resistente y puede soportar inviernos muy largos y fríos.

La madera es conocida por su calidad. Es extremadamente lisa y dura, y el grano va en la misma dirección. Esta madera no se deforma muy fácilmente y puede soportar varias condiciones duras si se procesa correctamente. Debido a la dureza de esta madera, no es habitual que las termitas u otros insectos le causen daños, y es muy duradera. Aunque el color original es claro, gracias a los patrones naturales, un poco de barniz o bronceado claro puede hacer que la madera destaque. Solo con mirar el árbol, se puede ver que su presencia exige respeto, y que rezuma fuerza en todos los sentidos. Es un árbol majestuoso asociado a la sabiduría, la fuerza, la paciencia y la resistencia. También representa la justicia, la igualdad, la prosperidad, la salud y la protección.

Además, el Duir es una estrella del calendario, y rige a las personas nacidas entre el 10 de junio y el 17 de julio. También se asocia con el número 7. El color asociado es el dorado, la característica principal es la fuerza, el animal asociado es un caballo blanco, y las plantas asociadas incluyen el muérdago y la uña de caballo.

Si encuentra Duir en su adivinación, sepa que debe manejar el asunto con valor y fuerza para atravesar la puerta del cambio. También debe mantener la integridad y pensar bien las cosas, ya que el sabio roble tarda en crecer y se expande en todas las direcciones. Considere todas las posibilidades y, decida lo que decida, prepárese para mantener esta postura a largo plazo. El roble produce bellotas que son también una protección muy densa y sólida para la semilla que contienen. Del mismo modo, cuando vea a Duir en su adivinación, sepa que tiene que actuar con sabiduría, o la sabiduría ya esta dentro de usted, y debe tener el valor de actuar en consecuencia. Dentro de estos pasos que va a dar, hay sabiduría y un resultado precioso, que puede dar un resultado muy fuerte como la pequeña semilla de roble que da un árbol poderoso. Es esencial recordar que el Duir es la puerta a la experiencia, al conocimiento, a la información y a una mejora general de la conciencia. Aunque las decisiones sean desafiantes, son el camino a seguir.

De este modo, los alfabetos Ogham pueden interpretarse en diferentes estilos, y cuanto más profunda sea su comprensión del alfabeto, más información extraerá del pentagrama o de la baldosa.

Cómo crear pentagramas Ogham

Algunas personas prefieren fabricar los pentagramas con la madera a la que se asocian. Así, el pentagrama de Duir se haría de roble. Sin embargo, otros sostienen que todos deberían estar hechos de la misma madera para que no se pueda notar la diferencia al elegirlos. Del mismo modo, algunos prefieren tener duelas de menor tamaño, lo suficientemente pequeñas como para que quepan todas en la mano. A otros les gusta tener duelas más bien grandes, de un pie de largo y unos cuantos centímetros de grosor. Si quiere algo portátil, quédese con un tamaño más pequeño, pero puede hacerlos más grandes si se trata de un kit casero.

El proceso es bastante sencillo. Tiene que inscribir en el pentagrama los diferentes alfabetos. Algunas personas prefieren quemar el alfabeto en el pentagrama, otras prefieren rayarlo, mientras que otras se limitan a mancharlo en la madera. Todo depende de lo que tenga y de lo que se sienta cómodo haciendo.

Además, puede terminar y pulir la madera como prefiera o dejarla lisa y cruda.

Cómo crear baldosas Ogham

Puede crear el azulejo con arcilla, madera, cerámica o cualquier material que le guste. Algunas personas incluso hacen pequeñas baldosas del tamaño de un dominó hechas de mármol o de otra piedra y con un bonito acabado en el color que prefieran. Normalmente, las baldosas se hacen de forma rectangular, aunque puede utilizar cuadrados, hexágonos o triángulos. Todo es cuestión de preferencia y de lo que sea viable para usted. El alfabeto solo debe escribirse en un lado de la baldosa, ya que la orientación puede cambiar el alfabeto por completo. Además, tenga en cuenta el material en función de cómo quiera utilizar las baldosas. Algunas personas prefieren coger unas cuantas baldosas y tirarlas al suelo, mientras que a otras les gusta coger cada una individualmente y colocarla con cuidado delante de ellas. Se recomienda que los pentagramas y las baldosas se hagan con materiales naturales y no con materiales fabricados por el hombre, para que estén más conectados con la tierra y esto ayude a mantener su energía lo más pura posible.

Además, al crear baldosas o pentagramas, es importante marcar las baldosas de la primera y tercera familia de alfabetos, ya que tienen el mismo aspecto, la única diferencia es la dirección en la que apuntan las líneas. Si ve el mismo azulejo invertido, puede causar confusión. Del mismo modo, incluso el azulejo con líneas diagonales tiene una orientación, por lo que es bueno hacer una pequeña marca en el pentagrama o en el azulejo para asegurarse de que lo ha colocado en la orientación correcta y esta leyendo correctamente. Por lo general, estas baldosas no requieren ser lavadas, pero algunas personas prefieren lavar sus baldosas y pentagramas para limpiar la energía y recargarse para el siguiente uso.

Si lo prefiere, diga una oración antes de su pregunta o simplemente pase directamente a su pregunta y saque los alfabetos para ver las respuestas. Decir la pregunta en voz alta o en su mente esta bien de cualquier manera. Sin embargo, piense bien en la pregunta. Hágala lo más concisa y precisa posible para no tener que hacer demasiadas preguntas de seguimiento y sacar el máximo provecho de cada pregunta. Al final de la adivinación, se considera de buena etiqueta decir unas palabras de agradecimiento a las fuerzas que le ayudaron a encontrar su respuesta y tratar sus alfabetos con respeto. Si lo prefiere, puede sentarse al aire libre bajo un árbol o en el suelo para que su energía se conecte mejor con la de la Tierra.

Capítulo 8: Realización de rituales celtas

Las ceremonias y los rituales son prácticas que se remontan a la primera historia humana registrada. Por ejemplo, las pinturas rupestres del Paleolítico que datan de hace más de 10.000 años sugieren que nuestros antepasados se reunían en torno a hogueras realizando danzas de fertilidad. También participaban en otras ceremonias espirituales que celebraban sus cacerías. Independientemente de la religión, la etnia, la ubicación geográfica o la cultura, todos los grupos sociales de la humanidad tienen rituales, tradiciones y ceremonias distintivas que les dan significado y propósito.

Desgraciadamente, ya no consideramos los rituales y las ceremonias con el mismo significado e importancia que antes. En esta época, utilizamos la ciencia y la evidencia para dirigir nuestras vidas. Los rituales y las ceremonias se han vuelto muy mal vistos debido a su falta de funcionalidad y corroboración científica. Ahora suelen ser exclusivas de las tribus o pueblos nativos y de las instituciones religiosas.

Aunque no necesitamos las ceremonias, las tradiciones y los rituales en el mundo actual impulsado por la tecnología digital, mucha gente no se da cuenta de que son una parte intrínseca de la humanidad, un instinto humano, incluso. Nuestros antepasados necesitaban el poder de los rituales porque les daban un sentido de estructura. Les ayudaban a dar sentido a un mundo que comprendían realmente mientras rezaban para obtener cacerías gratificantes, un clima estable y fertilidad. Hoy en día, podemos consultar las predicciones meteorológicas con una semana de antelación y no preocuparnos por la cosecha o la caza de alimentos. Aunque ahora tenemos más acceso a las riquezas de la vida y una comprensión más profunda del mundo que nos rodea, la magia de la vida ya no es inminente.

La disminución del papel de los rituales nos ha privado de un aspecto muy importante de la vida. Los rituales no solo son importantes para nuestra felicidad, sino que también nos permiten mantener y construir comunidades, esenciales para una sociedad sana.

La comida, el agua, la ropa, el refugio, el aire, el sueño, el amor, la higiene y la comunicación son importantes para la supervivencia humana, y también necesitamos rituales y ceremonias. Los rituales ayudan a inculcar un sentido interno de pertenencia. Nos recuerdan que la vida y nuestra experiencia humana son mucho más grandes de lo que podemos comprender. Llegan más allá de nuestra existencia física. Las ceremonias y los rituales nos ayudan a desarrollar una apreciación más profunda del universo y a enriquecer nuestra percepción de arquetipos como la continuidad, la fe, la devoción y la unidad. Los rituales nos ayudan a establecer una conexión con lo divino y sirven como vía para relatar la capacidad de la existencia, que es bastante desconcertante para la mente humana.

Por eso los rituales son vitales para encontrar el éxito y prosperar en la vida. Nos dan un sentido de dirección en nuestra experiencia física. Nos permiten forjar conexiones más profundas con nosotros mismos y nuestras almas y con el poder superior que otorga la vida. Conectarse con personas interesadas en la magia celta es impresionante. Sin embargo, realizar ceremonias y participar en rituales establece un sentido de unidad en lugar de separación. Aunque no vivan necesariamente en su zona, compartir sus experiencias en línea, a través de grupos de Facebook, blogs o foros, demuestra que otros se esfuerzan y anhelan lo mismo que usted.

Aunque la ciencia moderna nos permite, sin duda, comprender los numerosos misterios de la vida, la necesidad de pertenencia, especialmente en lo que respecta a algo que sentimos tan profundamente, aun persiste. Cuando más necesitamos los rituales y las ceremonias es en los momentos de mayor incertidumbre. Nos ayudan a mantenernos arraigados durante las experiencias transformadoras y los grandes cambios de la vida, como el matrimonio o la muerte.

Aunque algunos rituales, como los funerales, los cumpleaños y las bodas, siguen estando presentes y celebrándose, muchos otros se han abandonado. Quizá se deba a que muchos rituales tradicionales son demasiado complicados para encajar en nuestra vida moderna. Los rituales no responden a nuestras necesidades más profundas y a nuestro anhelo de significado. Lamentablemente, la falta de rituales importantes en nuestras vidas nos desconecta de nosotros mismos, de nuestra cultura o de nuestras creencias. Por ello, es importante incorporarlos a la vida acelerada y a la naturaleza siempre cambiante del mundo en que vivimos.

Elegir los rituales o incluso crear los suyos propios puede ser un reto, sobre todo si no sigue una determinada creencia o no muestra interés por un esfuerzo espiritual sólido. Si esta leyendo este libro, es probable que esté interesado en la magia y las tradiciones celtas. Afortunadamente, este capítulo incluye varios rituales celtas sencillos que puede probar. También explica los cinco rituales celtas y cómo se llevaban a cabo en la antigüedad. Aprenderá a realizar un ritual celta moderno y sus variaciones druidas, escocesas e irlandesas.

Rituales antiguos

Los celtas celebraban rituales cuando la comunidad estaba sometida a una gran tensión. También llevaban a cabo rituales con fines específicos y tras determinadas situaciones. Los estudiosos también creían que los celtas seguían un determinado horario basado en la astronomía, particularmente un horario basado en las fases de la luna. Ofrecían conjuros y rezaban a sus dioses. También hacían ofrendas votivas para ganarse el favor de los dioses. Creían que esto les ayudaría a conseguir resultados a su favor y a alejar desastres como el hambre, las inundaciones, la sequía o las guerras. Estas ofrendas solían adoptar la forma de joyas, armaduras enjoyadas y armas arrebatadas a los enemigos, recipientes de cerámica y otros bienes preciosos. También ofrecían alimentos y, en caso de que alguien se hubiera recuperado de una enfermedad, ofrecían la parte del cuerpo afectada.

Los celtas se preocupaban mucho por los rituales, ya que les ayudaban a estructurar y ordenar sus vidas y a seguir el ritmo de los cambios de estación y del paso del tiempo. Los rituales también les permitían dar sentido y encontrar un significado al mundo que les rodeaba. Utilizaban los rituales y las celebraciones para entender y explicar los acontecimientos que no podían controlar. Por ejemplo, utilizaban la Rueda del Año, que dividía el año en ocho porciones, y las fiestas de celebración, para marcar el cambio de las estaciones y comprender los cambios en la fertilidad de la tierra, las cacerías, etc. La forma en que intentaban comprender los fenómenos y sucesos naturales muestra cómo intentaban ir más allá del mundo material y forjar conexiones con las fuerzas que creían que afectaban a la dinámica de la vida. Hay cinco rituales celtas principales: rituales mágicos, rituales curativos, rituales de adivinación, rituales de transmigración y rituales realizados en las fiestas estacionales.

1. Rituales mágicos

Como se puede deducir de su nombre, los rituales mágicos implicaban el uso y el concepto de la magia. La "magia de la cabeza" era uno de los rituales mágicos más significativos. Giraba en torno a la creencia de que la mente humana, o la cabeza, es vital para las prácticas mágicas. También creían que era de gran potencia y poder, por lo que los celtas decapitaban a menudo a sus enemigos en la guerra para poder conservarlos y exhibirlos.

- **Sacrificios humanos**

  Los rituales mágicos incluían plantas curativas (más adelante se hablará de ello), y estan representados en varios relatos druidas. Las pruebas de la invocación a un dios para invocar bendiciones y maldiciones aparecen en placas de plomo y otros artefactos. El sacrificio humano era también un aspecto de los rituales mágicos. Hay pruebas de un hombre de Lindow en Inglaterra que fue golpeado ritualmente en la cabeza, estrangulado y ahogado. Otros relatos sugieren que los celtas practicaban a menudo el asesinato ritual de seres humanos. Varios hechizos druidas estan relacionados con los sacerdotes y mujeres druidas, afirmando que podían controlar o influir en los elementos naturales. Muchos relatos incluían afirmaciones de invisibilidad y la capacidad de convertir las rocas en ejércitos de hombres armados y mover montañas.

- **Varitas**

  Las varitas también desempeñaban un gran papel en los rituales mágicos druidas. Los druidas creían que las varitas eran objetos vivos, metafísicamente hablando, porque creían que los árboles tenían dríadas o espíritus o almas especiales. El significado de las dríades (el espíritu humano en su naturaleza esencial) es que son divisibles. Se consideran una cualidad de la madera, como el color, la textura, el brillo, el grano y otras propiedades. Por lo tanto, la dríade se distribuye por todo el árbol o tronco. Así, cuando los trozos se utilizan para hacer varitas, siguen conteniendo una dríade entera, como todo el árbol. Al utilizar o fabricar varitas, los druidas solían emplear rituales y recitar bendiciones para activar y despertar la dríade de la varita. Las varitas se consideraban algo más que simples herramientas. También eran el compañero mágico de un practicante.

- **El sahumerio**

  El sahumerio era también otro aspecto de las prácticas mágicas druidas. El sahumerio consistía en quemar un palo o un manojo de hierbas secas. El propósito de esta práctica era despejar la energía negativa y crear vibraciones positivas. Un palo de sahumerio se diferencia del incienso porque esta hecho de muchas hojas y hay que agitarlo o moverlo para que el humo se propague eficazmente. En cambio, el incienso se mezcla con aceites esenciales y suele transformarse en gránulos, conos o estar unido a palos, y no es necesario agitarlo.

Los druidas prestaban especial atención a los tipos de hierbas que recogían y utilizaban para hacer la bruma. También solían fabricar, y aun lo hacen, sus palos de emborrachar porque cada hierba tiene sus propias características y usos tradicionales. Su elección, junto con sus intenciones, determina lo que su práctica de emborronamiento atrae a su vida. Por ejemplo, puede utilizar la misma hierba para deshacerse de la energía negativa y atraer la buena fortuna y el amor a su vida. Busque las características de las distintas hierbas para conocer sus propósitos.

2. Rituales curativos

Los rituales curativos estan asociados a la restauración y la curación. Los celtas creían que había diez elementos para la curación: el agua, las piedras, las hierbas, el fuego, la naturaleza, la música, las deidades, los símbolos, los rituales y la narración. Cada elemento se conectaba o apoyaba a otro elemento, actuando como una dimensión de la vida cotidiana celta.

- **Curación alternativa**

En esencia, las prácticas curativas druidas promueven el apoyo a la salud espiritual y física mediante la manipulación de la energía, el ejercicio y las dietas equilibradas o saludables. Aunque el druidismo es una tradición espiritual muy arraigada, siempre se anima a los druidas a que experimenten con sus preferencias y creencias respecto a la magia, las deidades y otros esfuerzos espirituales. Esto es particularmente importante porque no existe un método sólido para los rituales de conducción. Los druidas antiguos y modernos suelen incorporar métodos de curación alternativos, como rituales y hechizos de curación, hierbas y Reiki, en sus prácticas personales.

Las prácticas curativas de los druidas implican el uso de hierbas curativas que los celtas utilizaban tradicionalmente. Algunas hierbas como la verbena y la hierba de San Juan se utilizan para hacer tinturas e infusiones, mientras que otras se emplean por sus significados simbólicos. Las plantas también fueron utilizadas popularmente por los irlandeses por sus propiedades curativas.

Muchos individuos acompañaban el uso de las plantas con hechizos y encantos. Se creía que los cálculos de la vejiga podían curarse con infusiones de ajo silvestre, la epilepsia con jugo de bayas de enebro y las lombrices intestinales con infusiones de tanaceto. Las llagas y los cortes también se curaban ampliamente con la cicuta. Hay pruebas de que la cicuta elimina el crecimiento del cáncer con la invocación adecuada.

- **Animales y sus productos**

  Se creía que pasar a un individuo bajo el vientre de un caballo curaría su tos. Los celtas creían que el caballo tenía que ser blanco, mientras que en muchas zonas de las Islas Británicas se creía que el caballo tenía que ser picazo. Por supuesto, el lugar en el que se vivía como celta conllevaba algunos rituales únicos. Los celtas irlandeses, por ejemplo, creían que la poción de diente de león podía curar el asma. Los celtas escoceses, en cambio, creían que el asma podía curarse si se untaba grasa de ciervo en las plantas de los pies.

- **Hechizos y encantos**

  En las costumbres celtas, siempre se ha sabido que las hadas son especialmente peligrosas durante el parto. Para salvar a la madre y proteger a su hijo de ser secuestrado, se solía colocar un trozo de hierro en la cama de la madre. También había que bautizar al niño lo antes posible para mantenerlo a salvo de los espíritus malignos. Los amuletos también se utilizaban habitualmente para proteger a las personas de las heridas, especialmente las causadas por el mal de ojo o las obtenidas durante la batalla.

Los rituales y hechizos de curación de los druidas son a menudo una combinación de invocación y sirven como súplica de curación. También visualizan la luz o la energía curativa entregada a los individuos que sufren. Muchos utilizan también hierbas curativas para potenciar el efecto del hechizo. También pueden entregarse a meditaciones que ayudan a deshacerse de la energía indeseable y a reducir los niveles de estrés.

- **El agua**

  Se sabe que la fuente de toda la vida es el agua, y teniendo esto en cuenta, no es de extrañar que se utilice en muchos rituales. Además, si el agua procedía de un pozo o río específico, se creía que tenía increíbles poderes medicinales. Los irlandeses creían que dolencias como las paperas podían curarse si el enfermo bebía tres veces agua de determinados ríos. También se creía que ciertos pozos reducían los dolores de muelas. Además, se asociaban con los dioses locales, por lo que sus características curativas estaban vinculadas a las deidades.

3. Rituales de adivinación

Además de estar asociada a la adivinación, la adivinación también implica la revelación de dinámicas internas o externas ocultas. También puede definirse como una comprensión y un conocimiento muy profundos de uno mismo y la capacidad de conocer las razones no aparentes que hay detrás de los acontecimientos.

Los druidas utilizaban numerosos métodos de adivinación, desde los más sencillos, como la adivinación del tiempo, hasta los más complejos, como la observación del vuelo de las aves. También examinaban el comportamiento de los animales y dilucidaban las configuraciones planetarias. Los druidas irlandeses utilizaban la adivinación en las nubes o Neldoracht y un método más sofisticado, el Tarbhfeis, que requería que el individuo se envolviera en una piel de toro. Se creía que la persona clarividente podía refinar sus habilidades haciendo esto.

Usted puede mejorar sus habilidades clarividentes entregándose a una amplia gama de rituales de adivinación más adecuados para la vida moderna. Por ejemplo, puede trabajar con animales sagrados y plantas y hierbas tradicionales druidas y celtas.

4. Rituales de transmigración

La transmigración también se conoce como reencarnación. En un sentido espiritual, religioso y filosófico, la transmigración es el concepto de que el alma o el espíritu de una persona comienza una nueva vida en un cuerpo o forma física diferente tras su muerte física.

Los celtas creían en la vida después de la muerte. Por ello, enterraban a los individuos con sus ornamentos, armas y alimentos. Los druidas enseñaban el principio de la transmigración de las almas. También explicaban el significado de la naturaleza y el poder de los dioses. Los celtas practicaban el entierro en urna, que consistía en crear el cuerpo y colocar sus cenizas en una urna. Sin embargo, esto solo duró hasta los siglos VI al VIII a. C., cuando empezaron a practicar los ritos de inhumación (entierros de cuerpo entero). Sin embargo, el proceso difería según la clase de la persona. Los esclavos y los individuos de la clase baja eran enterrados en tumbas normales, con unas pocas posesiones preciadas, mientras que los nobles eran enterrados con espadas, joyas, banderas de vino, carros y más. Suelen esparcir grandes rocas y túmulos alrededor del lugar de enterramiento para ahuyentar a los espíritus malignos.

Los irlandeses creían en la existencia de un otro mundo. Se pensaba que el otro mundo era una isla en los vastos mares o que se encontraba bajo tierra. Lo explicaban como un país libre de muerte, enfermedad y envejecimiento. Pensaban que era un lugar feliz donde un día equivalía a cien años terrestres.

5. Rituales en los festines estacionales

Como hemos mencionado anteriormente, las fiestas eran un aspecto importante de la cultura celta. Tenían fiestas estacionales para celebrar cambios y fechas importantes en sus calendarios. Utilizaban una Rueda del Año para dividir el año en ocho porciones para marcar la alternancia cíclica de las estaciones. Celebraban principalmente cuatro fiestas del fuego cada año: Samhain, Imbolc, Bealtaine y Lughnasadh. Los equinoccios y los solsticios también estan integrados en la rueda, con estos cuatro festivales principales. Las llamadas fiestas trimestrales son Yule, Ostara, Litha y Mabon. Cada celebración acompañó a un conjunto de rituales únicos, que se analizan con mayor profundidad en el siguiente capítulo.

Los rituales son un aspecto vital de la humanidad. Nos ayudan a recordar el propósito y a donar un sentido de estructura y se llevaron a cabo en todas las culturas a lo largo de la historia, y desempeñaron un papel vital en las tradiciones celtas, druidas, irlandesas y escocesas. Las tradiciones más significativas eran mágicas, curativas, de adivinación, de transmigración y de rituales de fiestas estacionales. Existen numerosas formas modernas de incorporar estas prácticas a su rutina personal.

Capítulo 9: Fiestas sagradas celtas

Las fiestas celtas ocupan un lugar especial en los rituales paganos antiguos y modernos y pueden afectar significativamente a la magia druídica y a los rituales celtas. Cada fiesta esta asociada a un acontecimiento estacional y cae entre los acontecimientos solares y los puntos de inflexión del año. Aunque antiguas, estas fiestas se siguen celebrando en toda la cultura celta, con muchos rituales tradicionales realizados específicamente en estas fiestas.

Al aprender sobre los rituales y hechizos celtas, es importante entender el significado de estas fiestas sagradas para canalizar mejor su energía a través de hechizos y rituales. Aunque los antiguos celtas tenían rituales específicos para cada fiesta, no se puede subestimar su importancia en el paganismo moderno. Por lo tanto, es mejor que entienda las fiestas sagradas celtas y sus energías antes de llevar a cabo rituales especiales en estas fiestas.

A continuación se enumeran, en orden cronológico, las ocho fiestas sagradas celtas más importantes del año, empezando por el día de Santa Brígida en febrero hasta el solsticio de invierno en diciembre.

1. Día de Santa Brígida - Imbolc

La primera fiesta celta del año, el día de Santa Brígida, marca el primer día de la primavera y se celebra el 1 de febrero. Este día esta asociado a la primera santa autóctona de Irlanda, Santa Brígida, abadesa de uno de los primeros conventos de Irlanda. La representación simbólica de este día se asocia con una paja o una cruz roja. El día de Brigid se asocia con la poesía, la curación y la fertilidad y marca el comienzo de una nueva temporada de esperanza.

Rituales celtas históricos

Según la antigua tradición celta, el día de Santa Brígida marcaba el comienzo del año. Por lo tanto, se celebraba con gran fervor para asegurar la protección de Santa Brígida y la promesa de gran abundancia para la vida futura. Los antiguos rituales celtas durante el día de Santa Brígida incluían lo siguiente:

- Los antiguos celtas celebraban Imbolc como uno de los días trimestrales que marcaban la transición de una estación a la siguiente. Las festividades tenían lugar en la víspera del día porque este momento se consideraba eficaz para los hechizos y los rituales.
- La comida festiva tradicional del día de Santa Brígida incluía una cena de patatas con mantequilla recién batida, seguida de pasteles de manzana o barmbrack y té.
- Las cruces de Santa Brígida ocupaban un lugar especial en la tradición. Mucha gente creía que Santa Brígida pasaría y bendeciría los hogares con estas cruces colgadas en su honor el día de las fiestas. Había muchas variaciones regionales en la fabricación y el colgado de estas cruces, pero la mayoría tenía el mismo propósito de atraer las bendiciones de la santa.

- El material sobrante de las cruces y las viejas cruces del año anterior se esparcía por la tierra para proteger los cultivos y el ganado o se incorporaba a la cama de los animales.
- La tradición de un Brat Bríde o Ribín Bríde era común en las antiguas tradiciones celtas. La gente dejaba en el alféizar de la ventana un trozo de ropa o de cinta al que Santa Brígida dotaba de propiedades curativas o sanadoras en la víspera de su fiesta.
- Muchos pozos estaban dedicados a Santa Brígida y eran visitados por la gente en la víspera del día de Santa Brígida cada año.
- Celebraciones modernas
- El paganismo moderno celebra el día de Brígida de diversas maneras. Mientras que algunos paganos modernos siguen la mayoría de los antiguos rituales celtas, otros han definido nuevas formas de celebrar este día festivo. Algunas celebraciones paganas modernas incluyen
- Fiestas especiales de Imbolc con comidas tradicionales como albóndigas, pan horneado, huevos, leche, colcannon, etc., dedicadas a la santa Brigid.
- Es habitual un ritual de baño de limpieza para lavar la energía negativa de la estación oscura (los inviernos) en preparación para la nueva estación.
- Se hacen cruces de Brígida con diversos métodos, estilos y materiales y se cuelgan en el exterior de las casas para atraer bendiciones y energía positiva.
- Se sigue un ritual de encendido de fuego para atraer el calor del sol que llega. Encender una hoguera, una chimenea o incluso una vela depende de usted.

Ritual de autopurificación

Un ritual de autopurificación en el día de Brígida es perfecto para aprovechar las energías purificadoras que trae Santa Brígida. Como señora del fuego, la santa tiene un inmenso poder sobre las capacidades de limpieza y purificación de este elemento. Utilice este sencillo ritual para limpiar toda la oscuridad y los restos del invierno.

- Para este rito, necesitará una vela, incienso, un cuenco de agua y un poco de sal.
- Busque un lugar tranquilo para sentarse y céntrase respirando profundamente.
- Invite a Santa Brígida a su espacio ritual y sienta su presencia.
- Encienda la vela para representar el fuego y pida a Brígida que purifique su vida.
- A continuación, espolvoree un poco de sal sobre su piel, en representación de la tierra, y pida a Brígida que limpie su cuerpo.
- Encienda el incienso para representar el aire, y pida a Brígida que aclare su mente.
- Por último, tome el cuenco de agua y rocíelo sobre y alrededor de su cuerpo para purificar sus emociones.

2. Día de San Patricio - Equinoccio de primavera

Una de las fiestas más importantes de Irlanda y de las tradiciones celtas, el Día de San Patricio, o el equinoccio de primavera, se celebra el 17 de marzo como homenaje al santo patrón de Irlanda. El momento del equinoccio de primavera tiene cierto significado en la tradición celta porque los celtas determinaban las estaciones utilizando el tiempo natural. De ahí que los acontecimientos del solsticio y el equinoccio tengan una enorme importancia, especialmente para que ciertos rituales y trabajos de hechizos sean eficaces. Como su nombre indica, el equinoccio de primavera es un momento de perfecto equilibrio, en el que el día y la noche tienen casi por completo la misma duración y es considerado un momento sagrado por los antepasados celtas.

Rituales celtas históricos

Aunque el equinoccio de primavera tiene mayor importancia que el día de San Patricio en la tradición celta, ambos se celebran con igual fervor anualmente. Históricamente, el equinoccio de primavera ha tenido una gran importancia para los rituales celtas y el trabajo con hechizos, ya que representa el equilibrio perfecto entre el día y la noche, y muchos hechizos funcionan mejor durante esta época. En la tradición celta, el equinoccio de primavera se celebraba como Ostara, donde se celebraba el renacimiento y la vida renovada. Los rituales históricos incluían:

- Inicialmente, la Pascua se originó en Ostara, donde los antiguos celtas decoraban huevos.
- Se encendían nuevas hogueras como símbolo de nuevos comienzos y renacimiento.
- Las antiguas celebraciones de las fiestas incluían comidas que honraban la llegada de la primavera, incluyendo huevos, brotes y otros vegetales de principios de primavera.

Celebraciones modernas

Los paganos modernos de todo el mundo celebran el equinoccio de primavera u Ostara y practican magia y hechizos específicos durante esta época. Estas son algunas de las celebraciones y rituales que se llevan a cabo durante el equinoccio de primavera.

- El altar de Ostara se prepara con símbolos de equilibrio para representar el equinoccio de primavera.
- Muchos paganos practican la meditación de la tierra para conectarse de nuevo con la tierra y la naturaleza.
- La magia relacionada con el renacimiento y el crecimiento se practica durante el equinoccio de primavera. Esto puede incluir la magia del huevo, la magia de la serpiente, la magia de las flores y la jardinería mágica.

Ritual de renacimiento

Como la primavera simboliza la finalización del ciclo de renacimiento, muchos paganos utilizan el equinoccio de primavera para completar un ritual de renacimiento para equilibrar su energía y encontrar la armonía en su interior. Deberá seguir los siguientes pasos.

- Deberá utilizar su altar de Ostara con una sábana negra, un cuenco de tierra, agua, velas e incienso.
- Póngase la sábana negra o la túnica ritual y dibuje un círculo alrededor de su altar de Ostara.
- Entre en este círculo, arrodíllese y recite los versos rituales de Ostara.
- Uno a uno, mueva los artículos alrededor de su cuerpo para representar cada elemento.

- Empiece por la sal, luego las velas, el incienso y, por último, el agua.
- Por último, tómese un tiempo para meditar y sentir el equilibrio del renacimiento en su interior.

3. Día de Mayo - Beltane

El Primero de Mayo representa el comienzo de los largos días de la temporada de verano. Se considera un día sagrado en la cultura irlandesa y celta. Beltane se consideraba un momento para celebrar, especialmente mediante hogueras y fiestas extravagantes. Era un día muy especial para los celtas, uno en el que los velos entre los mundos eran más finos. Beltane simbolizaba un momento para celebrar la vida e incluía grandes festines, festivales y ferias.

Rituales celtas históricos

La tradición celta creía que la época de Beltane daba la bienvenida a la estación de la cosecha y era considerada la más importante de todo el año. Aunque la temporada incluía muchos rituales y costumbres, la mayoría estaban asociados al fuego, por lo que esta fiesta se denominaba a veces el festival celta del fuego. Los antiguos rituales incluían lo siguiente:

- Se encendían una, dos o varias hogueras enormes como símbolo de vida y celebración.
- Las llamas, la ceniza y el humo se declaraban sagrados, y la gente y el ganado caminaban alrededor de las llamas para obtener protección, riqueza y salud.
- La sangre de los animales se utilizaba como sacrificio, y la leche y la miel se vertían en los umbrales para que las hadas las encontraran.
- Una parte integral del festival era la fiesta de Beltane. Aunque no era tan extravagante como los otros festivales, seguía teniendo importancia.

Celebraciones modernas

Aunque las fiestas tradicionales han desaparecido en gran medida en el mundo pagano moderno, la fiesta del fuego ha experimentado un renacimiento en los últimos años. Los neopaganos y los grupos de wicca se reúnen para celebrar las fiestas del Primero de Mayo los fines de semana o celebran ferias entre semana. Aunque las actividades y los rituales pueden haber cambiado con el tiempo, el sentimiento que hay detrás de esta fiesta sigue siendo el mismo, que es dar la bienvenida al verano y esperar la buena fortuna.

- Beltane es una fiesta de la fertilidad, por lo que el montaje de un altar simboliza el renacimiento y la celebración de la vida.
- La tradición de la danza del palo de mayo existe desde hace mucho tiempo y sigue vigente en muchas culturas paganas. La celebración del palo de mayo suele tener lugar después del amanecer, al día siguiente de la fiesta del fuego.
- El rito de la hoguera para celebrar el fuego y la fertilidad se realiza en grupo para celebrar el amor que se profesan las parejas.
- El rito de siembra de Beltane es perfecto para una celebración en solitario y es un rito sencillo que celebra la fertilidad de la temporada de siembra.

Ritual de unión de manos

En la actualidad, muchas culturas paganas siguen ceremonias de unión de manos en lugar de las bodas tradicionales, que suelen realizarse durante las celebraciones del Primero de Mayo. Puede ser una ceremonia sencilla sin el beneficio de una licencia estatal. Muchas personas también prefieren el salto de la escoba, que es otro rito de boda pagano no convencional.

4. Solsticio de verano

El solsticio de verano se produce cuando el sol alcanza la inclinación axial de la tierra, o en palabras sencillas, es el día más largo del año, es decir, el 21 de junio. Este día celebra la luz y el sol y se asocia estrechamente con las hierbas, las flores y las velas. Los celtas dedicaban este día a su diosa celta, que recibía muchos nombres. El día esta marcado y se celebra como el primer día del verano.

Rituales celtas históricos

Los celtas tenían muchas creencias respecto al solsticio de verano y consideraban el día de suma importancia para muchos rituales y hechizos. Los celtas creían que el poder del sol ayudaría a desterrar la oscuridad y el mal y, a su vez, abriría las puertas a la abundancia de riqueza. El sol se asociaba con la vitalidad, el calor y la luz, y los siguientes rituales tenían lugar durante los periodos históricos celtas.

- Se encendían numerosas hogueras alrededor de las cuales los enamorados bailaban y saltaban para dar suerte.
- Se lanzaban ruedas de fuego en cascada como símbolo de la propagación de la luz.
- Se preparaban deliciosos festines y la gente bailaba alrededor de las hogueras para los druidas.

Celebraciones modernas

Aunque gran parte de la antigua cultura que rodeaba al solsticio de verano se ha desvanecido, muchas personas siguen reuniéndose para celebrar el solsticio de verano con gran fervor. Entre ellos destacan los paganos, los neopaganos, los wiccanos y otras culturas. Los festivales de solsticio de verano en todo el mundo incluyen bailes de mayo, hogueras en la cima de las montañas y otros rituales.

Ritual de hierbas de solsticio de verano

En los rituales paganos de verano se pueden utilizar las hierbas de numerosas maneras. Las hierbas representan la naturaleza y tienen un importante poder curativo y calmante. Además de cocinar con hierbas, también puede convertirlas en incienso o hacer velas relajantes. He aquí algunas de las mejores hierbas para los rituales y hechizos del solsticio de verano o del pleno verano.

- Hinojo
- Lirio
- Pamplina
- Incienso
- Lavanda
- Brezo
- Rosa
- Verbena
- Artemisa

5. Lughnasa

Lughnasa (1 de agosto) marcaba el comienzo de la temporada de cosecha para los antiguos pueblos celtas y se celebraba con alegría para representar el crecimiento y la celebración. Debido a la alegría de una cosecha abundante, el pueblo celta encendía hogueras y celebraba la llegada de una temporada completa. Se consideraba un momento de gratitud o acción de gracias.

Rituales celtas históricos

Para los celtas, Lughnasa celebra la fructificación de las cosechas del año y representa la fiesta de la cosecha de la cultura celta. En la tradición antigua, la fiesta de la cosecha celta solía durar un mes, y los festejos comenzaban a mediados de julio y duraban dos semanas hasta agosto. Una antigua costumbre consistía en recoger primero las manzanas maduras para preparar una bebida de celebración del festival. Otros rituales de Lughnasa incluían:

- Los arándanos se recogían primero para medir el rendimiento de la cosecha. Si los arándanos eran abundantes, también lo serían las cosechas.
- Se colocaban guirnaldas de flores y follaje alrededor de los pozos sagrados dedicados a los santos patronos.
- Se preparaba y disfrutaba de un banquete con frutas y verduras de temporada y pan horneado.

Celebraciones modernas

Aunque las celebraciones de Lughnasa se han desvanecido y es la menos reconocida de todas las fiestas celtas, los festivales y ferias de Lughnasa siguen celebrándose anualmente en el museo al aire libre de Craggaunowen. Muchos paganos celebran hoy este festival con hogueras, fiestas y bailes.

6. Equinoccio otoñal/de otoño

Al igual que el equinoccio de primavera o el día de San Patricio, el equinoccio de otoño u otoñal celebra el equilibrio logrado con el día y la noche de igual duración. Este día sagrado cae alrededor del 21 de septiembre, en algún momento de la estación otoñal. Se considera una época de cosecha, en la que la gente se reúne para recoger, almacenar y conservar sus alimentos para la próxima temporada de invierno. Según las tradiciones celtas, esta época tiene un valor significativo para los rituales y el trabajo de hechizos debido al cambio de las estaciones.

Rituales celtas históricos

El equinoccio de otoño, conocido como la segunda cosecha, trae consigo alegría o sufrimiento, según el resultado de las cosechas de los agricultores. El equinoccio de otoño supone una pausa entre las estaciones de otoño e invierno, considerada la estación oscura entre la cultura celta. Los siguientes rituales se practicaban durante el equinoccio de otoño.

- Según la tradición china, el equinoccio de otoño se celebraba con una cena a la luz de la luna después de haber recogido con éxito las cosechas de arroz y trigo.
- Mucha gente meditaba antes de la salida del sol para encontrar el equilibrio que el equinoccio podría traer a sus vidas.
- El sustento a través de la búsqueda de alimentos era una parte importante de la cultura celta y solía hacerse durante el equinoccio de otoño como preparación para el invierno que se avecinaba.
- El antiguo ritual de Mabon incluía un festival de hogueras para honrar el cambio de estación y celebrar el éxito de la cosecha.

Celebraciones modernas

Las celebraciones modernas durante el equinoccio de otoño se basan en los mismos principios y creencias de las antiguas enseñanzas. Las hogueras de gratitud, las excursiones otoñales para buscar comida y la meditación de yoga al amanecer son ejemplos de celebraciones paganas modernas del equinoccio de otoño.

7. Samhain

El Samhain era el momento en el que los espíritus podían cruzar el velo entre los vivos y los muertos y comunicarse con ellos como fuera posible. Al caer el 1 de noviembre, el Samhain es una fascinante fiesta celta. Junto con el espeluznante Halloween, se considera el comienzo de la mitad más oscura del año.

Rituales celtas históricos

Durante el Samhain, muchos de los rituales celtas que se llevaban a cabo eran para alejar a los espíritus malignos, mientras se invitaba y honraba a los antepasados de la familia. Se preparaban festines para los vivos y los muertos. La gente llevaba máscaras y se disfrazaba de espíritus malignos para alejar el peligro. Esencialmente, este es el origen de Halloween.

Celebraciones modernas

Las celebraciones paganas modernas de Samhain incluyen la instalación de un altar de Samhain, la elaboración de un altar de los antepasados, la visita a un cementerio, la celebración de una sesión de espiritismo para comunicarse con los muertos, la búsqueda de orientación adivinatoria a través de las cartas del tarot o el uso de hierbas y especias de Samhain para realizar hechizos y rituales.

8. Solsticio de invierno

Es el día más corto del año (prácticamente lo contrario del solsticio de verano) y se produce alrededor del 21 de diciembre. Se considera una época de renacimiento en la que la gente lo celebra asistiendo a festivales, reuniones o realizando rituales. Mientras que los rituales históricos incluyen hogueras y trabajo con hechizos, los rituales paganos modernos suelen tener lugar en un lugar popular del solsticio de invierno, es decir, la cámara funeraria de Newgrange.

Capítulo 10: Hechizos y encantos

Mientras que se cree que la magia negra causa sufrimiento a otras personas, la "brujería blanca" mantiene a raya el peligro, cura enfermedades y concede suerte. En este capítulo se tratan diferentes hechizos celtas, irlandeses, escoceses y druidas. Otros hechizos se utilizan para la curación, los encantos para atraer la fortuna, los hechizos de belleza, el amor y el romance.

Hechizos para atraer la buena fortuna

En algún momento, todos aspiramos a atraer la buena fortuna en la vida, y como solemos atribuir la mala suerte a los hechizos malignos, necesitamos buenos hechizos para contrarrestarla. La realización de este hechizo implica una vela, un poco de cuerda y una baratija.

En primer lugar, debe pasar el cordel por la baratija y luego atarlo. Balancee la baratija por encima de la llama de su vela y cante, pidiendo buena energía.

Repita esto tres veces y lleve el collar alrededor del cuello. El hechizo le dará mucho más poder cuando haga esto continuamente.

Hechizo de belleza irlandés

Se cree que este hechizo le hará más guapa de lo que nunca imaginó. Necesitará un espejo, una vela rosa o incienso para este hechizo. Cuando haya luna llena, coja un espejo y salga al exterior o abra la ventana y asegúrese de que la luna se refleja en el espejo. Tome una imagen de cualquier cosa que quiera mejorar y colóquela en el espejo.

Ahora, diga: "Luz de luna, luz de estrella, deja que el viento lleve tu luz, deja que tu resplandor cubra mi cuerpo y deja que tu brillo cubra todos los ojos". Como en la mayoría de los hechizos, tiene que centrarse en lo que quiere para que funcione, que en este caso sería la parte de usted que le gustaría cambiar. Hágalo y repita el conjuro tres veces.

A continuación, diga lo siguiente tres veces: "Luz de luna, luz de estrella, da forma y moldea mi cuerpo, como a una rosa se le concede belleza, deja que florezca en tu luz, la luz que me aporta belleza, y concédeme belleza tres veces tres".

Cuando haya terminado, encienda una vela rosa o un incienso.

Hechizo para recuperar bienes robados

Perder cualquier posesión valiosa puede ser devastador, especialmente cuando es robada. Nadie quiere perder sus pertenencias, ganadas con tanto esfuerzo, ya que pueden ser difíciles de reemplazar. Ahí es donde entra este hechizo.

1. Coja dos llaves y colóquelas en un colador, cruzadas.
2. Haga que dos personas tengan que sostener el colador.
3. Haga una señal de cruz en la frente del presunto ladrón, diciendo su nombre en voz alta tres veces.
4. Si la persona sospechosa es culpable, las llaves se moverán alrededor del tamiz. Si son inocentes, no se moverán en absoluto.

Puede tomar las medidas adecuadas para recuperar sus objetos robados cuando esto ocurra. Sin embargo, tenga cuidado de evitar las falsas acusaciones, ya que esto puede afectar a su relación con los demás.

Amuleto de trébol de cuatro hojas para la suerte

¿Quién no ha oído hablar del trébol de cuatro hojas de la suerte? Estas cuatro hojas son raras y se rumorea que poseen poderes místicos que representan atributos positivos. Los celtas creían en sus poderes y los atribuían a la esperanza, la fe, el amor y la suerte. Otras personas creen que las cuatro hojas del trébol traerán riqueza, fama, amor fiel y salud.

Las cuatro hojas son una mutación genética y muy rara, y solo una planta de cada 10.000 lleva las hojas de la suerte. Aunque conseguir las hojas para los amuletos de la suerte puede ser un reto, hay diferentes manualidades que puede utilizar en su lugar. Por ejemplo, compre joyas diseñadas para simbolizar las cuatro hojas del trébol. Le dará los mismos resultados si las utiliza correctamente.

Amuleto contra el peligro

Cuando los hombres iban a la batalla, necesitaban protección contra los peligros, como las heridas, ser capturados por el enemigo o ahogarse. Se utilizaban cuerdas de diferentes colores junto con una mezcla de rimas para evocar curaciones. Se creía que las cuerdas tenían poderes para proteger a los combatientes contra los daños. Si va a realizar una misión en la que podría encontrarse con algunos desafíos, necesita este amuleto para protegerse.

Encantos para curar enfermedades

Suelen ser administrados por lo que se conoce como las "mujeres sabias" o los "hombres sabios". El "conocimiento" de estas personas sabias era un amuleto que podía utilizarse para curar dolencias en el hombre o en el animal - cosas como moretones, dolor de muelas y cosas por el estilo. El sabio recitaba un canto sobre el enfermo, así como sobre el agua que se le rociaba o bebía. Si se solicitaba la ayuda de la "mujer sabia", no se podía hablar con nadie después hasta llegar a casa. Había algunas otras reglas relacionadas con esto. Acostarse antes de la puesta de sol, no leer, no comer carne el día en que se administraba el amuleto.

Vínculo de confianza

Una costumbre interesante en Irlanda era que los hombres utilizaran su pelo y lo trenzaran como una pulsera. Luego se lo presentaban a la mujer que amaban como un regalo que representaba la confianza. Para que los poderes vinculantes del hechizo funcionaran realmente, la mujer debía aceptar el regalo. Básicamente, no se puede forzar este hechizo sobre alguien sin que lo sepa o lo acepte. Este hechizo en particular significaba que las partes implicadas estaban de acuerdo en formar una unión duradera. Cuando utilice este hechizo, su principal objetivo es darle concentración y fuerza para lograr sus objetivos y dar a conocer sus intenciones.

Hechizo irlandés para el dinero

Muchas personas aspiran a tener una fortuna de dinero en sus vidas. En la tradición irlandesa, se cree que una pluma de gallo negra unida a una moneda de color dorado puede traer una gran fortuna. Tiene que sostener la moneda y la pluma e ir a los puntos de cruce que consisten en tres caminos de hadas y pronunciar el nombre de la diosa Aine tres veces. Este amuleto le traerá una prosperidad eterna y siempre tendrá dinero para diversos fines. Además, utilice el amuleto para resolver los problemas financieros que se le presenten.

Amuletos de herradura de la suerte

Desde el siglo X, esta tradición sigue utilizándose como símbolo de la suerte hasta nuestros días. Normalmente se pueden ver sobre una puerta, donde se supone que atraen la buena fortuna a los hogares y mantienen alejada la mala suerte. La herradura se utiliza habitualmente en diferentes culturas, aunque hay algunos desacuerdos sobre cómo debe colgarse en la puerta.

Hay una pequeña discrepancia en cuanto a cómo colgar la herradura. Una gran mayoría cree que debe estar orientada hacia arriba, en un sentido de recogida y captación de la buena suerte. También existe la idea de que debe colgar hacia abajo para que la suerte se derrame sobre quien pase por debajo de ella. De cualquier manera, se cree que la herradura posee suerte porque los herreros eran capaces de doblar cualquier material proporcionado por Dios. El talismán también es un regalo de boda perfecto, ya que simboliza la tradición de larga duración y suele regalarse a la novia. También se creía que la herradura representaba una luna creciente, lo que la convertía en un amuleto de fertilidad muy potente.

Amuleto del número de la suerte siete

En muchas culturas, el número 7 se considera afortunado y representa la perfección y el conocimiento. Esto se debe principalmente a sus especiales propiedades matemáticas. El cuadrado y el triángulo se consideran "formas perfectas", y el número 7 es una combinación de los cuatro lados del cuadrado y los tres del triángulo. De ahí la perfección. El siete también es significativo en muchos otros casos:

- ¿Cuántos días tiene una semana?
- ¿Cuántos planetas visibles hay?
- ¿Cuántos colores tiene un arco iris?

Así es, siete. Ahora todo lo que tiene que hacer es involucrar el siete en lo que quiera conseguir. Por ejemplo, el siete puede ser su número ganador la próxima vez que salga a apostar. Tal vez cree un amuleto con siete símbolos de la suerte, como los cristales.

Amuletos curativos

Mientras que muchos amuletos y hechizos estan destinados específicamente a prácticas relacionadas con la suerte, la protección contra los hechizos malignos, el amor y el romance, otros se utilizan para curar diferentes afecciones. Los siguientes son ejemplos de amuletos que se cree que poseen propiedades curativas.

Una cura para problemas de salud mental

Este tratamiento debe realizarse únicamente los jueves. El paciente se sienta sobre un caballo gris y se le lleva a dar un paseo en el que el animal galopa a su mayor velocidad tres veces alrededor de un mojón. Se trasladará a una piedra inamovible donde se le pedirá al paciente que le hable a la piedra. Este es el procedimiento de curación y, después, se cree que la víctima se recuperará. El proceso se basa en la creencia en los poderes de los dioses que eliminarán los espíritus malignos causantes del problema de salud mental.

Amuleto irlandés para curar la depresión

Cuando alguien esta decaído y experimenta una depresión, se dice que tiene una "ráfaga de hadas". Se trata vertiendo agua de ráfaga sobre la víctima. Un hada doctora verterá el agua, mientras canta en alabanza a los dioses con el poder de curar la condición. Si queda agua después de realizar el procedimiento, debe verterse en el fuego. Todo el sistema de curación se basa en las creencias religiosas y en la invocación de los poderes de las deidades.

Amuleto del mal de ojo

Este amuleto no es tan maligno como sugiere su nombre, sino que ofrece protección a su portador frente a personas con ojos desconfiados. Puede proteger contra las fuerzas negativas procedentes de personas que se cree que poseen ojos negativos. El amuleto del mal de ojo funciona desviando cualquier intención dañina causada por los ojos dañinos cuando miran a su cara. Actúa como un amuleto protector, ya que se cree que el mal solo puede ser dañino si le mira directamente a los ojos.

El amuleto del ojo engaña a las fuerzas del mal para que no le hagan daño. La mayoría de los amuletos de ojos protectores se llevan puestos, se colocan en las casas o se llevan en el bolsillo. Los amuletos también se utilizan para proteger a las empresas y a los individuos contra las pérdidas financieras causadas por malos tratos comerciales. Considere este amuleto si quiere disfrutar de una protección general contra las fuerzas del mal.

Mientras que se cree que la magia negra es perjudicial, la brujería blanca se utiliza para beneficiar a diferentes personas. Por ejemplo, los hechizos y amuletos se utilizan para diversos fines como la suerte, la curación, el amor y el romance. Sin embargo, es necesario consultar a un practicante experto para conocer los distintos hechizos y resolver sus problemas. Como en cualquier otra religión, estos amuletos y hechizos se basan en sistemas de creencias.

Apéndice: Glosario de símbolos mágicos

Ahora que hemos cubierto todo sobre la magia celta y los druidas, terminamos este libro con algunos de los símbolos celtas más importantes, sus significados y usos. Los símbolos celtas influyeron enormemente en la forma en que los antiguos celtas vivían sus vidas. Hasta el día de hoy, estos símbolos estan asociados a su cultura y a Irlanda. Aunque no sepa mucho sobre estos símbolos o sus significados, probablemente esté familiarizado con ellos. Los ha visto en alguna parte, como en una película, un programa de televisión, o posee una pieza de joyería con un símbolo en ella, pero no sabe lo que significa. Entender estos símbolos mágicos hará que la realización de hechizos y rituales sea mucho más fácil.

Desgraciadamente, nunca conoceremos el significado exacto de algunos símbolos celtas porque no fueron documentados. Sin embargo, muchos han sido interpretados debido a su popularidad y a nuestra curiosidad. En cuanto a los símbolos, fíjese en que hay varios temas recurrentes, entre ellos el amor, la fuerza, la unidad y, por supuesto, la lealtad. Además, el número tres esta incorporado en muchos símbolos debido a la creencia de los celtas de que todas las cosas esenciales vienen de tres en tres.

El significado de los símbolos celtas

El Ailm

El símbolo del Ailm, al igual que el Nudo Dora del que hablaremos más adelante, representa la fuerza. Aunque el diseño detrás de cada símbolo es diferente, el significado es el mismo. Este símbolo esta tomado de la primera letra del alfabeto celta Ogham, donde se supone que el Ailm es un árbol llamado abeto. Según los antiguos celtas, estaba asociado a la curación del alma.

Los celtas creían que los árboles representaban la fuerza, y por una buena razón. Por ejemplo, el roble puede crecer y sobrevivir en condiciones extremadamente duras durante cientos de años. El Ailm simboliza la purificación, la fertilidad, la fuerza, la salud y la curación. Se considera uno de los símbolos celtas más importantes. Hoy en día, muchas marcas lo utilizan, ya que promueve muchas nociones positivas.

El Awen

Awen es una palabra celta que significa esencia o inspiración. Hay más de una interpretación de la representación de este símbolo. Algunos creen que las tres líneas del Awen representan la mente, el cuerpo y el espíritu, o la tierra, el mar y el aire, o el amor, la sabiduría y la verdad. También se cree que representa los tres pilares del despertar:

- Comprender la verdad.
- Amar la verdad.
- Mantener la verdad.

Según los neodruidas, una persona no proclamará la verdad si no esta despierta. Hoy en día, este símbolo es popular, ya que se utiliza en tatuajes, obras de arte y joyas.

El nudo Bowen

El nudo Bowen fue creado en el siglo XVII y a menudo se le llama el nudo del amor verdadero. El nudo consiste en bucles enredados sin principio ni fin. Aunque este símbolo tiene diferentes variaciones, el patrón es siempre el mismo, con bucles interminables. El nudo Bowen representa la devoción.

El toro celta

El toro celta es conocido por su fuerza y desempeñó un papel importante en la antigua mitología celta. La relación entre los animales fuertes y los guerreros poderosos se representaba en los mitos celtas. Además, los animales se incluían en todo, como la ropa, las tallas y las joyas. Los antiguos celtas creían que cada animal tenía sus virtudes, como el toro que era intrépido y fuerte. Los toros también simbolizan la fertilidad en las mujeres. Además de la fuerza y la fertilidad, el toro representaba la riqueza. Hasta el día de hoy, mucha gente atribuye al toro la fuerza, y por eso muchas personas lo eligen para un tatuaje.

La cruz celta

La cruz celta es uno de los símbolos celtas más comunes y populares. Al tratarse de una cruz, mucha gente la ha asociado con el cristianismo. Sin embargo, este símbolo ha existido durante siglos antes del cristianismo. Hay diferentes teorías sobre lo que representan los cuatro brazos de la cruz. Algunos creen que representan los cuatro elementos de tierra, fuego, aire y agua. Otra teoría dice que los cuatro brazos representan los cuatro lados de la tierra, siendo el norte, el este, el oeste y el sur, mientras que hay otra teoría que dice que los brazos representan la mente, el cuerpo, el corazón y el alma. También se cree que la cruz representa las cuatro estaciones del año; invierno, primavera, verano y otoño, o las etapas del día; mañana, mediodía, tarde y medianoche.

Existen diferentes teorías y leyendas sobre el origen de la cruz celta. Aunque la cruz es anterior al cristianismo, una de las leyendas sobre su origen sugiere que San Declan o San Patricio introdujeron la cruz en Irlanda. Se cree que fue creada para convertir a los druidas. Según otra teoría, la cruz celta se inspira en la antigua Cruz del Sol de los celtas. Este símbolo sigue siendo muy popular y utilizado por mucha gente, ya que se cree que protegerá a quien lo lleve de las fuerzas oscuras y le aportará sabiduría.

El quíntuple celta

Puede que no haya oído hablar del símbolo del Quíntuple Celta, ya que no es tan popular en Internet como los otros símbolos. Sin embargo, esta en todas partes. Por ejemplo, los anillos olímpicos son una variante de este símbolo. Hay varias interpretaciones sobre su representación. Algunos creen que representa las cuatro direcciones: norte, sur, este y oeste. Otros creen que representa las cuatro estaciones: verano, invierno, primavera y otoño, mientras que hay otra creencia que representa los cuatro elementos: tierra, aire, agua y fuego, o dios, fe, espiritualidad y cielo. El quinto anillo es el que nos conecta con el universo.

El nudo celta

El nudo celta es otro símbolo antiguo que se originó en los antiguos celtas. Sin embargo, no sabemos mucho sobre cómo surgió. Se cree que este símbolo puede traer salud, riqueza y buena fortuna. Hoy en día, la gente lo utiliza en la decoración y en los tatuajes.

Los nudos circulares

El nudo circular se considera uno de los símbolos más importantes para los celtas. El círculo simboliza la vida interior, el infinito y el sol.

El anillo Claddagh

El anillo Claddagh, un fuerte símbolo de unidad, esta formado por dos manos (amistad) que sostienen un corazón (amor eterno) con una corona (lealtad). Encontrará este símbolo en muchos artículos, pero el lugar más común es en los anillos.

El nombre del anillo deriva de "An Cladach", una palabra irlandesa que significa orilla plana y pedregosa. Es el pueblo irlandés donde se diseñó por primera vez el anillo.

El nudo Dara

El nudo Dara es considerado como uno de los símbolos celtas más bellos. Dara deriva de la palabra irlandesa Doire, un roble que los celtas y druidas consideraban sagrado y cuyas raíces estan representadas por los nudos del símbolo.

El nudo Dara simboliza la fuerza, la sabiduría, el poder, el destino, la comunidad, la conexión y el liderazgo. Durante los tiempos difíciles, los celtas buscaban su ayuda para obtener sabiduría y fuerza. Este símbolo se consideraba un amuleto espiritual y también se utilizaba como adorno. El nudo Dara se ha hecho muy popular en los últimos años y ahora se utiliza en tatuajes, joyas y ropa.

La doble espiral

La doble espiral representa la dualidad de la vida, la muerte, la naturaleza y el equilibrio. Por esta razón, a menudo representa cosas como el equinoccio (el único día del año en que el día y la noche tienen la misma duración), así como la forma en que los opuestos se complementan como la vida y la muerte, el sol y la luna, la feminidad y la masculinidad, el yin y el yang y la luz y la oscuridad.

El dragón

El dragón celta se considera invencible y representa la eternidad y la totalidad. El dragón celta tiene una flecha afilada en la cola, que simboliza la mortalidad y la energía.

El Sigilo Druida

El sigilo druida representa a la Madre Tierra y la fertilidad. Los sigilos se utilizaban durante los rituales mágicos, pero solo unos pocos los usaban y los rituales se mantenían en secreto.

El nudo de la eternidad

El nudo de eternidad celta tiene tres bucles, ya que el tres se considera un número importante para los celtas, y lo construyen todo en torno a él. Es uno de los símbolos celtas más populares que representa la inmortalidad, la belleza y la eterna juventud.

El hombre verde

Este símbolo consiste en la cabeza de un hombre rodeado de hojas. Este hombre tiene diferentes nombres, como el hombre del árbol y Jack O' the Green. Representa el renacimiento y la vida y la relación entre el hombre y la naturaleza. Se considera uno de los símbolos celtas más antiguos, ya que se remonta al año 400 a. C. y forma parte de la antigua cultura celta. Este símbolo sigue siendo popular hoy en día, ya que lo encontrará en muchos edificios religiosos. Además, en la actualidad se considera un símbolo del medio ambiente.

El grifo

El grifo es un símbolo de nobleza, equilibrio y lealtad. Es una combinación del poder y la inteligencia de un animal, representado como una criatura mítica con cuerpo de león y cabeza de águila.

El nudo de la maternidad

Probablemente ya se habrá dado cuenta de cómo los celtas incorporaban varios nudos a su estilo y decoración. El Nudo de la Maternidad, obvio por su nombre, representa la relación entre una madre y su hijo. Este símbolo trasciende cualquier creencia o fe, ya que muestra el vínculo inquebrantable y el amor eterno entre una madre y un hijo, que existe independientemente de la fe.

El nudo cuaternario

El nudo cuaternario tiene cuatro caras y tiene muchas interpretaciones sobre lo que simboliza. Puede representar las cuatro estaciones: verano, invierno, primavera y otoño, las cuatro direcciones: norte, sur, este y oeste, los cuatro elementos: tierra, agua, aire y fuego, o los cuatro festivales celtas: Samhain, Imbolc, Beltane y Lughnasadh. Hoy en día, muchas personas optan por este símbolo como tatuaje.

El nudo marinero

Dado que los marineros pasaban semanas o meses en el mar, el nudo marinero es un símbolo de amor infinito, de separación y de despedida. Este símbolo fue probablemente originado por los marineros que dejaban estos nudos para sus seres queridos en casa, para que los recordaran cuando estuvieran separados durante largos periodos.

El Serch Bythol

El Serch Bythol representa el amor eterno. La propia palabra significa amor eterno en galés y se considera un símbolo celta para la familia. Consiste en dos triskeles unidos para formar un círculo que representa la eternidad. Los tres arcos del triskele simbolizan la mente, el cuerpo y el espíritu. Este símbolo demuestra que los antiguos celtas tenían una profunda comprensión de sus sentimientos, emociones y relaciones. Dado que tiene un bello y profundo significado, muchas personas optan por incorporar este símbolo en las joyas y como regalo.

El trébol

"*Buscaré un trébol de cuatro hojas en todos tus valles de hadas, y si encuentro las hojas encantadas, oh, cómo tejeré mis hechizos*". Samuel Lover.

Una de las primeras cosas que nos vienen a la mente cuando pensamos en Irlanda es el trébol. Hoy en día, este símbolo se asocia a la celebración del Día de San Patricio y a la buena suerte. Se cree que San Patricio utilizó el trébol para explicar la unidad de la Santísima Trinidad y convertir a los paganos al cristianismo. Sin embargo, los orígenes del trébol se remontan a la cultura celta y son un símbolo de los druidas. Ellos creían que las hojas de esta planta simbolizaban la tríada. Ya que, como hemos mencionado, creían que todas las cosas importantes de la vida vienen en tres.

Creían que servía de protección contra el mal, los malos ojos y las malas palabras, y el trébol les avisaba de una tormenta al estar en posición vertical. Se supone que el trébol representa la buena suerte y la fortuna, algo que mucha gente dentro y fuera de Irlanda sigue creyendo. También es la flor nacional del país.

El Shillelagh

El Shillelagh es un palo corto de madera que se utilizaba para resolver disputas, hecho de madera de espino negro o roble.

El nudo de Salomón

Este símbolo recibe su nombre del rey Salomón y representa la fuerza, la sabiduría y la masculinidad. Normalmente, las personas que esperan representarse a sí mismas como autoritarias o poderosas llevan este símbolo.

La cruz de Santa Brígida

Santa Brígida nació en el año 400 d. C. en Dundalk. Era hija de una mujer cristiana llamada Brocca, a la que San Patricio bautizó. Brígida se hizo monja y a ella se le atribuye la cruz. Se cree que creó esta cruz a partir de un pagano moribundo que quería ser bautizado, pero algunos creían que era su padre. Sin embargo, también se asocia con la diosa que da la vida, que también recibe el nombre de Brigid y pertenece a los Tuatha de Danann, una raza sobrenatural de la mitología irlandesa. La cruz suele utilizarse durante el inicio de las celebraciones de la primavera y la fiesta de la diosa Brigid que tienen lugar simultáneamente. Los irlandeses cuelgan esta cruz en sus casas para protegerlas de los incendios y de los espíritus malignos.

El árbol de la vida

El árbol de la vida siempre ha estado asociado a los druidas. Creen que la tierra y el cielo estan conectados, y el árbol de la vida representa esta conexión. Según los antiguos celtas, es un símbolo de sabiduría, fuerza y larga vida. El árbol también representa la armonía y el equilibrio. Los celtas consideraban a los árboles un símbolo de renacimiento, ya que asociaban el renacimiento con la forma en que los árboles cambian cada temporada. Además, consideraban a los árboles como los espíritus de sus antepasados. Los árboles eran tan sagrados para los celtas, especialmente el roble, que celebraban importantes reuniones bajo ellos. Creían que el árbol de la vida era una puerta a la tierra de las hadas y que protegía sus tierras contra los enemigos. Hoy en día, este símbolo se utiliza en muchas piezas de joyería, ya que es muy popular.

La triquetra

La Triquetra también se conoce como el Nudo de la Trinidad. La palabra Triquetra es latina y significa de tres puntas. Este símbolo ha existido desde la Edad de Hierro, y puede encontrarlo en la arquitectura, el arte y el diseño irlandeses en la actualidad. Este símbolo representa las tres etapas de la vida de la diosa neopagana; como virgen, madre y mujer sabia. Algunos celtas consideraban que este símbolo representaba la tierra, el fuego y el agua, mientras que otros lo consideraban una representación de la tierra, el mar y el cielo. La triquetra también se llama el nudo de amor irlandés y simboliza el amor eterno. Este nudo también representa la vida espiritual eterna sin principio ni fin.

No se sabe mucho sobre los orígenes de este símbolo, pero algunos creen que se inspiró en los ciclos lunares y solares. Si cree que este símbolo le resulta familiar, no se equivoca. Este símbolo esta por todas partes hoy en día en joyas e ilustraciones, y si vio la serie de televisión original, Charmed, estaba dibujado en el "Libro de las Sombras" que utilizaban para los hechizos.

El Triskelion

El Triskelion, o el Triskele, refleja la creencia de los celtas de que todas las cosas importantes vienen de tres en tres. El nombre de este símbolo deriva de la palabra griega Triskeles, que significa tres patas, o a la tercera va la vencida, algo que todavía se dice hoy en día. Se cree que el Triskelion existe desde el Neolítico. El símbolo consiste en tres espirales en el sentido de las agujas del reloj y es uno de los símbolos más antiguos conocidos por el hombre. Las tres espirales significan la tierra o la armonía. Sin embargo, si las espirales estan en sentido contrario a las agujas del reloj, se cree que son símbolos paganos que controlan y manipulan la naturaleza. Como las espirales parecen estar en movimiento, significan avanzar y vencer las dificultades. También pueden simbolizar el progreso y la fuerza.

La rueda de Taranis

Taranis es el dios celta del trueno y es hermano del dios romano del trueno, Júpiter. Se les representa como héroes con barba que sostienen un rayo y una rueda en sus manos. Según la mitología celta, Taranis unía la iluminación, el cielo y el sol.

Los celtas tienen una historia rica y fascinante, y sus símbolos la representan excepcionalmente bien. Estos símbolos tienen miles de años de antigüedad y el hecho de que todavía intriguen a la gente es una prueba de lo grande que era su cultura. Estos símbolos no solo son hermosos, por lo que se incorporan en edificios, diseños, joyas y ropa, sino que también tienen bellos significados que los hacen aun más fascinantes. Hermosos significados como el amor eterno y la lealtad hacen que estos símbolos parezcan sacados de un cuento de hadas. La cultura irlandesa es muy famosa por su mitología, e introdujeron muchas criaturas míticas con las que estamos muy familiarizados, como las hadas y las sirenas.

Hay algo muy bello, misterioso y encantador en los celtas y su cultura, sobre todo porque hay muchas cosas que aun desconocemos, lo que los hace aun más intrigantes.

Conclusión

Cuando uno se interesa por primera vez en la magia celta, el chamanismo vegetal, el paganismo, el druidismo y otras ideas dentro del folclore europeo pueden parecer bastante intimidantes e incluso sin sentido. Sin embargo, armado con los principios expuestos en este libro, junto con las numerosas técnicas y estrategias que hemos tratado, tiene todo lo que necesita para sumergirse en este mar de conocimientos y descubrir un nuevo mundo.

La parte más desafiante de todo el proceso es realizar los ejercicios y determinar cómo se desenvuelve usted en el mundo real. Si viene de un entorno espiritual y tiene alguna formación en meditación o yoga, ese conocimiento le ayudará sin duda durante este proceso. Para los que son completamente nuevos, puede ser un reto entrar en contacto con sus sentimientos y pensamientos y comprender cómo canaliza las diferentes partes del proceso. La mayoría de los recién llegados a este campo discutirán constantemente entre ellos sobre si esta funcionando o no o si estan sintiendo las sensaciones correctas. Debe comprender que no hay un derecho o un error claros. No se trata de llegar primero a la meta. Se trata de ser fiel a uno mismo y de desarrollarse como persona.

Las diversas cosas que hemos tratado sobre el pueblo irlandés y su herencia única no se limitan a esa región, religión o raza. Son conceptos universales que pueden ser aplicados por cualquier persona, en cualquier parte del mundo. Definitivamente le ayudará tener a su disposición los recursos mencionados en este libro, pero hay muchas cosas específicas de esta región. Sin embargo, hay diferentes maneras de trabajar en torno a esto, y con el mundo interconectado de hoy en día, no debería ser un problema conseguir las cosas que necesita.

Lo más importante es el tiempo que invierta en esta práctica. No se trata de un título que le lleve varios años. Los druidas mayores de la cultura celta pasaban toda una vida perfeccionando su especialización. Los estudiantes no eran considerados maestros ni siquiera después de veinte años de ser discípulos de un maestro. Las túnicas de varios colores no se conseguían por pasar cierto tiempo, sino que se concedían cuando los estudiantes mostraban maestría en su trabajo y pensaban en el bien mayor.

El propósito del druidismo y de las diversas prácticas chamánicas era hacer el bien, empezando por el individuo que lo practicaba y extendiéndolo poco a poco al mundo que le rodeaba, incluyendo todo lo tangible e intangible. En realidad, solo podemos ser felices cuando estamos contentos con todo por dentro y por fuera. Al pasar por estas prácticas y lecciones y complementarlas con la investigación, desarrollará un nivel superior de conciencia que le iluminará y le permitirá ver las cosas desde una visión holística. Con esta guía a su lado, estará en camino de desarrollar una vida más feliz y saludable.

Segunda Parte: Paganismo irlandés

Desvelando las prácticas paganas y el druidismo en Irlanda junto con la brujería galesa y la espiritualidad celta

Introducción

El paganismo irlandés goza de una larga y rica historia, originada en las antiguas religiones celtas y con numerosos cambios a lo largo de los siglos. En la era moderna, cada vez más personas con raíces paganas irlandesas han decidido explorar su legado, y con razón. Las prácticas paganas basadas en la espiritualidad resultan útiles en tiempos de necesidad, sea cual sea esta. Aprender sobre el ciclo universal del nacimiento, la muerte y el renacimiento y aventurarse en diferentes reinos de la naturaleza le guiará en todos los aspectos de la vida.

En medio de todos los avances tecnológicos y las inciertas expectativas de la sociedad moderna, perderse no es inusual. Los límites cambian todo el tiempo y usted no tiene ningún control sobre ellos. La respuesta a todos estos problemas está en descubrir su yo espiritual. La magia(k) pagana irlandesa moderna incorpora elementos de varios sistemas de creencias, por lo que aprovechar su sabiduría le permite encontrar partes de sí mismo.

Aparte de los aspectos históricos, este libro explora las diferencias entre las creencias espirituales y las prácticas mágicas(k) irlandesas y galesas. A pesar de tener las mismas raíces, estos dos caminos del paganismo tienen diferencias muy notables. Se desvelarán muchos secretos, desde cómo se veía la brujería en las dos regiones hasta las diferentes ramas que han desarrollado ambas culturas.

Según la tradición pagana irlandesa, llevamos a nuestros antepasados en la sangre, lo que nos permite comunicarnos con ellos siempre que necesitemos su guía. El atractivo innato de esta cultura reúne a comunidades enteras durante las fiestas de la Rueda del Año de las Brujas. La elección de convertirse en un practicante solitario o realizar hechizos y rituales con personas afines debe ser siempre personal. Sin embargo, se obtienen muchos beneficios al pertenecer a una comunidad pagana irlandesa.

En el paganismo irlandés, el viaje entre mundos también es posible. Sin embargo, adquirir esta habilidad requiere mucho tiempo y esfuerzo. Este conocimiento fundamental le enseñará muchas cosas sobre usted y su magia(k). Los druidas, los paganos e incluso los wiccanos lo han hecho durante demasiados años para contarlos. Ahora, usted también puede hacerlo. Todo lo que hace falta es desvelar los secretos de sus prácticas, y podrá comenzar su viaje mágico pagano. Se le proporciona una guía práctica de sencillas herramientas mágicas y hechizos que puede aprovechar. Incluso las personas sin mucha práctica en la exploración de su espiritualidad pueden aprovechar estas herramientas.

Esta práctica le permite elegir a sus guías espirituales, le indica cómo acercarse a ellos e incluso el método para recibir sus mensajes. Todo depende de sus herramientas y de cómo las emplee durante sus hechizos y rituales. Cuando esté versado en las partes fundamentales de su oficio, estará listo para hacer crecer su poder aún más, incorporando más y más de sus antecedentes y creencias y desarrollando su práctica mágica única.

Capítulo 1: ¿Qué es el paganismo irlandés?

El paganismo celta es una religión típicamente antigua con prácticas y conjuntos de creencias diversificadas. Los pueblos que se adhirieron al paganismo son ampliamente conocidos como celtas que provienen de los periodos romano y de la Tène. La Edad de Hierro británica e irlandesa tuvo mucha importancia para los celtas insulares. Los registros más antiguos del paganismo celta fueron redactados por escritores romanos, cuyas tendencias personales hostiles dieron un matiz particular a los registros históricos. El paganismo irlandés pertenece a una categoría más amplia de religiones politeístas, y aunque había muchas variaciones cronológicas y geográficas entre los detalles más finos, también había muchas similitudes estructurales.

Un vistazo a la historia

Al hojear los manuscritos históricos, descubrirá que alrededor del año 500 a. C., los celtas invadieron Irlanda. En esencia, los celtas eran paganos practicantes y llevaron a Irlanda creencias y rituales paganos.

Las prácticas religiosas cristianas y otras abrahámicas estaban en su apogeo durante la Edad Media, y las antiguas prácticas religiosas paganas celtas estaban casi extinguidas. Sin embargo, la religión celta seguía viva en el refugio irlandés durante esta época, pero las fuentes y los registros escritos existían en forma de poemas, generalmente escritos por los monasterios cristianos.

Estos historiadores desconocían principalmente la esencia del paganismo. Por ello, los seres divinos aparecían como personajes y héroes en los registros en lugar de las deidades paganas. Uno de los ejemplos más significativos de los registros irlandeses es el de los Tuatha Dé Danann, representados simplemente como una antigua tribu humana. La creencia celta era que los dioses descansaban en las estrellas y adoraban las variaciones estacionales. Sin embargo, como núcleo de la religión pagana, eran libres de elegir un dios y sentirse unidos al universo y a la naturaleza.

La vida pagana de los antiguos irlandeses

Durante la época del paganismo en Irlanda, a los irlandeses se les enseñaba predominantemente la religión druídica. Los druidas eran los miembros más poderosos y altamente educados de la sociedad antigua, con un inmenso poder sobre los demás. Eran los únicos predicadores y maestros disponibles y estaban encargados de impartir conocimientos a los hijos de los reyes o jefes.

Los druidas eran consejeros de la corte real y la gente acudía a ellos en busca de consejo sobre asuntos importantes. Según los registros e informes históricos, tenían inmensos poderes mágicos, capaces de levantar una niebla mágica con la capacidad de ocultar cosas específicas.

También se creía que poseían otras propiedades mágicas, como la manipulación de los atributos estacionales y del mundo natural. Varios relatos del folklore irlandés hablan de poderes ejemplares similares exhibidos por estos paganos irlandeses. Aunque los paganos estaban muy extendidos por toda Irlanda, la ciudad de Tara era una excepción. La gran mayoría de los paganos irlandeses habitaban en Tara porque era la morada de los reyes mayores, y la prueba de que las raíces paganas eran profundas en el corazón de Irlanda durante la antigüedad.

Los dioses paganos dominantes

Aunque la información sobre los dioses paganos es mínima, ya que los relatos sobre esos dioses nunca fueron documentados por los antiguos celtas. Sin embargo, el espíritu del paganismo y sus rituales o creencias sobrevivieron a través del folklore y algunos registros históricos. Para comprender mejor la mitología celta, es esencial conocer los intrigantes detalles y las grandes conexiones con sus dioses y diosas. A continuación, se comentan algunas de las divinidades paganas dominantes honradas por el pueblo de Irlanda.

- **Morrigan, la diosa de la guerra**

Se cree que Morrigan es la reina fantasma, traducida a la reina de los demonios. El mero hecho de pensar en Morrigan le llena a uno de asombro y curiosidad. Los antiguos celtas creían que sobrevolaba los campos de batalla en forma de cuervo y que poseía la capacidad de predecir el resultado de la batalla. Según el folklore, la deidad Dagda salió victoriosa en una de sus batallas más importantes gracias a ella.

- **Angus, el dios de la juventud y el amor**

El dios asociado al valle cercano al río Boyne es Angus. Era hijo del dios Dagda y de la diosa Boann. Boann era la diosa del río Boyne, y por eso Angus, también conocido como Angus, está relacionado con este río y el valle. Era excepcionalmente guapo y se creía que era el dios del amor y la juventud, capaz de evocar el amor en los demás, y tenía cuatro pájaros que lo rodeaban en todo momento. Su vida giraba en torno a la búsqueda de una bella doncella.

- **El dios pagano Danu**

Danu tenía varios nombres desde Europa Oriental hasta Irlanda, considerada la diosa madre de la tierra, y conocida como Dana y Anu. Según la creencia popular pagana, Danu es la que amamantaba a los dioses. Quizá por estos atributos, también se la conocía como la diosa de la fertilidad y la sabiduría. En la tradición irlandesa, se la considera una deidad muy hábil en la magia. La tradición pagana irlandesa también suponía que Dagda era su padre; sin embargo, esta historia tiene varias versiones.

- **El buen dios pagano Dagda**

Dagda era un gigante de estatura y con una barba larga y rebelde. Conocido popularmente como el dios bueno, Dagda era una deidad celta y era considerado el jefe de los Tuatha Dé Danann irlandeses. Siempre aparecía como una figura paternal, aparentemente alegre y contenta. Sus superpoderes eran únicos y no los poseían otros dioses y diosas, ya que podía dar la vida y la muerte. También se le asociaba con la provisión de alimentos interminables y también se le conoce como el dios de la agricultura. Sus hijos fueron Angus Mac y Brigid de Boann y Morrigan, respectivamente. Dagda poseía vastas habilidades y conocimientos y se le consideraba dominante sobre otros dioses. Podía controlar las estaciones y proporcionaba alimentos interminables con la ayuda de su caldero.

- **El dios pagano Cúchulainn**

Cúchulainn se llamaba originalmente Setanta, también conocido como el Sabueso del Ulster. Mató al perro designado para vigilar a Cullen y, tras este acto, fue rebautizado como Cúchulainn. La gente creía que podía vencer a la muerte, ya que fue valiente en muchas batallas, y por eso rechazó el regalo de inmortalidad de Morrigan. No lo consideró un favor porque ya había derrotado a la muerte varias veces. Morrigan, que planeaba sobre las batallas como un cuervo, visitó a Cúchulainn cuando este murió en el campo de batalla.

- **La temible diosa pagana Brigid**

Como ya se ha mencionado, Brigid era la hija de Dagda y uno de los dioses más famosos de la Irlanda precristiana. Se la consideraba equivalente a la diosa romana Minerva. Brigid tenía tres poderes y atributos centrales: el fuego de la forja, el fuego del hogar y el fuego de la inspiración. Se la conocía, con razón, como la diosa triple, que poseía diversas habilidades y atributos.

- **El cornudo, Cernunnos**

Como su nombre indica, se le consideraba uno de los dioses más honrados por los celtas, con muy pocas asociaciones de su tipo y relacionado con los animales salvajes. Aparte de los animales salvajes, también se le relacionaba con la riqueza y la fertilidad. No todos los dioses de la familia celta están inmensamente representados a través del arte, pero Cernunnos era una excepción y la razón por la que era fácilmente identificable y un dios popular en el arte antiguo celta.

- **Arawn, el dios del inframundo**

Dios del inframundo o de los muertos es famoso por la oscuridad, el miedo y su manto. También era conocido como el guardián de las almas perdidas y un dios virtuoso. Representaba la guerra, el miedo y el terror. Su mayor rival era Hafgan, que deseaba el puesto de dios del inframundo o del otro mundo. Se cree que Arawn cambió su puesto por el de Pwyll y derrotó a Hagan. Arawn recompensó a Pwyll por este acto de valentía con cerdos.

- **Abandinus, el defensor del agua**

De todos los dioses antiguos de los celtas, se dispone de muy poca información sobre Abandinus. Abandinus era el defensor de las aguas o los mares. La mayoría de la gente asocia a este dios con la inscripción de Cambridgeshire, Inglaterra.

Estas prominentes deidades paganas eran bastante populares en Irlanda, y se pensaba que los dioses y diosas pertenecían a la tribu sagrada de las deidades. Esta tribu de dioses y diosas, conocida como los Tuatha Dé Danann, se consideraba la principal tribu de diosas y dioses irlandeses. La traducción literal significa "hijos de la diosa Danu". Esta tribu en particular se originó en las islas occidentales y tenía los poderes más mágicos, y la razón por la que se establecieron en Irlanda durante tanto tiempo.

Creencias principales del paganismo irlandés

Las creencias del paganismo irlandés son muy humanas y accesibles, llenas de amabilidad y de una abundancia de misteriosa energía cálida que conduce a un gran confort. La creencia principal del paganismo irlandés gira en torno al amor por la naturaleza y la tierra, la armonía general y la unidad de la comunidad humana. También hace mucho hincapié en la unión con el universo.

A diferencia de las religiones abrahámicas predominantes, el paganismo irlandés era una religión de espíritu libre defendida por las creencias en varios dioses. Se animaba a los creyentes paganos a asociar sus interpretaciones subjetivas con las deidades. El paganismo defiende con orgullo tres principios básicos que mantienen a los creyentes unidos a través de un hilo conductor.

1. El primer principio se refiere al parentesco y al amor a la naturaleza y a los demás.

2. El segundo principio trata de la moral positiva y aboga por vivir la vida a su manera siempre que no se haga daño a nadie.
3. El tercer principio admite y reconoce lo divino (lo femenino y lo masculino). Para comprender mejor la creencia irlandesa, lo mejor es hablar de ella desde los registros antiguos e históricos y desde la perspectiva moderna (que tiene que ver más con la espiritualidad neopagana).

Creencias paganas irlandesas de la era antigua

Uno de los recursos más destacados a los que se suele hacer referencia en la literatura son los escritos y registros de César sobre el druidismo galo a la rica cultura de Irlanda. Sin embargo, puede que no sea la representación más exacta de lo que ocurrió durante el reino pagano irlandés.

Curiosamente, Irlanda siempre acogió las tradiciones y la cultura de los invasores y las combinaba con la cultura existente. El resultado es una interesante y hermosa mezcla de culturas que creó una curiosa sinfonía cultural. Algunas de las creencias paganas irlandesas fundamentales incluían el concepto de "renacimiento", que giraba en torno a la idea de la continuación de la vida en diferentes ciclos de nacimiento y muerte.

El sistema de creencias del paganismo irlandés significa la importancia de la responsabilidad, la honestidad, la lealtad y la justicia, porque sin estos atributos, un individuo no puede ser un buen ser humano. Este concepto es uno de los elementos más vitales de la religión pagana. También creen en un "mundo paralelo", que no es nada parecido a un inframundo, sino un mundo totalmente diferente que existe junto a este mundo. El folklore pagano irlandés habla extensamente de la relevancia y la realidad de este otro mundo. La población del otro mundo está formada por todos los seres, incluidas las diosas, los dioses, las hadas reales o nobles (Sidhe) y los seres elementales.

Además de los conjuntos de creencias compartidos anteriormente, el paganismo irlandés enfatizaba la meditación y los viajes entre mundos. Creían firmemente en el poder oculto o en el conocimiento oculto, y solo ciertas personas podían desarrollar estas habilidades y podían compartirlas con los demás. Su creencia incluía la comprensión y el conocimiento de la profecía, la magia y la adivinación.

Incluso con unas ricas creencias religiosas y una cultura pagana firmemente arraigada, el paganismo cambió drásticamente a medida que el cristianismo se fue imponiendo. Con el tiempo, los sacerdotes sustituyeron a los druidas, lo que dio lugar a la asimilación de diversas creencias paganas en las creencias cristianas celtas. La Iglesia cristiana celta era muy diferente de la Iglesia católica romana y defendía prácticas y creencias que no eran bien recibidas por los cristianos ortodoxos de la corriente principal.

Con el paso del tiempo, las creencias paganas se diluyeron aún más a medida que la influencia del cristianismo se hacía dominante. Sin embargo, incluso con el dominio cristiano, las creencias paganas irlandesas sobrevivieron. Se pueden encontrar numerosas referencias a las observancias del bien sagrado (relacionadas con el ritual pagano de la primavera sagrada y la magia), a las multitudes del otro mundo, a las hadas o a los Sidhe, etc.

Diversas prácticas e historias populares hacen referencia con frecuencia al paganismo irlandés, lo que ha dado lugar a que varias creencias y rituales puramente paganos hayan sobrevivido a las arenas del tiempo a pesar del duro y poco acogedor cambio. Esto nos lleva a la era más reciente de los paganos irlandeses. No es de extrañar que las creencias paganas modernas no se parezcan en nada a las antiguas, salvo por la esencia que sigue homogeneizando y uniendo la filosofía pagana.

Creencias y prácticas paganas irlandesas actuales

En el surrealista y caótico mundo actual, el paganismo parece haber adquirido un rincón destacado de consuelo para el pueblo irlandés. Existe un atractivo innato para las creencias paganas en Irlanda, donde aún sobrevive una rica historia de religión pagana. Desde 1970, el paganismo irlandés ha experimentado un crecimiento constante, y aunque algunas cosas han evolucionado, el cambio es sutil, y el espíritu ritual y el conjunto de creencias primarias siguen en su forma original.

En la actualidad los paganos organizan un Festival Pagano nacional, el Feile Draiochta, para que los paganos se reúnan y se reconozcan entre sí. Sin embargo, debido a la naturaleza independiente y tribal de los paganos irlandeses, es un reto reunir a toda la comunidad. Por otra parte, las organizaciones sin ánimo de lucro de Irlanda trabajan para defender y promover el paganismo. El objetivo principal es salvaguardar los derechos de los seguidores paganos y difundir la conciencia sobre la religión. Varios debates mensuales sirven para que los paganos se relacionen y se reúnan periódicamente para establecer conexiones duraderas y experimentar un sano intercambio de conocimientos y creencias.

En cuanto a los festivales y rituales paganos, varios siguen siendo celebrados por los paganos modernos. Sin embargo, algunas prácticas rituales han cambiado sutilmente para adaptarse a la vida moderna. Las fiestas paganas irlandesas más famosas son Beltane (celebrada el 1 de mayo) y Samhain (celebrada el 1 de noviembre). El paganismo actual se considera una filosofía pagana irlandesa reconstruida. Sin embargo, reconstruir no es distorsionar las creencias y prácticas fundamentales.

Dado que el paganismo permite la individualidad y la interpretación y construcción subjetiva de las creencias, muchos paganos actuales definen sus rituales y prácticas. Algunos paganos practican una "conciencia acechante", atentos a su estado emocional y psicológico y al mundo exterior que les rodea. Otros encuentran un significado en la visita a sitios espirituales paganos y celtas y a sitios significativos para otras religiones. En otras palabras, el paganismo acoge una ideología no dogmática y fluida en la religión y la espiritualidad.

El principio del "politeísmo" está en el corazón del paganismo actual, honrando a múltiples diosas y dioses. La misma creencia era popular en la época antigua sobre mujeres y hombres que encarnaban y se relacionaban con diferentes aspectos culturales y fuerzas naturales. El culto a la naturaleza sigue siendo popular y obvio porque honrar a la naturaleza es una de las creencias fundacionales del paganismo y no puede ser ignorada.

Otra creencia central del paganismo actual es el panteísmo y el animismo, una parte integral de este sistema de creencias. Se trata del concepto de entretener una visión holística del mundo y la interconexión. Según esta creencia, el universo espiritual o material y la divinidad están vinculados. Los paganos creen que la naturaleza es inseparable de la divinidad, con atributos divinos repartidos por la naturaleza (según el panteísmo).

Uno de los componentes centrales de la brujería pagana centrada en las diosas era entender que todo en este universo está vinculado, como un organismo. Según esta creencia, cualquier cosa que afecte a una parte tiene un efecto dominante en las demás. La otra creencia popular del animismo era que todo tiene una energía espiritual particular o fuerza vital, o que hay espíritus específicos en el mundo natural, y que es posible comunicarse con ellos.

Es evidente que Irlanda tiene un bello y fuerte pasado pagano y, en la actualidad, una nueva ola de paganismo está cobrando fuerza en Irlanda.

Capítulo 2: ¿Quiénes eran los druidas?

Mientras que la mayoría de los miembros de las antiguas sociedades celtas eran conocidos como fieros guerreros con el deber de proteger su tierra y su pueblo, otros tenían papeles muy diferentes. Estos eran los druidas, una clase de celtas muy instruida que ocupaba diversos puestos de liderazgo en su sociedad. Su papel principal era el de depositarios del conocimiento acumulado por sus antepasados, acumulado desde la infancia. Era necesario mantener vivas sus tradiciones, ya que los celtas solo transmitían su sabiduría a través de fuentes orales. También aseguró la supervivencia del druidismo, que aún se practica hoy en día, aunque de forma modernizada.

Los orígenes del druidismo

Debido a la falta de registros escritos, no se pueden determinar con certeza los orígenes exactos del druidismo. Los pocos registros que tenemos sobre esta práctica provienen de las escrituras del Imperio romano y de los hallazgos arqueológicos en toda Europa. En lo que respecta a las escrituras del Imperio romano, estas representaciones del druidismo pueden estar empañadas por la competencia de siglos entre los romanos y los celtas por los territorios europeos. Sin embargo, dado que algunos hallazgos arqueológicos pueden vincularse a las fuentes orales transmitidas por los celtas, es posible reconstruir algunas partes de la historia de los druidas.

El término druida procede de la palabra irlandesa "Doire", que significa roble, uno de los símbolos de sabiduría natural más reveladores del paganismo celta. El druidismo considera que los robles y todo el mundo natural son una fuente de un inmenso poder listo para ser aprovechado. Los seguidores utilizan este enfoque orgánico en sus prácticas de curación, junto con la guía que reciben de los espíritus. Algunas fuentes dicen que de la misma manera que los druidas podían curar, también podían infligir daño. Sin embargo, esto va en contra del dogma del paganismo celta, por lo que es poco probable que sea cierto. Su conocimiento de la tierra y el viaje entre los reinos se consideraba místico. Al mismo tiempo, su palabra era sagrada entre sus seguidores.

La primera referencia a los druidas procede del siglo II a. C. Estos relatos describen a esta clase celta como una sociedad bien organizada. No solo tenían una jerarquía entre sus clases, sino que sus patrones de vida también seguían un orden natural. Su vida giraba en torno a las estaciones, los ciclos lunares y solares, y a honrar los ocho acontecimientos del calendario pagano celta que coincidían con ellos. También conocido como la Rueda del Año de las Brujas, este calendario marcaba las celebraciones más importantes en la vida de los paganos de Irlanda y Gales. Los druidas oficiaban ceremonias en Samhain (fiesta de la cosecha), Yule (solsticio de invierno), Imbolc (despertar de la primavera), Ostara (equinoccio de primavera), Beltane (solsticio de verano), Lugnasad (primera cosecha) y Mabon (equinoccio de otoño). Estos días sagrados se repiten cada año, como, según los druidas (y los paganos en general), lo hace la propia naturaleza.

Jerarquía de los druidas

Los druidas comenzaban su educación en su primera infancia y poco a poco iban acumulando la sabiduría suficiente para desempeñar todas las funciones destacadas que se les encomendaban. Eran enseñados por otros druidas más experimentados, que ya habían acumulado una importante fuente de conocimientos durante su vida. Este nivel de experiencia a menudo tardaba hasta 20 o 30 años en alcanzarse, por lo que no todos los druidas podían desempeñar todos los cargos. Los hallazgos arqueológicos muestran que muchos llevaban ropas y tocados para enfatizar su elevado estatus en sus sociedades. A diferencia de los guerreros celtas, la clase culta llevaba largas túnicas y tocados sin función protectora. Debido a las ligeras variaciones en estos artículos, también está claro que había una separación entre las diferentes clases de druidas.

Por ejemplo, los de mayor rango llevaban túnicas amarillentas (antes doradas) y tocados adornados con elaboradas tallas de bronce. Eran típicamente maestros y otros eruditos druidas con funciones prominentes. Los novatos se descubrían a menudo con túnicas oscuras y tocados más sencillos. Los druidas que actuaban como sacerdotes, curanderos y consejeros vestían de blanco, mientras que los que determinaban los asuntos durante la batalla lo hacían de rojo. Los practicantes con inclinación artística llevaban ropas azules. En algunas representaciones, los practicantes masculinos más experimentados también tenían el pelo largo y abundante vello facial, otro rasgo que los separaba del resto de la comunidad. Aunque las fuentes romanas niegan la existencia de druidas femeninas, los relatos celtas describen a estas mujeres vestidas de forma similar a sus homólogos masculinos.

Otra prueba de la jerarquía entre los druidas es la elección tradicional de un druida jefe. Normalmente, esta persona era el miembro más experimentado y de mayor confianza de su comunidad, que - una vez elegido - ocupaba el cargo hasta el final de su vida. Tenían el honor de decidir los asuntos más urgentes relativos a su clan y de oficiar los rituales durante los principales solsticios. Estos líderes también iniciaban a los maestros y maestras druidas, responsables de continuar con su tradición. En muchas otras sociedades, esta separación existía a causa del analfabetismo de los plebeyos. En el druidismo, se debía a la magnitud del compromiso requerido para dominar este oficio.

Las funciones de un druida

Los hallazgos arqueológicos y las representaciones orales coinciden en que los druidas tenían lugares sagrados para realizar los rituales más importantes. Aquí oficiaban el culto a la deidad, dictaminaban todas las cuestiones religiosas y preparaban los grandes sabbats. Se trataba de zonas aisladas, como los claros naturales de los bosques y los círculos de piedra hechos por el hombre. Stonehenge es un famoso lugar de culto druídico, un monumento megalítico construido alrededor del año 2400 a. C. Aunque no está claro si los druidas erigieron la estructura, Stonehenge era un lugar de congregación popular para los paganos durante los grandes sabbats. En la actualidad, este lugar es visitado por paganos modernos, druidas y seguidores de otras religiones neopaganas.

Los druidas eran vistos como intermediarios entre los humanos, las deidades y los espíritus, por lo que se buscaba su ayuda cuando alguien necesitaba respuestas, orientación o protección de entidades malévolas. Los druidas eran politeístas y adoraban tanto a los dioses masculinos como a los femeninos, lo que significa que sus prácticas eran una verdadera representación de los antiguos sistemas de creencias celtas en Irlanda y Gales. Sus ofrendas podían incluso apaciguar a los espíritus neutrales, para que no tuvieran la tentación de volverse contra los humanos. Debido a esto, muchos equipararon el druidismo con el sacerdocio, llamando a los practicantes sacerdotes paganos. Este conocimiento se reforzaba a menudo porque los druidas eran la clase más educada entre los celtas, y su opinión se consideraba sagrada.

Sin embargo, en realidad, las funciones de un druida eran muy variadas. Actuaban como maestros, jueces, científicos, poetas, sanadores y filósofos. Eran respetados por su poder para comunicarse con las deidades y los espíritus de todos los reinos. Sus dictámenes también eran venerados por la infinita sabiduría que había detrás de sus habilidades. No solo eran conocedores de los fenómenos naturales, sino que también podían explicar las fuerzas sobrenaturales. A menudo se les pedía que distinguieran entre ambas y que tomaran el control de cualquiera de ellas. Aunque no siempre podían controlar estos sucesos, proporcionaban información sobre cómo protegerse de ellos, lo que a menudo salvaba la vida de sus clanes, animales o cultivos.

También se cree que los druidas podían prever el futuro hasta cierto punto. Lo hacían interpretando ciertos presagios y reflexionando sobre los acontecimientos venideros. Finalmente, esto los llevaba a predecir las consecuencias. La aptitud de los druidas para la adivinación les otorgó la función de astrónomos. Utilizando su agudo sentido de la predicción, podían prepararse para cualquier acontecimiento del calendario pagano y señalar al resto de la comunidad cuándo era el momento de hacer lo mismo.

Su función como famosos poetas está bien documentada por los romanos y se evidencia en la forma en que los druidas continuaron sus tradiciones hasta nuestros días. Los poetas no se limitaban a elaborar canciones y cuentos místicos, sino que eran historiadores que relataban la vida de sus antepasados. Las historias que transmitían a las siguientes generaciones formaban parte de su folklore y representaban el significado de sus leyes. Eran lecciones aprendidas de la experiencia ancestral o profecías dejadas por una cultura druídica aún más antigua.

Cuando no estaban ocupados realizando hechizos, rituales y adivinaciones sobre asuntos políticos importantes o de curación, los druidas se ocupaban de asuntos más comunes. Cuando actuaban como jueces, sus funciones incluían ocuparse de delitos menores dentro de su comunidad e incluso resolver conflictos entre miembros de la familia. Una persona podía ser fácilmente expulsada de los asuntos religiosos e incluso desterrada de todo el clan si los druidas lo consideraban un castigo necesario. Lo que es aún más interesante es que los druidas podían conceder el divorcio a hombres y mujeres, algo bastante inusual en las sociedades antiguas. Sin embargo, para esta clase celta, todas las almas humanas eran consideradas iguales y, por tanto, merecían el mismo trato.

El monopolio druídico sobre los actos religiosos iba mucho más allá del ámbito de la mera oficiación de los mismos. Tenían tanto poder en sus comunidades que cualquiera que desobedeciera sus normas en cualquier asunto se enfrentaba a la exclusión de los rituales sagrados y los festivales religiosos. Si alguien se atrevía a desobedecerles, se le consideraba impuro, y su energía amenazaba con manchar todo el evento. Por lo tanto, debían permanecer en la periferia de la comunidad y se les prohibía incluso vislumbrar una ceremonia próxima. En la Irlanda pagana, los druidas imponían ciertas prohibiciones conocidas como geis. Aunque es mucho más mundano que un castigo por un delito, un geis se consideraba un tabú sagrado. Los que desobedecían este edicto se enfrentaban a muchas desgracias, incluida la muerte de familiares cercanos. Aunque esto también parece un acto maligno, la aplicación de los geis probablemente servía de protección contra las enfermedades y otros males. Por ejemplo, se podía prohibir a los individuos que comieran la carne de ciertos animales que los druidas creían que estaban contaminados con una enfermedad, de ahí la advertencia de muerte.

Rituales druidas comunes

Aparte de sus lugares más sagrados, los druidas solían celebrar rituales y otras ceremonias en lugares naturales de importancia. Los manantiales, los ríos, los lagos, las cimas de las colinas, las ciénagas y las tres arboledas podían servir de lugar de congregación para los druidas celtas y sus comunidades. Aquí, la línea entre nuestro reino y el Otro Mundo se hace más delgada, especialmente en torno a Samhain y Beltane. Esto permitía a los druidas ofrecer sacrificios al espíritu que habita en otros reinos a cambio de protección y guía.

Cuando sus clanes estaban en guerra, los druidas solían realizar sacrificios de animales. Si lo hacían después de una batalla, era para expresar su gratitud a las deidades por la victoria o por el escaso número de pérdidas. La ofrenda que se hacía antes de una batalla solía tener fines adivinatorios. El animal sacrificado era vigilado muy de cerca, ya que cualquier parte de su muerte (o cuerpo muerto) podía ofrecer una pista sobre el futuro. Si había algún mensaje sobre el resultado de la batalla que se avecinaba, los druidas eran capaces de interpretarlo. Aunque de naturaleza benigna, los druidas no mostraban ninguna piedad con el enemigo capturado.

Por otro lado, los guerreros caídos de su clan recibían funerales pacíficos, que representaban la antigua cultura celta en las prácticas de los druidas irlandeses y galeses. Ellos creían que cuando un alma abandonaba un cuerpo después de la muerte, simplemente pasaba a habitar otro cuerpo. Por ello, los guerreros y líderes valientes debían ser enterrados con una ceremonia fastuosa junto a sus posesiones más preciadas, incluidas las armas y las joyas. Además de las ceremonias de enterramiento, los druidas también oficiaban las cremaciones y excarcelaciones. Este ritual consistía en exponer el cuerpo a los elementos hasta que solo quedaban los huesos. Los practicantes enterraban o guardaban estos huesos para futuras adivinaciones y otras ceremonias.

Como en muchas otras culturas paganas celtas, el uso de objetos para lanzar hechizos o realizar ceremonias era una práctica común en el druidismo. Cuando realizaban un ritual de curación, los druidas a menudo necesitaban preparar pociones para mejorar sus hechizos y posiblemente curar la dolencia que se les pedía que remediaran. La asociación mística de los druidas con la magia oscura y la capacidad de lanzar maldiciones es probablemente el resultado de que otras religiones intentaran suprimir esta práctica. Sin embargo, los druidas utilizaban remedios naturales con efectos increíblemente poderosos. Hacían viajes nocturnos a los cultivos sagrados para cosechar hierbas; solo ellos sabían dónde encontrarlas y utilizarlas adecuadamente.

El muérdago se utilizaba con especial frecuencia en los rituales druídicos entre los paganos celtas de Irlanda y Gales. Esta planta perenne era un símbolo tradicional de la vida eterna y la fertilidad debido a su capacidad de mantener sus hojas, incluso en invierno. El muérdago suele crecer en los robles, lo que hizo que su importancia en el druidismo fuera aún mayor. Debido a su amplia disponibilidad, esta planta se utilizaba para curar diversas dolencias comunes. Sin embargo, su dosificación debía ajustarse cuidadosamente. Si se utilizaba mal, la planta tenía un efecto venenoso que podía acarrear consecuencias nefastas.

Los practicantes se reunían bajo el árbol para preparar rituales, festines y sacrificios de animales. Subían al árbol para cortar el muérdago y colocarlo en un gancho de oro antes de prepararlo para la ceremonia propiamente dicha. Se rezaba una oración para expresar su gratitud a la naturaleza y pedir cualquier servicio que fuera necesario. Esta recogida de muérdago se realizaba normalmente antes de un día concreto de la Rueda del Año de las Brujas: antes de un sabbat o del sexto día de la luna. En ese momento, la luna no ha crecido hasta la mitad de su tamaño, pero ya posee suficiente influencia para asegurar un resultado favorable para la ceremonia que se va a realizar.

Relación con los sacrificios humanos

Aunque los sacrificios de animales eran comunes entre los druidas, no está claro si ofrecían sacrificios humanos. Hay algunos testimonios sobre que los druidas realizaban rituales que requerían un sacrificio humano. Otras fuentes dicen que solo participaban en las ofrendas realizadas por otras clases celtas. De nuevo, la mayoría de estos registros proceden de los romanos, que pueden haber utilizado los sacrificios humanos como excusa para disminuir el valor del druidismo. No hay pruebas claras sobre qué culturas celtas realizaban estos rituales. Gran parte de su trabajo era visto como magia con una mala influencia para los que estaban fuera de la cultura celta pagana. Ser testigo de cómo los druidas realizaban un poderoso ritual de curación a los guerreros caídos puede haber dado lugar a algunos conceptos erróneos comunes sobre sus prácticas. Los druidas que actuaban como intermediarios entre los clanes estaban siempre a favor de preservar la paz, pero a veces utilizaban argumentos poco convencionales para persuadir a los caciques de que mantuvieran buenas relaciones. Algunas de sus palabras se consideraban a menudo como amenazas, lo que, de nuevo, dio lugar a exageraciones sobre sus prácticas.

Cómo pasaban sus días los druidas celtas

En un día típico, un druida se despertaba antes de que el sol fuera visible en el horizonte. Consideraban que la energía del sol naciente era la fuente más potente de energía natural, por lo que aprovechaban este momento para realizar adivinaciones y obtener respuestas a asuntos apremiantes. Esto se hacía normalmente mediante una ofrenda acompañada de una oración al líder espiritual elegido. La mayoría de los druidas tenían una forma preferida de comunicarse con el espíritu de una deidad de su elección, que era única para cada practicante. Dependiendo de la respuesta que buscaban, la ofrenda podía exigir desde un simple regalo hasta un sacrificio de animales.

Si un druida ejercía de maestro, continuaba durante todo el día contando historias de los antepasados celtas a los niños y a otros aspirantes a druidas. Un gran número de jóvenes se reunían frente a ellos, esperando ser investidos de una nueva sabiduría que, al recibirla, les producía un gran honor. Después, un druida consultaba con el jefe de su clan lo que había aprendido durante su ritual matutino. Si descubrían algo relativo a la seguridad del clan, el jefe le pedía su consejo al respecto.

Si no, pasaban a discutir otros asuntos importantes, como los próximos solsticios, los juramentos de los guerreros, los casos criminales, los conflictos con otros clanes, etc. Debido a su infinita sabiduría, se confiaba en que los druidas gobernaran con justicia en todos los asuntos y mantuvieran el equilibrio de la comunidad.

Una vez resueltos todos estos asuntos, los druidas llevaban la medicina a los que necesitaban sanación. También se enteraban si alguien más requería su orientación al interactuar con su comunidad. Al llegar a casa, un druida preparaba brebajes curativos que necesitaba administrar al día siguiente. A última hora de la noche, reflexionaban sobre los temas que habían aprendido de los demás o se preparaban para los próximos rituales.

Decadencia y renacimiento del druidismo

El druidismo desempeñó un papel fundamental en el paganismo celta, especialmente en Gales. Sin embargo, a medida que el Imperio romano crecía en fuerza, acabó por relegar las creencias celtas a un segundo plano. Los romanos consideraban que los druidas eran una poderosa fuerza aglutinante para las sociedades de las que intentaban apoderarse, por lo que se encargaron de forzar su desaparición en la medida de lo posible. Dado que el paganismo enfatizaba los valores espirituales más que los mundanos, los primeros intentos de los romanos por erradicar esta cultura no tuvieron demasiado éxito. Desgraciadamente, no fue así con el cristianismo, que, durante el periodo medieval, consiguió invalidar todas las funciones de los antiguos druidas.

Todavía se las arreglaron para continuar con sus tradiciones. Algunos se vieron obligados a transmitir sus conocimientos en total secreto, mientras que muchos druidas encontraron la manera de llegar a sus seguidores asimilando sus enseñanzas a las prácticas cristianas. Debido a su capacidad de adaptación a otras culturas, después del siglo XVII, los druidas revivieron con éxito sus tradiciones. En los tiempos modernos, el druidismo se practica de forma algo diferente a la de los antiguos celtas, pero su esencia sigue viva.

Al igual que otros vestigios de la cultura celta, el druidismo moderno representa una mezcla del antiguo paganismo, el cristianismo y las religiones modernas del neopaganismo, como la wicca. A su vez, otros sistemas de creencias también se han visto influidos por esta práctica. Por ejemplo, el número tres, que estaba presente en muchos símbolos paganos, y a menudo utilizado por los druidas, se encuentra en las prácticas del cristianismo y del neopaganismo. El círculo es otro símbolo con gran importancia para las creencias druidas y el neopaganismo, y sigue representando el círculo de la vida y la rueda del año.

Capítulo 3: Fiestas y festivales paganos

'Pagano' es un término amplio que se utiliza para muchos grupos diferentes, incluyendo a los wiccanos, neopaganos celtas, paganos y otros. Cada grupo tiene sus propias creencias religiosas, costumbres e incluso idiomas. Sin embargo, todos estos grupos se reúnen durante las festividades y celebraciones en momentos específicos del año. Este capítulo analiza qué hace que las ocasiones sean tan importantes para los diferentes paganos y cómo se celebran las fiestas en la cultura pagana.

La Rueda del Año

El ciclo estacional pagano se divide en momentos claramente definidos a lo largo del año identificados por los cambios de las estaciones y la posición de los astros. Estos diferentes momentos se representan gráficamente a través de lo que se conoce como la Rueda del Año. Esta representación circular del año divide las distintas celebraciones en ocho partes. En conjunto, estas fiestas y celebraciones se conocen como días/fiestas del Sabbat. Cuatro de las ocho celebraciones son de origen celta y se conocen como los sabbats mayores o los cuartos de semana. Los sabbats mayores se basan en acontecimientos astronómicos y, por esta razón, pueden variar unos días cada año. Los sabbats menores se conocen como los días de los cuartos de cruz, y estas fiestas se basan en los solsticios y equinoccios.

Los solsticios y equinoccios son cambios en la inclinación de la Tierra y están relacionados con los cambios de estación, y están determinados por la forma en que la luz del sol incide en el ecuador. A medida que la Tierra gira alrededor del sol, también se desplaza hacia delante y hacia atrás en su eje, provocando el cambio de las estaciones. Si usted se encuentra en el hemisferio norte, cuando la Tierra se desplaza hacia delante, experimenta el verano. Cuando la Tierra se estabiliza y se mantiene recta sobre su eje, es el comienzo del otoño. Cuando el hemisferio norte se inclina hacia atrás y el Círculo Polar Antártico se orienta hacia delante, por delante del Círculo Polar Ártico, es el comienzo del invierno. Además, mientras la Tierra se inclina lateralmente sobre su eje hacia una dirección, también gira irregularmente alrededor del Sol. Es como un círculo ovalado alrededor del sol, por lo que estamos muy cerca del sol en un extremo, mientras que, en el otro extremo del circuito, estamos mucho más lejos. Esto también desempeña un papel importante en la forma en que experimentamos las estaciones y la intensidad con la que experimentamos el calor y el frío en la Tierra durante los meses de verano e invierno.

La Rueda del Año era una parte esencial de las culturas celta y pagana, ya que se utilizaba para dar sentido al tiempo, antes de los calendarios y los relojes. Con la Rueda del Año, los paganos podían entender el tiempo e influir en muchas actividades de la vida, como lo que cultivaban y cosechaban, cómo viajaban, dónde vivían e incluso su estilo de vida.

Yule (Solsticio de invierno)

El solaz de invierno se produce entre el 21 y el 23 de diciembre en el hemisferio norte y entre el 20 y el 23 de junio en el hemisferio sur. El solaz de invierno es el día más corto del año, acompañado de la noche más larga. En las tradiciones paganas, esta es la fase en la que nace el Niño de la Promesa, el dios que superará la oscuridad del invierno y guiará a la gente hacia una primavera más brillante, cálida y fructífera. Los días empiezan a ser más largos y el invierno se vuelve más suave a partir de este momento.

Yule también está estrechamente ligado a la Navidad que celebran los cristianos. Aunque la celebración de Yule ha formado parte de la cultura del norte de Europa desde antes del cristianismo, las fiestas se han solapado y han cambiado de una a otra a lo largo del tiempo. Por ejemplo, el concepto de hacer regalos es común en ambas culturas. También es un momento para celebrar con la familia, normalmente en torno a una gran fiesta. En las tradiciones del Sabbat, es parte de la cultura encender una hoguera a los troncos de Yule, mientras que en el cristianismo, la tradición es decorar los árboles. Los paganos queman troncos de Yule en sus casas, tanto en el interior como en el exterior, para atraer la buena suerte para la temporada de primavera que se avecina. Incluso los colores primarios utilizados en las celebraciones del Sabbat de Yule se utilizan habitualmente en las celebraciones navideñas, como el rojo y el verde.

Los paganos celebran esta época con cerveza dulce, sidra caliente, sopas y muchos frutos secos y carne.

Imbolc (Candelaria)

Imbolc es una ocasión festiva basada en las celebraciones de Yule. Se celebra el 1 de febrero en el hemisferio norte, mientras que el hemisferio sur lo disfruta el 1 de agosto. Es una fiesta que significa que el invierno está a punto de terminar y que los días más cálidos y fructíferos de la primavera están a la vuelta de la esquina. Es el momento en que los últimos vestigios del invierno comienzan a desvanecerse. Llueve mucho más, y el sol y la Tierra proporcionan a todos los seres vivos lo que necesitan para volver al proceso de crecimiento.

En las tradiciones paganas, también se conoce como el día de Brigid, en respeto a la diosa Brigid. Se cree que, si se deja una ofrenda para Brigid, ella bendecirá la cosecha que está por venir y salvará a los agricultores de las malas cosechas. Como es una diosa asociada al crecimiento y la fertilidad, esta es la época del año más importante para ella.

Al mismo tiempo, es un momento para que la gente se limpie, al igual que la Tierra se limpia del invierno y se refresca para el año que viene. Es un momento para sembrar semillas frescas, dejar atrás el pasado y tener la esperanza de un futuro más brillante. Si quiere hacer cambios significativos en su vida y empezar de nuevo, este es el momento de hacerlo.

La fiesta se destaca por la limpieza de primavera y la elaboración de artesanías simbólicas de Imbolc. Utilizar flores frescas de primavera y comer fruta fresca es la norma en esta época del año.

Ostara (Equinoccio de primavera/verano)

Se trata de un momento especial del año, ya que es la primera vez que la duración de los días y la noche se igualan en el nuevo año. En el hemisferio norte se celebra el 21 de marzo y el 21 de septiembre en el hemisferio sur. Es el momento crucial en el que las horas de luz comienzan a aumentar y recibimos una vibración más positiva de la Tierra. Hay mucho crecimiento durante y después de esta fase de transición al verano. Para los paganos, es la estación de la fertilidad. Hay nueva vida en abundancia y es una época de alegría. Al igual que la Navidad, esta celebración también se refleja en la cultura cristiana durante la fiesta de la Pascua. La idea de decorar los huevos con el simbolismo de los pollitos y los conejitos (entre otros animales) pretende demostrar la llegada de una nueva vida y un nuevo comienzo. Es lo contrario del equinoccio de otoño.

A algunas personas les gusta representar el papel del dios y la diosa, representando el romance que experimentan y que los lleva a concebir al Niño de la Promesa. También, la forma en que la noche y el día se igualan es reflejada por el dios de la naturaleza cuando su personalidad se divide entre su conciencia superior y sus deseos sexuales primitivos.

Beltane (Víspera de mayo)

La famosa fiesta del fuego, Beltane, tiene lugar al final de la primavera y el comienzo de la temporada de verano. En el hemisferio norte se celebra el 1 de mayo, mientras que en el hemisferio sur es el 1 de noviembre. Beltane también se conoce como el Día de Mayo. Celebra la fertilidad, ya que en la Tierra se produce mucho crecimiento y desarrollo en todas las formas de vida. Esta fiesta se destaca por el fuego, por lo que muchos eventos y celebraciones tienen hogueras en el centro de la fiesta, o hay una danza o actuación utilizando el fuego. Otro componente esencial de la celebración de Beltane es el palo de mayo, utilizado para representar la parte reproductiva de la fiesta. Un poste tiene cintas o hilos multicolores atados a él en la parte superior, y la gente se aferra a los hilos mientras baila y corre alrededor del poste, trenzándolo en un hermoso patrón. Las mujeres hacen coronas de flores decoradas con cintas y las llevan mientras bailan alrededor del palo de mayo.

Las familias celebran esta fiesta con sus hijos plantando semillas de pequeñas plantas en macetas en casa, pidiendo deseos y enviándolos al universo echándolos al fuego. Es una época en la que la gente espera la cosecha que obtendrá después de un verano agradable y brillante. En la tradición pagana, es el momento del año en que el dios del sol visita la tierra para fertilizarla y desempeñar su papel en el proceso de crecimiento. También se representa a través de la diosa y el Hombre Verde, que simboliza el crecimiento y el renacimiento. También ilustra cómo el dios pasa de estar impulsado por la lujuria y el impulso de reproducirse a comprometerse en una relación y criar a la siguiente generación.

También se cree que es cuando el velo entre los vivos y los muertos es más fino. Por ello, la gente cree que puede comunicarse con los muertos. Además, los granjeros buscan protección para sus animales llevándolos a pastos abiertos y haciéndolos pasar por dos grandes hogueras. Se cree que esto libra a los animales de impurezas y los protege para la próxima temporada.

Litha (Solsticio de verano)

Litha es el punto álgido de la temporada de crecimiento de la Tierra, cuando el verano entra en pleno apogeo. Aunque es uno de los Sabbats menores, sigue siendo una época del año muy celebrada. En el hemisferio norte, es entre el 20 y el 24 de junio y del 20 al 24 de diciembre en el hemisferio sur. Es también el día más largo del año, después del cual la duración del día se acorta de nuevo. En la religión, es el día que significa que el dios Sol ha alcanzado la cima de su fuerza y madurez. Es el fin de su época de juventud en la que vagaba libre y despreocupado. Ahora es una transición hacia una parte más seria de la vida en la que la Tierra está creciendo desde las semillas hasta las plantas, y algunas plantas pueden incluso haber empezado a florecer y dar frutos. El dios Sol está pasando a una fase más protectora de su vida.

El monumento de Stonehenge es también una parte importante de esta celebración. Hay dos grandes piedras situadas fuera del círculo principal de piedras conocidas como la Piedra del Talón y la Piedra de la Matanza. Estas dos piedras canalizan los rayos del sol directamente hacia el centro del círculo en este día. Todas las actividades y festividades de este día representan el poder del sol y que la Tierra también entra en una fase más madura de su ciclo vital.

Lugnasad (Lammas)

Lammas es uno de los Sabbats mayores y la primera de las tres fiestas de la cosecha. La palabra *Lammas* significa masa de pan, mientras que el otro nombre, Lugnasad, significa la reunión de Lugh, representando que Lugh ha transferido su poder. En el hemisferio norte, es el 1 de agosto, y en el hemisferio sur, el 1 de febrero. Es la primera etapa de preparación para los meses de invierno que se avecinan. El sol comienza a perder su fuerza a partir de ese momento y los días se acortan considerablemente.

Los paganos creen que durante Lammas, el dios se sacrifica a la diosa, y ella lo mata con una hoz. La sangre del dios se derrama sobre la tierra y le da a esta la energía necesaria para durar hasta la siguiente Rueda del Año. De este modo, el dios también pasa de ser el dios de la luz y la vida al Señor Oscuro de la muerte, que es su papel en la última parte del año.

Se celebra horneando pan con la forma del dios y fabricando otros artefactos que lo representan. Los celtas creen que el dios del Sol Lugh transfiere su fuerza a los granos que están cosechando, y cuando hornean este grano en forma de pan, la transferencia de poder se completa y su papel llega a su fin.

Mabon (Equinoccio de otoño)

Mabon es la segunda de las estaciones de la cosecha y es otra señal de que el verano se está desvaneciendo y que la gente debe prepararse para el invierno. En el hemisferio norte se celebra entre el 21 y el 24 de septiembre, y en el hemisferio sur, entre el 21 y el 24 de marzo. Una vez más, el día y la noche se equilibran y están casi en la misma proporción el uno del otro. El concepto que subyace en esta fase de la Rueda del Año es similar al que practican los cristianos durante el Día de Acción de Gracias. Es un momento para reflexionar sobre el viaje del verano, sobre cómo la tierra nos dio lo que necesitábamos para seguir vivos e incluso nos ha dado el combustible que utilizaremos en el invierno.

Mientras que el equinoccio de primavera representa la energía sexual, el periodo de Mabon es una fase mística del año. Está rodeado de la reencarnación, el ciclo de la vida, la sabiduría de la planificación para los duros meses de invierno y el viaje del vientre a la tumba. El dios también contempla estas diferentes ideas y conceptos y alcanza un nivel superior de conciencia. En este punto, el dios vuelve a conectar con la diosa, ya que su nivel superior de conciencia le permite acceder al inframundo. A estas alturas, la diosa es la reina del inframundo, y es otra etapa de su unión que tiene lugar en un escenario muy diferente.

Samhain (Halloween)

Samhain es una fiesta muy conocida en la cultura pagana y en el mundo moderno. Sin embargo, el resto del mundo la reconoce como Halloween en lugar de Samhain. Suele ocurrir alrededor del 31 de octubre al 2 de noviembre en el hemisferio norte y alrededor del 31 de abril y el 2 de mayo en el hemisferio sur. De nuevo, es cuando el velo entre el mundo de los vivos y el de los espíritus es extremadamente fino, por lo que suele asociarse con fantasmas, espíritus y actividad extraterrestre. Se cree que los espíritus del otro mundo vagan libremente por la Tierra en esta noche. Como los espíritus están tan cerca de nosotros, mucha gente cree que es el mejor momento para practicar la magia.

El Samhain es la última de las tres fiestas de la cosecha. Se cree que la palabra Samhain proviene de una palabra irlandesa que se traduce como "fin del verano". Esta parte de la Rueda del Año es también la opuesta a la fiesta de Beltane. Mientras que en Beltane se enviaba al ganado a pastar a los prados, en esta época del año regresan y son recibidos de nuevo con grandes llamaradas.

Algunos paganos y celtas también consideran esta fiesta como el Año Nuevo de las brujas, ya que es el final del ciclo de ese año. Es un momento en el que la gente piensa en el año, reflexiona sobre todo lo ocurrido y presenta sus respetos a los que han fallecido. Es un momento en el que la gente practica la gratitud y mira la vida de forma diferente mientras se prepara para el duro clima invernal. Agradecen a los dioses por haber ayudado al pueblo a conseguir los recursos necesarios para el invierno y se centran en cómo pueden pasar el invierno con éxito. En la actualidad, esto no es tan difícil, pero en aquel entonces, era una parte del año extremadamente desafiante que requería tanta o más preparación que la necesaria para que las plantas crecieran y los cultivos estuvieran listos para el verano.

Durante las festividades para esta ocasión, la gente sacrificaba animales a los dioses para darles las gracias. Se vestían con pieles de animales y llevaban cabezas de diversos animales.

El dios unido a la diosa en el inframundo muere en este momento. El niño Sol que está por nacer va madurando. El dios Sol nacerá en Yule, el siguiente festival, completando el Ciclo de la Vida.

Todos los diversos festivales de la Rueda del Año tienen un intervalo aproximado de 6 a 8 semanas, por lo que siempre hay algo que esperar. La forma en que se celebran estos eventos también ha cambiado con el tiempo, y la gente de distintas partes del mundo también los celebra de forma diferente. Debido a las diferencias en el clima, la disponibilidad de recursos y otras restricciones, la gente ha encontrado nuevas formas de celebrar estos eventos. Sin embargo, el espíritu de los festivales sigue vivo. Además, diferentes aquelarres tienen su forma específica de celebrar los mismos eventos, y personas de diferentes orígenes dentro del paraguas pagano también tienen sus festivales. Pero la esencia de estos eventos sigue siendo la misma.

Capítulo 4: Brujería celta y ramas de creencia

La brujería fue una práctica popular entre casi todas las culturas de la historia. Tradicionalmente, la práctica podría definirse como la invocación de poderes especiales para hacerse cargo de individuos o acontecimientos. La magia y la hechicería son dos elementos típicamente implicados en el proceso. Aunque se dilucida de forma diferente en los textos culturales e históricos, la mayoría de la gente, especialmente en Occidente, siempre ha mantenido estereotipos inexactos de la brujería. A menudo se percibe como que las brujas se reúnen por la noche para participar en rituales con el diablo y realizar magia negra. Estas creencias se reforzaron especialmente durante la caza de brujas de los siglos XIV a XVIII. Sin embargo, estas falsas percepciones no se asemejan a la realidad.

Hay tres implicaciones principales de la palabra "witchcraft" (brujería) en el idioma inglés moderno. La primera es el ejercicio regular de la brujería y la magia en todo el mundo. La segunda se refiere a la caza de brujas que tuvo lugar en Occidente durante los siglos XIV y XVIII. La última connotación son las variaciones del movimiento wiccano moderno.

Las palabras *witch* (bruja) y *witchcraft* provienen del término inglés antiguo *wiccecraft. Wicce* se refería a las brujas femeninas y wicca era el término masculino. Aunque hay términos que significan el equivalente de witchcraft en otros idiomas, como *sorcellerie* en francés, brujería en español y *hexerei* en alemán, ninguno tiene la misma connotación. Esto significa que no pueden utilizarse para traducirse con precisión. Se hace aún más difícil cuando nos alejamos de Europa y nos adentramos en las lenguas asiáticas y africanas.

El principal problema que plantea la atribución de un significado definido al término brujería es el reto que supone el hecho de que varios conceptos y temas subyacentes acompañen a esta práctica. Estos conceptos y temas no son fijos y cambian según la época y el lugar de la historia. No es fácil encontrar otras culturas, aparte de la irlandesa y la galesa, que compartan patrones razonables y algo similares de creencias vinculadas a la brujería. Además de la brujería, el diabolismo, la magia, la religión, los avances del tiempo y el folklore, siempre influyen y se fusionan con estas creencias. Por ejemplo, algunas regiones creen firmemente que los superpoderes de una bruja son intrínsecos, mientras que otras están convencidas de que las prácticas místicas son aprendidas y desarrolladas por cualquier individuo.

Este capítulo pinta un cuadro de la brujería galesa y del paganismo. Aprenderá todo sobre cómo eran las creencias místicas y la percepción de las brujas en la sociedad galesa. Como se ha mencionado anteriormente, existen numerosas coincidencias entre la brujería galesa y la irlandesa. Sin embargo, aún existen algunas características y creencias destacadas vinculadas al paganismo galés, que trataremos con mayor profundidad. En este capítulo, descubrirá cómo era una bruja celta típica, si la brujería era aceptada y venerada entre los miembros de la comunidad y si el paganismo ha estado siempre asociado a ella.

Las cuatro ramas principales de la creencia pagana galesa

Hay cuatro ramas principales de la creencia pagana galesa: Los dioses de Annwn (el inframundo galés), los protectores, los hábiles y los cielos y las estaciones. Estas características de las creencias paganas eran elementos muy destacados entre su panteón de deidades. Aunque muchos pueblos o tribus dentro del Imperio celta adoraban a sus propias deidades, algunos de los dioses y diosas eran comunes entre muchos celtas porque traían consigo sus creencias a medida que los individuos se desplazaban y conquistaban otros grupos. Por ejemplo, las versiones irlandesa, escocesa e inglesa de las deidades galesas que tratamos con más profundidad en el capítulo 6.

Las Cuatro Ramas del Mabinogi

Los Mabinogi, a los que se hace referencia en varias ocasiones, incluyen cuatro ramas. En el siglo XI, los cuentos de la mitología galesa se combinaron después de haber sido transmitidos por tradición oral. Los Mabinogi se conservaron en manuscritos medievales y se guardaron en bibliotecas familiares privadas. Los eruditos de la Edad Moderna hicieron grandes esfuerzos por restaurar y rescatar los cuentos místicos galeses. Sin embargo, hasta hoy solo disponemos de dos versiones principales, junto con algunos retazos del resto. En la década de 1970, las obras fueron finalmente reconocidas como literatura secular, lo cual es justo si se tiene en cuenta que contienen personajes elaborados y tocan una amplia gama de temas relacionados con el género, la moral, la ética y la política. La mitología, como es lógico, también contenía imágenes increíbles y fantásticas.

Cada rama de la mitología abarca numerosos episodios secuenciales de un cuento. Cada rama lleva el nombre de su deidad protagonista, de la que hablaremos con más profundidad a lo largo de los siguientes capítulos. Los nombres de las ramas son Pwyll, Branwen, Manawydan y Math. Sin embargo, es importante tener en cuenta que se trata de una alteración relativamente moderna, y que las ramas no fueron nombradas en los manuscritos medievales originales. Pryderi es el único personaje común en las Cuatro Ramas de los Mabingoni, aunque no es un personaje central ni principal en ninguno de los cuentos.

- **La Primera Rama**

Pwyll, el príncipe de Dyfed, es el relato de la mística y heroica visita de Pwyll al otro mundo. Profundiza en sus habilidades para cambiar de forma. Los duelos, y la virtud, son elementos que le llevaron a la creación de una poderosa alianza. Pwyll es cortejado por Rhiannon, la diosa con la que se casó para conceder la libertad en esta mitología, seguida de su hijo recién nacido, Pryderi, que fue secuestrado y rescatado; Tyrenon, el señor del reino de Gwent, acogió entonces a Pryderi.

- **La Segunda Rama**

El cuento de Branwen, hija de Llŷr, sigue el desposorio de la diosa Branwen con el rey de Irlanda. El rey comienza a maltratarla después de ser insultado por Efnysien, el hermanastro de Branwen. Una guerra instigada por el hermano estalla y da lugar a un genocidio. Los cadáveres resucitan y la cabeza de Bran, el rey gigante, permanece viva de alguna manera después de su muerte. Pryderi aparece como superviviente de la guerra, y Branwen muere de culpa y angustia.

- **La Tercera Rama**

Manawydan, hijo de Llŷr, es el heredero del trono británico y hermano de Branwen. La guerra lo acerca a él y a Pryderi, lo que lleva a este a concertar el matrimonio de Manawydan y Rhiannon. Sin embargo, la devastación se cierne sobre la tierra de Dyfed, y Rhiannon y Pryderi se alejan repentinamente de la vida de Manawydan debido a una trampa. Manawydan se convierte en granjero y aboga por su liberación de la trampa encantada y por la restauración de la tierra de Dyfed.

- **La Cuarta Rama**

Math, hijo de Mathonwy, la Cuarta Rama de los Mabinogi, se desarrolla en una sucesión de traiciones y engaños. Gira en torno a la guerra con Dyfed y la muerte de Pryderi, seguida de la doble violación de una muchacha virgen y el rechazo de Arianrhod a un hijo no deseado. Su hermano mago, Gwydion, fue el cerebro y creador de estos sucesos. Él provoca un embarazo incubado sintéticamente con una mujer artificial (Blodeuwedd). Ella se ve envuelta en un engañoso triángulo amoroso que termina con un asesinato traicionero. Gwydion se embarca entonces en un viaje chamánico de redención.

¿Se aceptó la brujería?

Comenzamos el capítulo explicando cómo se percibe la brujería como una actividad que implica magia y poderes sobrenaturales para dañar a los demás. Aunque mucha gente sigue teniendo estas ideas erróneas sobre las brujas, este estereotipo era más popular en la historia. En el mundo actual, muchos piensan que la brujería es un arte curativo místico.

A pesar de la popularidad de la brujería en aquella época, mucha gente emprendió una caza de brujas para atrapar a los practicantes de "magia negra". La brujería estaba muy asociada a la magia negra en la antigüedad. Sin embargo, esta creencia creció cada vez más durante la última Edad Media, después de que el cristianismo se convirtiera en la religión principal y la ideología romana estuviera más extendida. La iglesia prohibió oficialmente la adivinación y declaró la magia ritual como una herejía. Esto provocó el inicio de la caza de brujas en Italia y España durante la década de 1420. Los frailes instigaron un estado de pánico al hacer correr conspiraciones satánicas y culpar de todas las desgracias a la brujería y a sus practicantes.

El creciente poder de la Iglesia católica y del protestantismo desencadenó la segunda gran caza de brujas en Europa. Los protestantes apuntaron a todas las formas de brujería durante el siglo XVI, sugiriendo que las brujas eran engañadas por el diablo, lo que automáticamente provocó la respuesta de la Iglesia católica. Las acusaciones se intensificaron, dando lugar a la caza de brujas más despiadada de la historia.

La historia de la caza de brujas

Cuando pensamos en el período moderno temprano de Europa, inmediatamente pensamos en los grandes avances científicos y culturales que se produjeron en esa época. A pesar de los avances académicos y tecnológicos, el pueblo se volvió cada vez más intolerante desde el punto de vista religioso, ya que la histeria de las masas se abatió sobre el continente. Todo ello contribuyó a la trágica caza de brujas que asoló Europa entre 1550 y 1700. Los individuos no solo fueron acusados de brujería, sino que fueron ejecutados por ello.

La historia que hay detrás de la caza de brujas, también conocida como la "caza de las brujas", es muy profusa e intrincada. Sin embargo, se sugiere que las cuestiones sociales, los conflictos religiosos y las cuestiones de género y clase fueron quizás las fuerzas motrices de este horrible suceso histórico. Se cree que la ejecución y el tormento que sufrieron las supuestas brujas estaban estrechamente ligados a problemas particulares de la sociedad. En su mayoría fueron víctimas de planes políticos y religiosos.

Cuando surgió la moda de las brujas, Europa estaba muy dividida y atravesaba una crisis socioeconómica. En aquella época, la población europea crecía exponencialmente, presionando los pocos recursos agrícolas que tenían para sobrevivir. Los grupos religiosos estaban en guerra desde mediados del siglo XVI, en una época en la que Europa ya estaba asolada tras las guerras hugonotes y de los 30 años.

Nadie se había interesado realmente por la brujería, ni siquiera se había preocupado por ella (aparte de los que la practicaban, por supuesto), antes de finales del siglo XV. Esto cambió cuando Henricus Institoris publicó en 1485 el Malleus Malefic arum, que era un tratado sobre la brujería, llamando la atención de la gente. Este libro sirvió de guía completa para la caza de brujas y su persecución. Sin duda, dejó un gran impacto en los dos siglos siguientes de la manía de las brujas en Europa. El libro pretendía ofrecer una comprensión más profunda y una solución a los problemas que rodeaban a la brujería en aquella época. Investiga la naturaleza de las acusaciones de brujería, los juicios y la actitud de la sociedad hacia las mujeres. El libro sigue siendo uno de los sellos más destacados de la historia de la brujería.

El objetivo principal de la Iglesia era sustituir las creencias públicas por las cristianas. Sin embargo, al no conseguir erradicar las creencias populares del pueblo que normalmente seguía siendo medio pagano, se difundieron por todo el continente historias de terror sobre la alarmante práctica de la brujería y la potencia de la magia negra. En aquella época, mucha gente practicaba la medicina alternativa, que incluía el uso de amuletos y curas. Esta es la "magia" que las autoridades y la iglesia consideraban "sabia y no alarmante". Sin embargo, las prácticas mágicas no medicinales se consideraban hechiceras y, por tanto, heréticas en el siglo XV.

Los cristianos comenzaron a hacerse una idea de la brujería como concepto en ese momento, que abarcaba los cultos demoníacos y satánicos, las maldiciones, la magia negra perjudicial y los sabbats negros. Esto llevó a todo el mundo a creer que las actividades y prácticas religiosas populares, especialmente extendidas en las zonas rurales europeas, estaban asociadas a la brujería y al Diablo. Finalmente, los practicantes de la religión popular, considerada como una práctica satánica, fueron castigados y criminalizados. Lo que alimentó aún más estas creencias es que en estas zonas existían algunas prácticas mágicas maliciosas y generalizadas. Muchos individuos maldecían a otros, lo que era un comportamiento evidente de que existían brujas crueles.

Los individuos tolerantes y aceptantes del siglo XV decidieron tomar medidas. Cualquiera que no cumpliera con las creencias, sistemas de fe y prácticas religiosas estándar era marginado. También fueron aterrorizados y castigados por otros miembros de la sociedad (normalmente la élite). Durante el año 1500, existía la idea popular de que las brujas formaban parte de una conspiración y tenían como objetivo hacer daño a los cristianos. La gente creía que las brujas se habían aliado con el diablo para eliminar el cristianismo. Muchos de los grandes filósofos del Renacimiento estaban convencidos de los poderes del ocultismo y la magia, e instaron a la élite a tomarse el asunto en serio.

Los husitas y los cátaros, junto con otros grupos heréticos de la época, también fueron puestos a raya por la Iglesia antes de dirigir su atención a las brujas. En el siglo XVI, el pánico respecto a la brujería golpeó a Europa. Las acciones de la Iglesia eran secuenciales, siempre seguían un patrón claro de algún tipo. Por ejemplo, se producía un incidente que daba lugar a sospechas (normalmente infundadas) en torno a una persona o un grupo. Los individuos de clase baja, ya marginados y rechazados, eran los más vulnerables a las acusaciones, y eran el grupo objetivo de las alegaciones en torno a la brujería. Como es lógico, estas acusaciones se hacían sobre pruebas falsas. Los acusados eran torturados con la esperanza de sacarles una confesión antes incluso de ser juzgados.

De todos modos, los juicios rara vez eran justos. Incluso si se trataba de una acusación falsa, quienes eran acusados de brujería esperaban recibir una sentencia de muerte de inmediato. No sabemos con precisión cuántas personas murieron durante la caza de brujas europea. Sin embargo, se sugiere que al menos 40000 individuos fueron ejecutados debido a la caza de brujas. Cualquier persona considerada culpable era quemada viva, ahogada o ahorcada. Las autoridades afirmaban que matarlas bárbaramente era "una obligación", ya que servía de ejemplo para otras personas inclinadas a seguir los pasos de los herejes.

Los investigadores creen que la caza de brujas se produjo en dos oleadas, como hemos mencionado anteriormente. La primera fue para suprimir la herejía y, con el tiempo, se convirtió en una forma de acabar con los rivales políticos. Hacia la década de 1650, el objetivo no era tan explícitamente la brujería y la hechicería como antes, lo que condujo a una disminución del número de juicios por brujería.

La segunda oleada de la caza de brujas fue quizás provocada por la intensa rivalidad que existía entre las iglesias protestante y católica. Había una necesidad creciente por parte de ambos bandos de asegurar que la gente se ajustara a su religión. Las tensiones sociales resultantes de los cambios económicos y sociales, la inflación y la guerra también desempeñaron un papel en el impulso de estas cacerías porque la necesidad de mantener el control sobre el pueblo era más fuerte que nunca. La autoridad utilizó la caza de brujas para amenazar a las clases bajas, advirtiéndoles contra la rebelión. Las mujeres, por desgracia, fueron las principales víctimas. Aunque algunos hombres fueron acusados de brujería, las mujeres representaron el mayor número de acusaciones y ejecuciones porque cada vez había más mujeres solteras, lo que aumentaba las tensiones sociales.

El aspecto de las brujas

No creemos que exista una descripción sólida de las brujas celtas porque hacían lo posible por pasar desapercibidas, teniendo en cuenta que eran perseguidas. Sin embargo, se dice que las prácticas de culto a Dioniso incluían la bebida, los festines, los sacrificios de animales y las reuniones clandestinas en la civilización grecorromana. Horacio, Esquilo y Virgilio, entre los autores clásicos más populares, también representaron a las hechiceras y brujas ilustrando a las arpías, las furias y los fantasmas de rostro pálido, vestidos con ropas decadentes y con cabellos alocados. También sugerían que las brujas se reunían por la noche y realizaban sacrificios humanos y de animales. A finales del siglo XX, los cristianos también acusaron a las brujas de sacrificar niños.

Durante los periodos de caza de brujas, se realizaban prácticas brutales con las supuestas brujas. Solían pincharlas para averiguar si el diablo las había hecho indiferentes al dolor. También les buscaban la "marca del diablo", que se creía que era cualquier cosa que se pareciera a una verruga o lunar de aspecto extraño. También arrojaban a la supuesta bruja al estanque. Si el cuerpo se hundía, se consideraba inocente porque el agua lo aceptaba.

Paganismo vs. Brujería

Las creencias wiccanas comenzaron a recobrar popularidad durante la década de 1950. La recién percibida religión comenzó a ganar más tracción. Sin embargo, al no poder comprender lo que implicaba la práctica de la wicca, muchas personas confundieron el paganismo con el nuevo movimiento.

La brujería está muy asociada a la wicca, un sistema de creencias orientado a la naturaleza. Incluye rituales eminentes en la época precristiana. En cambio, los paganos, según la definición, son miembros de comunidades espirituales, religiosas o culturales. Su práctica gira en torno al culto a la tierra o a la naturaleza en general.

La wicca, como religión, se remonta a Gerald Brosseau Gardner y a Inglaterra en la década de 1950. Gardner pasó algunos años trabajando en Asia antes de publicar el libro *Witchcraft Today* (*La brujería hoy*) en 1954. Inició un movimiento basado en las tradiciones precristianas. Se basaba en tres aspectos principales: el respeto a la naturaleza, la magia y el culto a una diosa junto con otras deidades.

Las tradiciones y rituales precristianos conforman el movimiento neopagano actual. Tener un profundo respeto por la naturaleza es también un elemento significativo del paganismo. Este movimiento se remonta a la década de 1800, antes de ser remodelado en la década de 1960. Se convirtió en un renacimiento del culto a la fertilidad y a la naturaleza. Los paganos proceden de diversos orígenes de creencias que se centran especialmente en la igualdad y la naturaleza. Suelen adorar a numerosas deidades. Sin embargo, todo se reduce a las preferencias del practicante.

Significa que la wicca es diferente del paganismo, pero es un subtipo. Como ya sabe, hay muchos conceptos erróneos sobre lo que significa ser pagano o wiccano, y la gente suele mezclar ambos. Aunque técnicamente todos los wiccanos son paganos, no todos los paganos son wiccanos.

En resumen, los wiccanos actuales se consideran brujos actuales. El aspecto de la magia es lo que diferencia al paganismo de la wicca. Aunque la wicca es una subcategoría del paganismo, comparten los elementos centrales de la fertilidad, la naturaleza y la espiritualidad.

La respuesta a la antigua pregunta "¿es real la brujería?" depende de muchos factores, entre ellos las creencias personales y las connotaciones ligadas a su tiempo y lugar. Aunque no existe una definición sólida, una cosa es segura: la representación de la brujería en la literatura, el cine y el arte no es en absoluto representativa de la realidad.

Capítulo 5: Espíritus y deidades irlandesas

La mitología irlandesa abarca detalles de la antigua Irlanda y las historias de origen de deidades, héroes y reyes. Entre todas las ramas de la mitología celta, las antiguas creencias y la mitología irlandesa son las mejor conservadas. Estas antiguas creencias se transmitieron de generación en generación hasta la Edad Media, cuando los monjes cristianos comenzaron a escribir las narraciones y a colocarlas en registros históricos. Los relatos de las antiguas creencias y tradiciones irlandesas pueden haber evolucionado, pero las deidades y los personajes siguen siendo los mismos. La mayor parte del folklore y los cuentos irlandeses se clasifican cronológicamente en cuatro ciclos: el ciclo mitológico, el ciclo del Ulster, el ciclo fenicio y el ciclo histórico.

La importancia de las deidades, dioses y diosas varía mucho. Las Dindshenchas son una clase de literatura irlandesa temprana centrada en los orígenes de los personajes mitológicos irlandeses, los lugares y los acontecimientos geográficos relacionados. En comparación, la mayoría de los registros históricos dan gran importancia a los guerreros, héroes y líderes revolucionarios. Los primeros manuscritos y textos como el Dindshenchas hacen hincapié en la divinidad de los antepasados y las diosas. Estas deidades primigenias son consideradas como los ancestros de la región y están profundamente arraigadas en la soberanía de la tierra. Con atributos similares a los de los dioses griegos y romanos, las deidades primigenias irlandesas son seres inmortales que poseen diversos atributos que definen su carácter. Muchas deidades irlandesas presentan cualidades similares a las humanas, como la codicia, la ira, la debilidad, los celos, etc., mientras que otras están vinculadas a los fenómenos naturales de la tierra. Incluso hay deidades irlandesas que poseen la capacidad de transformar su aspecto físico.

En este capítulo, exploramos el reino de las deidades irlandesas, leemos sobre sus personalidades y comprendemos cómo trabajar con estas deidades y honrarlas.

Casi todos los dioses y seres sobrenaturales irlandeses están relacionados con los fomorianos, los Tuatha Dé Danann y los Fir Bolg. Los Tuatha Dé Danann mantuvieron una imagen positiva entre estos primeros descendientes, mientras que los fomorianos mostraban sobre todo características negativas, repugnantes y espantosas. Los Fir Bolg fueron la tercera raza que habitó la región, pero finalmente fueron derrocados por los Tuatha Dé Danann, aceptados como seres divinos o dioses con poderosas habilidades y capacidades sobrenaturales.

Según el folklore, los Tuatha Dé Danann eran percibidos como seres sobrenaturales competentes en la práctica del druidismo, la historia, la profecía y la magia. El libro de las invasiones, escrito por monjes del siglo XI, explica que los Tuatha Dé Danann eran seres divinos con forma de humanos que desaparecieron tras la llegada de los milesios. Algunos relatos dicen que los Tuatha Dé Danann eligieron el inframundo tras abandonar Irlanda, mientras que otros proponen que los Tuatha Dé Danann se mezclaron con los primeros antepasados irlandeses.

He aquí, sin más, algunas deidades, guerreros y seres espirituales clave del pasado mitológico de Irlanda.

Dagda

Dagda, o el dios bueno, es una deidad clave en la mitología celta y se presenta como un dios principal de los Tuatha Dé Danann. Se le considera una figura principal con características de influencia del druidismo, la realeza y la fuerza sobrehumana. La virilidad, la fuerza, la sabiduría, la fertilidad y la magia son atributos asociados a Dagda. Gobernaba como rey de los Tuatha Dé Danann y controlaba la vida y la muerte, el clima y la agricultura. Los relatos de Dagda de la mitología irlandesa lo describen como un gigante con barba que portaba un largo bastón llamado long mór y la capacidad de restaurar la vida. También llevaba un caldero sin fondo que nunca se quedaba vacío y un arpa llamada "Daur da Bláo", que le daba el poder de influir en las emociones y en el clima cuando la tocaba. Dagda se asocia a menudo con la famosa diosa celta Morrigan y es el padre de Angus, Bodb Derg, Midir, Brigid y Cermait. Puede reunir varias cosas alrededor de su altar para honrar a Dagda, incluyendo la ofrenda de mantequilla, carne de cerdo y cerveza de avena. A semejanza del caldero de Dagda, coloque un caldero en el altar y llénelo de productos y alimentos relacionados para expresar su gratitud. Como Dagda mostró compasión hacia los demás, puede honrarlo ayudando a otros o haciendo donaciones para demostrar su generosidad.

Morrigan

La esposa de Dagda, Morrigan, tiene muchos títulos como reina de los demonios, reina fantasma y diosa de la guerra. La reina poseía la capacidad de transformarse en cuervo y planear sobre el campo de batalla, así como la capacidad de predecir los resultados. Los relatos también cuentan que Morrigan tenía el poder suficiente para influir en el triunfo o la muerte durante una batalla. A pesar de estar asociada con la guerra y la batalla, Morrigan es tenida en alta estima por tener la realeza legítima de la tierra. Sus relatos del ciclo del Ulster la describen transformándose en una vaca o en un lobo. Algunas tradiciones neopaganas han pintado una imagen negativa de Morrigan al asociar su papel como destructora. Sin embargo, muchos estudiosos no están de acuerdo con esta representación y relacionan sus atributos con la soberanía y la generosidad.

La Morrigan es considerada una diosa triple, ya que diferentes textos se refieren a ella con nombres distintos. Algunos historiadores también sugieren que los tres nombres de Morrigan podrían ser tres personalidades diferentes con atributos similares. He aquí las tres personalidades asociadas a Morrigan.

Badb, la diosa de los cuervos

Badb es representada como una diosa feroz que influye en el campo de batalla. Puede transformarse en cuervo, aparecer como una anciana, influir en la destrucción y transmitir profecías. Su presencia se escucha como el batir de grandes alas sobre la cabeza. Badb está vinculada al aspecto de la diosa triple "Crone".

La diosa del sol, Macha

Macha se asocia a menudo con la maternidad, ya que está relacionada con la soberanía, el amor y la prosperidad. Las leyendas dicen que la unión de Dagda con Morrigan ayudó a la tierra, ya que concedió prosperidad a la zona tras la unión.

Nemain

Es la hermana de Badb y tiene atributos algo similares, que influyen en el campo de batalla. Nemain se traduce en una dosis de veneno, ya que puede causar caos, confusión y frenesí en el campo de batalla.

Estudie las características de la diosa de la guerra, las tres personalidades que se le atribuyen, para honrarla. Cuanto más estudie, más fácil le resultará trabajar con la deidad. Cuando monte el altar, concéntrese en colocar objetos vinculados profundamente con la herencia celta. Puede ofrecerle vino tinto, plumas de cuervo, hidromiel y alimentos rojos. Coloque en su altar su estatua o una imagen, incluyendo velas y artículos decorativos que representen animales como ciervos, cuervos y vacas. Las personas con un mayor grado de conocimiento y experiencia también realizan rituales de cambio de forma, magia con cuervos y trabajo de sombras para establecer una mejor conexión con la deidad.

Brigid

Era la hija de Dagda y venerada en el cristianismo como Santa Brigid. Según los relatos escritos, tiene dos hermanas llamadas Brighid, y cada una está asociada a una habilidad única. Las tres hermanas son vistas como una única deidad que posee aspectos de curación, agricultura, fuego, profecía y poesía. Las historias populares cuentan que Brigid poseía un manto verde que llevaba el poder de curar y consolar a los enfermos o angustiados. Imbolc es un festival que se celebra en honor a la diosa Brigid, y los devotos la honran para obtener sus bendiciones.

Para trabajar con Brigid, dedique un espacio a la deidad y hónrela con elementos sencillos como su representación, agua y velas. Cuando queme la vela, dedíquele la llama, ya que ella mantenía el fuego encendido en la antigüedad, y utilícela para conectar con ella. Cuando honre el aspecto curativo de Brigid, encuentre una fuente de agua natural y pida sus bendiciones.

Lugh

Lugh es una de las tres principales deidades de la mitología irlandesa y el hijo de Cian y Eithne. Los registros posteriores lo perciben como un guerrero y una figura histórica. Lugh era el jefe de los Tuatha Dé Danann y desempeñó un papel vital en la introducción de los aspectos civiles del periodo mitológico. Lleva el Sleá Luin Lugh, un tesoro sagrado, y tiene un sabueso que lucha junto a él durante la batalla. Es una deidad que todo lo ve y que posee varias características como artesano, guerrero, vidente y poeta.

Al honrar a los dioses y a las diosas, establecemos una relación para buscar sus bendiciones y su guía y conectar con ellos. Lea los textos antiguos para comprender la personalidad de la deidad Lugh, ya que ayudará a mantener la pureza del ritual. Lugh posee habilidades musicales y se siente atraído por la música y las expresiones relacionadas mientras reza. Puede ofrecer alimentos como pan, mantequilla, leche y frutas a la deidad para buscar bendiciones.

Angus

El dios del amor y la juventud, Angus o Angus, es el hijo de Dagda y la diosa Bion. Los cuentos populares lo describen en su búsqueda de una doncella. La historia cuenta que buscó por toda la región hasta que encontró a la doncella acompañada de otras 150 doncellas que debían convertirse en cisnes. La leyenda dice que Angus se transformó en cisne para estar con la doncella que adoraba. Angus es comparado con el dios galés Mabon ap Modron, que tiene una personalidad similar. El dios celta tenía un caballo con poderes mágicos para transportar una casa entera a cuestas. Llevaba un manto multicolor que solo reflejaba un color a la persona que se debatía entre la vida y la muerte.

Además de tener atributos de amor y juventud, Angus podía resucitar a los muertos utilizando su aliento de vida. Sus habilidades para cambiar de forma le permitían convertirse en un cisne y ser representado como un hombre joven.

Para honrar a Angus tradicionalmente, utilice productos lácteos como ofrenda. Los alimentos horneados, el queso, el hidromiel, el ave de agua cocida y la miel son otras ofrendas alimentarias que puede elegir.

Aine

Alabada como la diosa de la fertilidad, el amor, la soberanía, la protección y el cálido verano, Aine es una poderosa deidad con múltiples funciones como diosa del Sol y la Luna. Se cree que enseña a su pueblo el verdadero significado y la expresión del amor. Además de los atributos mencionados, Aine está asociada con la fertilidad, el ganado, la prosperidad, la abundancia y la riqueza. La dama del lago y la reina del miedo son dos nombres populares dados a Aine a lo largo del tiempo. La colina de Knockainy, en el condado de Limerick, está vinculada a la diosa. Junto con sus dos hermanas, Fenne y Grianne, se la considera una diosa triple y una entidad compleja con la que trabajar.

Durante el solsticio de verano, o *Litha*, la diosa está más presente y es una oportunidad para conectar con ella. El verano es lo más factible, ya que su presencia no se siente mucho en invierno porque es menos activa. Como diosa del amor, y de la fertilidad, tiene el poder de atraer o causar daño a un adorador no deseado.

Haga un espacio dedicado a la deidad en el altar e incluya piezas decorativas que representen un caballo, un cisne o un conejo. Colocar herraduras también es una buena opción a considerar. Incorporar música en los rituales ayuda a conectar mejor con la deidad, ya que ella toca el arpa. Las ofrendas alimentarias incluyen ultramarinos, granos, maíz, lavanda, miel y, en algunos rituales, sangre menstrual. La mayoría de las deidades, incluida Aine, se invocan mejor durante la luna llena porque se asocia con la maternidad de la diosa.

Nuada

Nuada fue el primer rey del pueblo Tuatha y uno de los padres fundadores de la región irlandesa. Era un hábil luchador, guerrero y cazador que llegó a Irlanda y reclamó la tierra a los Fir Bolg. Nuada perdió su brazo durante la batalla y quedó inhabilitado para ocupar un trono. Poseía una espada llamada la espada de la luz con una hoja lo suficientemente afilada como para dejar a sus enemigos por la mitad.

Prepare el altar y conecte con él ofreciendo los elementos básicos de aire, agua y fuego. Como la deidad está especializada en la guerra y el armamento, puede buscar bendiciones para mejorar el valor, la determinación y la orientación para hacer justicia.

Goibniu

Conocido como el dios herrero de los Tuatha Dé Danann, Goibniu también posee cualidades hospitalarias. Fue el primero en trabajar con metales y fabricó armas para su pueblo. La mayoría de los textos sugieren que trabajó junto a sus dos hermanos. Hizo un brazo de plata para Nuada. Además de sus habilidades como herrero, poseía una vaca que producía grandes cantidades de leche. Goibniu es una deidad que preparaba festines para los dioses, y sus comidas preparadas, cuando se ofrecían a los guerreros o a los enfermos, los protegían y curaban de la decadencia y la enfermedad.

Danu

Danu es una diosa madre del pueblo Tuatha y un ancestro de la región irlandesa. La diosa está vinculada a la fertilidad, la sabiduría, la regeneración y la fuerza, pero los primeros textos mitológicos disponen de una literatura limitada sobre Danu. Fue percibida como un personaje importante por los eruditos modernos que escribieron textos después de la introducción del cristianismo en Irlanda. La diosa celta es descrita como una mujer hermosa y era la madre divina del pueblo.

Mannan Mac Lir

Conocido como el dios del mar, Mannan Mac Lir es un popular dios celta que gobernaba los mares y era venerado como el maestro de las ilusiones. Mannan Mac Lir fomentaba sus bendiciones y pertenencias a Lugh. He aquí una pequeña lista de sus posesiones:

- Un corcel llamado Finbar que podía viajar por tierra y mar.
- Una embarcación llamada *barredora oceánica* que viajaba según los pensamientos de quien navegaba y no requería velas, ni ancla, ni el equipo pertinente para navegar la embarcación.
- El manto de niebla cambiaba de color según el estado de ánimo de su portador. Las historias cuentan que la capa emitía sonidos similares a los de un trueno cuando Lir se enfadaba.

Otras pertenencias eran una espada lo suficientemente afilada como para cortar una armadura y una lanza.

El pueblo manés consideraba a Mannanan con gran honor y buscaba sus bendiciones. Ofrecen al dios juncos como tributo durante el solsticio de verano.

Balor

Es un miembro de los fomorianos y una figura llamativa. La mayoría de los dioses fomorianos tienen un carácter negativo y poseen poderes destructivos. A Balor se le representa con cuerpo humano y cabeza de cabra. En la frente tiene un tercer ojo que puede causar estragos en todo lo que esté a su alrededor. Una leyenda sugiere que cuando Lugh lo mató, Balor cayó boca abajo en el suelo y su ojo maligno estaba abierto, lo que creó un profundo agujero en la tierra. El lago del ojo en Co Sligo se conoce como el agujero hecho por el ojo maligno de Balor.

Eithniu

Eithniu era la madre de Lugh y la hija de Balor y fue encerrada porque predijo que su hijo Lugh mataría a Balor. Las historias sugieren que fue rescatada y dio a luz a tres hijos, uno de los cuales era Lugh. Balor intentó ahogar a los tres niños, pero Lugh sobrevivió y fue criado por el dios del mar Mannanan.

Cú Chulainn

Cú Chulainn es una poderosa deidad de la que se habla en el ciclo del Ulster. Es un luchador heroico y reconocido como el mayor guerrero de la región durante su época. Se cree que Cú Chulainn es un semidiós con habilidades sobrenaturales. Tenía una capacidad atlética sin parangón y podía incluso manejar pociones sedantes que una persona normal tardaría un día en superar. La rabia que mostraba durante la batalla le hacía imbatible. Cú Chulainn utilizaba una resortera llamada Gae Bolga, similar a una lanza cubierta de espinas mortales.

La fuerza que poseía Cú Chulainn estaba limitada por dos reglas que debía seguir en todo momento. Tenía prohibido comer carne de perro y debía aceptar siempre la comida ofrecida por una mujer. Los textos antiguos lo describen como un hombre joven e imberbe, popular entre las mujeres por su belleza.

Ogma

Oghma es otro miembro de los Tuatha Dé Danann asociado a la inteligencia, el aprendizaje y la expresividad. Además de estas sorprendentes habilidades, Ogma era un gran guerrero y luchaba codo con codo con Lugh. Se le representa con largas cadenas de oro y ámbar atadas a su lengua que persiguen a los seguidores. Inventó e introdujo la escritura en la región irlandesa. Como guerrero, Ogma poseía una espada que llevaba la cuenta de sus esfuerzos heroicos y podía recordarlos cuando lo ordenaba.

Clíodhna

Tenía muchas caras y se la llamaba sirena, reina de las hadas y bruja. Clíodhna era la reina de las banshees y estaba vinculada a la belleza y al amor. Poseía un poder encantador para curar a los enfermos. Tres pájaros viajaban con la diosa y cantaban canciones que podían curar a cualquiera. Los relatos mitológicos escritos dicen que quien escuchaba las canciones entraba en un estado de sueño profundo y se despertaba totalmente recuperado de la enfermedad.

Un mito famoso sobre la diosa es que se enamoró de un hombre mortal llamado Siobhan y quiso abandonar el inframundo para estar con su amante. Sin embargo, los otros dioses la atrajeron al sueño y la enviaron de vuelta al otro mundo. Representada como una reina de las banshees, vivió en el condado de Cork junto a otras hadas y se convirtió en banshee cuando murió un antepasado irlandés. En algunos textos se cree que Clíodhna se convirtió en bruja tras la difusión de la iglesia.

Trabajar y conectar con Clíodhna puede ser una experiencia mágica y única para las personas que practican el paganismo. Empiece por leer y comprender las historias, leyendas y cuentos populares de la diosa. Su representación en el altar es necesaria junto a artículos como conchas marinas, madera a la deriva, dientes de tiburón, plantas, piedras y elementos relacionados. Puede ofrecerle frutas, verduras, pasteles, hidromiel y agua como ofrenda.

Capítulo 6: Espíritus y deidades galesas

La mitología es un aspecto importante de la vida por varias buenas razones: constituye una parte importante de nuestro patrimonio. La mitología siempre nos recuerda quiénes somos, a dónde pertenecemos y de dónde venimos, independientemente de nuestra ubicación geográfica o de lo que hayamos conseguido en la vida. Cada cultura y civilización tiene su conjunto único de mitología, leyendas y cuentos populares. Es increíblemente sorprendente cómo estos mitos tienen mucho en común y actúan como fuerza unificadora, aunque cada uno de ellos cuente historias diferentes y comprenda deidades y personajes distintos. Todos nuestros antepasados utilizaron los cuentos populares y la mitología para dar sentido al mundo que les rodeaba, regenerar su sentido de propósito y establecer un sistema.

Pero, ¿qué es exactamente la mitología? Por definición, la mitología es una verdad a medias o una ficción completa que constituye un aspecto de una ideología. Es un relato histórico que explica las tradiciones asociadas a una cultura, una civilización o un grupo determinado. Estos mitos son típicamente cosmológicos y abarcan acontecimientos e incluso batallas entre las deidades. Algunas culturas también tienen una mitología mundana que gira en torno a personas normales que tienen una experiencia sobrenatural. La mitología ha servido como piedra angular de la narración de historias durante siglos.

La mitología es un aspecto significativo de la vida por otra razón muy importante, y actúa como bloque de construcción para muchas religiones. También son un fundamento para muchas cuestiones y temas morales. Por ejemplo, la mayoría de los mitos y cuentos tratan de la lucha entre el bien y el mal. Todos los mitos y rituales cuentan historias; el protagonista se embarca en un viaje que le enseña la moral y los valores personales necesarios para superar los obstáculos o derrotar al antagonista. Como *La odisea,* algunas leyendas y cuentos son tan grandes que se han convertido en clásicos literarios para que el mundo entero los disfrute y aprenda de ellos.

Si lo piensa, la mitología sigue desempeñando un gran papel en nuestras vidas. Además de las normas culturales y las tradiciones por las que vivimos o los dichos incrustados en nuestra cultura, la mitología se remodela y adopta una nueva forma cada día. Por ejemplo, uno de los ejemplos más populares de mitología moderna son los cómics. Desde la creación de *El hombre araña* en 1962, la historia que rodea el incidente de Peter Parker al convertirse en el renombrado hombre araña se ha transmitido de una generación a otra. Algunos cómics y cuentos de fantasía se basan incluso en la mitología antigua real. Por ejemplo, Thor se inspira en la mitología nórdica, mientras que *Las crónicas de Narnia* engloba personajes derivados de la mitología romana y griega. Otros ejemplos, como la serie de *Harry Potter* y *El hobbit,* se han convertido en grandes ejemplos de la mitología moderna.

Este capítulo abarca muchas de las deidades y espíritus galeses más destacados. Aprenderá sobre ellos y sus historias y descubrirá la importancia de la mitología galesa en la actualidad y su influencia en el mundo moderno.

Deidades galesas

Hay más de 36 deidades destacadas en la mitología galesa, pero nosotros abarcaremos las más significativas. Como recordará del capítulo 4, muchas deidades galesas estaban muy extendidas entre todos los celtas. También hay dioses y diosas equivalentes en la mitología irlandesa, escocesa e inglesa. Puede que también recuerde a Rhiannon, Pryderi, Branwen, Bran, Manawydan y Gwydion de los cuentos de las Cuatro Ramas de los Mabinogi.

Las diosas

- **Aeronwen**

Mucha gente cree que Aeronwen es la versión galesa de la diosa protocelta Agrona y de la diosa irlandesa Morrigan. Aeronwen es una diosa galesa y está profundamente relacionada con el destino. Agrona era la diosa de la guerra, y la conexión con Aeronwen es fácil de ver. Ambas determinan cómo se desarrollará una batalla, cada una a su manera. Como ocurre con la mayoría de las deidades que determinan cómo se desarrollará su vida, se hacían muchos sacrificios a Aeronwen. Un campo de batalla, el número tres y el color negro se asocian comúnmente con Aeronern.

- **Blodeuwedd**

Blodeuwedd era la esposa de Lleu Llaw Gyffes (hijo de Arianrhod). La mayoría de los conjuntos de deidades tienen dioses embaucadores, y esa podría haber sido Blodeuwedd. Le gustaba engañar a la gente, engañarla cuando podía e ir en contra de su palabra; incluso conspiró para matar a su marido. En los tiempos modernos, se la considera un faro de la independencia femenina, la diosa que se opuso a que las mujeres se vieran obligadas a contraer un matrimonio sin amor. Aquellas que estén solteras o en relaciones amorosas acudirán a Blodeuwedd en busca de ayuda.

- **Arianrhod**

Aunque no sabemos mucho sobre Arianrhod, se encuentra entre las deidades galesas más populares. Su nombre se traduce como "rueda de plata", un símbolo de la luna y por eso es la diosa galesa de la luna. Don es la madre de Arianrhod, y Lleu Llaw Gyffes y Dylan ail Don (los gemelos) son los hermanos de Arianrhod.

- **Branwen**

La deidad Branwen es conocida por su belleza. Es la hija de Llyr y Bran y la hermana de Manawydan. Se encontró en un matrimonio sin amor con un compañero que la maltrataba. Gracias a la ayuda y la fuerza de su familia, pudo liberarse de su vínculo matrimonial. Para salvarla, hubo que hacer sacrificios, y la leyenda cuenta que se produjo una gran guerra en la que murieron casi todos. Solo sobrevivieron las mujeres embarazadas. Sintiéndose culpable y con el corazón roto, Branwen también muere. La deidad es considerada una "protectora de las mujeres maltratadas". También es la diosa de los matrimonios sanos y nutritivos y del amor verdadero.

El periodo de Bedd Branwen fue un período de tiempo que abarca desde el 1650 a. C., hasta el 1400 a. C., parte de la Edad de Bronce. Cuando se registraron las orillas del río Alaw, se encontró una tumba en ruinas, y se creyó que esta tumba pertenecía a Branwen. Esto da más credibilidad a que Branwen sea una persona real.

- **Rhiannon**

Rhiannon es la diosa galesa de los caballos y la fuerza. Es un tema de gran interés en los Mabinogi y otra mitología galesa. El fae es un lugar espiritual donde se dice que habitan deidades, espíritus y otros seres. Antes de que llegara a nuestra tierra, Rhiannon era una habitante de los faes, algunos sugieren que era una princesa del mundo fantástico. Se cuentan muchas historias sobre Rhiannon. Abandonó la lejanía para casarse con Pwyll, un gran héroe del mundo humano. Le robaron el bebé y la culparon durante muchos años hasta que, más tarde, regresó a los faes para demostrar su inocencia.

Rhiannon no rehuyó su destino ni se enfrentó a sus problemas, y esto sirve de inspiración a las mujeres (y a todos los demás) de todo el mundo. A menudo montaba a caballo, y el caballo se ha convertido en un símbolo que se asocia estrechamente con la deidad. Debido a la trágica historia de su hijo, se ha convertido en un símbolo de maternidad, fuerza y amor. A menudo se reza a ella cuando la gente está entrando en el matrimonio, buscando más en la vida, o queriendo saber lo que está por venir.

- **Cerridwen**

La diosa galesa Cerridwen es popular entre muchas brujas y neopaganos actuales. Es herbolaria, bruja y guardiana del caldero del conocimiento. Cerridwen es también una diosa lunar que cambia de forma. Afagddu y Crearwy eran hijo e hija de Cerridwen, y su marido era un gigante. Cerridwen elaboró una poción para Afagddu, otorgándole un conocimiento muy superior al de cualquier otra persona. La magia no solo procedía de la poción: Cerridwen era extremadamente experta y se lo transmitió a su hijo. Se reza a ella por el conocimiento y la sabiduría o cuando se realiza magia.

- **Modron**

En la Rueda Celta del Año, Modron está asociada con el equinoccio de otoño, conocido como Mabon (el Niño Divino). Es la Gran Madre del Niño Divino. Muchos afirman que Modron y Rhiannon son las mismas deidades, teniendo en cuenta las similitudes de sus historias. Por ejemplo, el niño de Mabon fue secuestrado en medio de la noche, solo para ser devuelto después de soportar tanto castigo y sufrimiento.

Los dioses

Arawn

Annwn es el inframundo o el otro mundo, y Arawn es el rey de este mundo, que lo protege y pastorea las almas que lo cruzan. Hay una historia en la que Arawn paga una fechoría intercambiando cuerpos con el mortal Pwyll, un gran héroe humano. Aunque debió ser degradante para una deidad cambiar de forma con un humano mortal, acabaron haciéndose muy amigos. Cuando el cristianismo arrasó la tierra de Gales, deshaciéndose de las "viejas costumbres", el título de "dios" le fue revocado a Arawn. La caza siempre ha sido importante en la mitología celta, y muchos dioses participaron en la gran cacería. Arawn surcó los cielos con los demás cuando comenzó la cacería, y se ha asociado estrechamente no solo con la caza, sino con el festín que viene después de la cacería.

Bran

Bran es conocido popularmente como el dios galés bendito. Era un dios celta cuyo nombre se traduce como "cuervo". Mucha gente afirmaba que era un héroe bondadoso y un gigante. También se dice que fue deificado después de su muerte. Muchas leyendas lo ilustran como el hijo de Llyr (el poderoso dios del mar). El dios Manawydan y la diosa Branwen eran sus hermanos. Bran murió tras una brutal batalla; pidió a sus hermanos que lo decapitaran para poder llevar su cabeza al reino. La cabeza se comunicó con sus hermanos hasta que la pusieron en una colina donde se encuentra la actual Torre de Londres. La cabeza estaba destinada a mirar hacia Francia para cuidarse de cualquier peligro potencial. Si alguna vez los cuervos se van, la cabeza ya no estará protegida y el país podría caer en peligro.

Mabon

Mabon es la fiesta celta que celebra la llegada del otoño, el equinoccio otoñal. Mabon es también un dios y recibe el nombre de esta fiesta en esta época del año. No solo se conoce a Mabon en otras mitologías y religiones con diferentes nombres, sino que en la mitología celta se le conoce con muchos nombres diferentes. Es el Hijo de Modron y se le considera el dios de la juventud y del renacimiento. Como hemos mencionado anteriormente, Mabon fue secuestrado de su madre cuando solo tenía tres días de vida. El rey Arturo desempeña un gran papel en la mitología y la historia de Gran Bretaña. Cuando Mabon se convirtió en un hombre, los caballeros de Arturo lo salvaron. Es un hombre viejo pero joven al mismo tiempo, a caballo entre ambos, y está más presente en el equinoccio, cuando la noche y el día tienen la misma duración. Mabon monta su caballo con su sabueso a su lado, protegiendo los pulsos de la naturaleza.

Hafgan

¿Qué sería de un conjunto de deidades sin un complot para matar a otro? ¿Recuerda cuando explicamos que Arawn cambió de cuerpo con Pwyll? Hafgan siempre fue un rival de Arawn, y este aprovechó su oportunidad para eliminar a Hafgan cuando se produjo el cambio: Arawn pidió a Pwyll que asesinara a Hafgan. Tras el éxito de Pwyll, Arawn se hizo con el trono y unió los reinos en un único otro mundo.

Manawydan

Hijo de Llyr, esposo de Rhiannon y hermano de Branwen y Bran. Manawaydan se confunde a menudo con el dios Manannan Mac Lyr, el dios del mar de la isla de Man que, comparten algunas similitudes claras. Manawaydan ayudó a asegurar la cabeza de Bran en la Torre de Londres. Este dios celta galés se amplía en dos de las ramas de los Mabingoni. La tercera rama cuenta que salvó a Rhiannon de una maldición. No hay pruebas sólidas de que Manawaydan fuera un dios del mar. También fue representado como uno de los caballeros del rey Arturo en algunas leyendas artúricas.

Trabajar con las deidades y atraerlas a su vida

Las deidades son tan relevantes hoy como lo fueron en el pasado. Son figuras espirituales prominentes y sus relatos han tenido un impacto significativo en el mundo actual (más adelante se hablará de ello). Trabajar con ellas y atraer su energía a su vida puede ayudarle a mejorar su práctica espiritual. A continuación, le presentamos algunas formas de conectar con cada deidad celta galesa; quizá desee colocar elementos importantes en el altar:

- **Arawn**

Reserve algo de tiempo en el solsticio de invierno, cuando la noche es más larga. La energía de Arawn es probable que atraiga a los dueños de perros o a los que les gusta cazar.

- **Mabon**

Hay que honrar especialmente a Mabon cuando el día y la noche están equilibrados en el equinoccio de otoño.

- **Manawydan**

Para honrar a Manawydan, recuerde que ayudó a asegurar la cabeza de Bran y que estaba estrechamente relacionado con el rey Arturo. Busque objetos que puedan representar alguno de los dos o ambos.

- **Rhiannon**

Puede colgar ilustraciones de pájaros y caballos cerca de su altar y también incorporar sus colores: verde, morado y blanco.

- **Aeronwen**

La diosa galesa de la guerra aprecia los objetos de batalla; puede colocar un pequeño cuchillo u otra arma en el altar. El negro es un color en el que centrarse. También puede incorporar el número 3 en su altar.

- **Arianrhod**

Adore a la diosa lunar Arianrhod en la luna llena. Puede colgar fotos o cuadros de la luna alrededor de su altar o en su casa para honrarla.

- **Branwen**

Branwen fomenta el matrimonio lleno de amor, y el amor en general. Puede colocar fotos suyas y de sus seres queridos, flores (pertenecientes al amor y no a la muerte o la tristeza) y un espejo (para reflejar sus emociones felices y su belleza).

- **Cerridwen**

Si desea una atracción significativa de la energía de Cerridwen, debe utilizar un caldero. Asegúrese de dedicar este caldero a ella, y no lo utilice nunca si no está trabajando con su energía.

- **Modron**

Honre a este dios en el equinoccio de otoño. A esta deidad le encantan las manzanas y se le puede pedir ayuda con los problemas relacionados con la maternidad.

El impacto de los Mabinogi y la mitología galesa

Hasta el día de hoy, la mitología desempeña un gran papel en la historia y la cultura galesas. La bandera nacional de Gales tiene incluso la imagen de un dragón rojo, Y Ddraig Goch, considerada la criatura mitológica de Gales.

Como probablemente ya sepa, *El Mabinogi* se considera la fuente más destacada de cuentos populares y mitos. Abarca un total de 11 cuentos que se remontan a la Edad Media. El autor del Mabinogi es anónimo, pero los cuentos se han transmitido de una generación a otra. Dado que la narración es una tradición oral, cada narrador o grupo añadía su propia versión de los cuentos hasta que finalmente fueron escritos en la lengua galesa media y conservados en *El Libro blanco de Rhydderch* entre 1300 y 1325. Los mitos también se escribieron entre 1375 y 1410 en *El Libro rojo de Hergest*.

Estas historias trataban sobre los problemas y adversidades de las familias reales galesas, las plagas, un emperador romano, viajes, caballos blancos y criaturas místicas. Sin embargo, estos libros no se tradujeron al inglés hasta el siglo XIX. Una mujer de Lincolnshire se interesó por la lengua galesa y tradujo los cuentos al inglés. Poco después, llegaron a toda Europa y al resto del mundo.

Lady Charlotte Guest, la esposa del propietario de la herrería Dowlais, reunió los cuentos y los tituló *El Mabinogion*. Sin embargo, mucha gente pensó erróneamente que este título era el plural de la palabra *Mabinogi*. Un profesor emérito de la Universidad de Cardiff, Sioned Davies, tradujo el Mabinogion al inglés. Lo incorporó a los Oxford World Classics y continuó estudiándolo y enseñándolo durante la mayor parte de su vida.

El Mabingoni y el *Mabingonion* son de autores diferentes y fueron creados en épocas distintas, aunque todos fueron recogidos por Lady Charlotte Guest en una fecha conocida. Como hemos comentado, Las Cuatro Ramas del Mabingoni abarca la estructura y los matices de la mitología celta, incluyendo imágenes y conceptos como los caballos blancos, el cambio de forma y otros mundos mayores.

Las Cuatro Ramas incluyen las historias de Pwyll, príncipe de Dyfed, Branwen, hija de Llŷr, Manawydan, hijo de Llŷr, y Math, hijo de Mathonwy. Estos, junto con los otros siete cuentos, fueron recogidos en *El Mabinogion* por Lady Charlotte Guest. El Mabinogion, especialmente *Las Cuatro Ramas del Mabingoni,* influyó significativamente en la cultura y la literatura galesas. Piense en ellos como los Chaucer y Shakespeare de la literatura inglesa. Muchos elementos de estos cuentos se ven también en obras de importancia internacional, como *La guerra de las galaxias* y las obras de *Doctor Who* y *JK Rowling.*

Las Cuatro Ramas del Mabingoni se consideran más inspiradoras que la leyenda artúrica porque son más relacionables con el mundo actual porque tienen temas destacados como la amistad. Sus personajes son más relevantes para la actualidad.

Las obras también han sido traducidas a numerosos idiomas, como el húngaro, el alemán y el francés. La traducción inicial de Lady Guest permitió al mundo ver la grandeza de *El Mabinogion.* Desde entonces ha tenido un gran impacto en el paisaje cultural y en los cineastas, escritores, músicos y artistas. Algunos ilustradores como Alan Lee y Margaret Jones se interesaron por ilustrar los cuentos, mientras que artistas como Iwan Bala realizaron pinturas inspiradas en ellos. Junto con otros escritores, Jenny Nimmo también se inspiró profundamente en *El Mabinogion.* El impacto de los cuentos pudo verse en obras como *La trilogía Los magos y La araña de nieve.* Una ópera nacional galesa llamada El sacrificio también se basó en *La Segunda Rama del Mabinogi.* Escritores de renombre como Gwyneth Lewis, Owen Sheers, Russell Celyn Jones y Fflur Dafydd también trabajaron en una narración moderna de los cuentos a cargo de Seren Books, que fue una de las últimas adaptaciones.

Hay numerosos dioses y diosas galeses con cuentos notables. Invocarlos como parte de su práctica espiritual puede enriquecer su experiencia. Sus relatos han influido en el panorama cultural y han repercutido en las obras de numerosos cineastas, escritores, músicos y artistas. La mitología es increíblemente importante porque ha sido una forma pura de contar historias y una fuente de entretenimiento y educación desde el principio de la humanidad. A todos nos gusta escuchar y contar buenas historias, sean mitológicas o no.

Capítulo 7: Paganismo y druidismo en la actualidad

Dada la proliferación de las religiones monoteístas, seguida del secularismo generalizado en la mayoría de las sociedades, se le perdonaría a uno creer que el paganismo y el druidismo siguieron el camino de otras prácticas y creencias antiguas, desapareciendo para siempre en el éter. Sin embargo, es difícil eliminar por completo las religiones que han durado más de dos milenios. Por lo tanto, el paganismo y el druidismo siguen con nosotros hoy en día y han arraigado en sus encarnaciones modernas en varios países, concretamente en Occidente. No han desaparecido. Al contrario, muchas de las creencias y tradiciones centrales han calado en la cultura de tal manera que muchos pueden no darse cuenta del origen de esta tradición.

Simultáneamente, desde hace unas décadas se ha producido un renacimiento constante del paganismo y el druidismo, con nuevos adeptos que adoptan estas prácticas ancestrales en masa. Aunque los seguidores siguen siendo parte de un movimiento religioso bastante nicho, los números están creciendo. Las cifras y estadísticas exactas no están fácilmente disponibles, pero dado el creciente mercado de libros sobre el tema y las tiendas dedicadas a este "género" de magia, es fácil concluir que su popularidad va en aumento. Además, como se ha mencionado anteriormente, las costumbres de los druidas y los paganos están difundidas en toda la cultura y nunca han desaparecido del todo. Este capítulo dedicará tiempo a comprender cómo el paganismo y el druidismo toman forma en la actualidad.

Más que una simple fiesta

Muchas de nuestras fiestas más populares en la actualidad, o las formas específicas en que se celebran, tienen raíces paganas. Un ejemplo famoso es la Navidad. Por supuesto, la intención de esta fiesta es celebrar el nacimiento de Cristo, que es lo más alejado que se puede estar de las creencias paganas o druidas. Sin embargo, hay muchas pruebas históricas de que la Iglesia católica rehízo el solsticio de invierno pagano para atraer a la gente al cristianismo, y las tradiciones judeocristianas y paganas se han entretejido en la fiesta. Se desconoce la fecha exacta del nacimiento de Jesús, y no hay pruebas en la Biblia cristiana. El 25 de diciembre es una fecha aleatoria hasta que uno se da cuenta de que muy probablemente coincidió con muchas festividades que los paganos realizaban para celebrar el solsticio de invierno. Fue una intervención inteligente por parte de la iglesia para destetar suavemente a los paganos de sus prácticas religiosas y hacer que la nueva religión fuera más relatable y aceptable.

El siguiente, por supuesto, es Halloween. A diferencia de la Navidad o el solsticio de invierno, Halloween ha conseguido conservar gran parte de su carácter original. Tanto es así que muchos creyentes estridentes de las principales religiones monoteístas dirán que la celebración de Halloween es malvada y no tiene cabida en la vida cotidiana de los cristianos ni de los demás. Halloween, o Víspera de Todos los Santos, tiene su origen en la fiesta pagana de Samhain, que tiene lugar el 31 de octubre, y es un momento para honrar a los muertos. También se considera tradicionalmente un día espiritualmente desconcertante en el que la frontera entre nuestro mundo y el siguiente está en su punto más débil y poroso. Esta fiesta y muchas de las tradiciones que la acompañan son tan poderosas que los no paganos siguen celebrándola desde hace miles de años. Su popularidad ha seguido creciendo con el tiempo a escala mundial, manteniendo vivo un elemento vital de la religión pagana.

Por supuesto, la Pascua es otro excelente ejemplo de una fiesta con claras raíces paganas asumida para acomodarse mejor a las sensibilidades de una creciente población cristiana y de la poderosa iglesia. La Pascua es una encarnación más moderna del solsticio de primavera, y todo, desde la imagen del conejo de Pascua hasta el acto de encontrar huevos en un bosque, tiene profundas raíces en una cultura pagana.

Aparte de las principales fiestas, hay montones de tradiciones y supersticiones mundanas a las que nos hemos aferrado durante miles de años, aunque deriven de las creencias de paganos y druidas. Por ejemplo, nuestra singular obsesión por los gatos y todo lo que simbolizan tiene raíces en las creencias paganas, al igual que golpear madera para alejar la mala suerte o llevar coronas de flores en un festival de música de primavera. Todas estas son cosas con raíces paganas y creencias sagradas con una larga historia que continúa con nosotros hoy en día.

Neopaganismo

Muchas prácticas religiosas de los paganos, los druidas y otras religiones politeístas han revivido en los últimos años. Esta especie de "resurgimiento" se ha denominado neopaganismo, está en auge y presenta una forma clave en la que el paganismo y el druidismo han permanecido con nosotros. Al mismo tiempo, referirse simplemente a estas diversas tendencias de la espiritualidad como neopaganismo no reconoce los diferentes matices.

El neopaganismo se diferencia de estas diferentes prácticas en que se esfuerza por revivir auténticos rituales de la cultura antigua, a veces de forma aparentemente extraña o deliberadamente restauradora. Hoy en día, la mayoría de los individuos con sentimientos románticos hacia la naturaleza o que poseen profundas preocupaciones ecológicas se dirigirán al neopaganismo y a todos los rituales dramáticos y vibrantes que lo acompañan como la personificación misma de la naturaleza y la vida. Los días sagrados paganos y los motivos generales son fuentes de inspiración para los neopaganos y garantizan la pervivencia de elementos centrales en la vida de paganos y druidas.

Gran parte del neopaganismo tiene sus raíces en el movimiento romántico del siglo XIX. Incluso organizaciones como la Orden Druida

Británica tienen su origen en él, aunque afirmen tener un linaje más antiguo. Además, en lugar de centrarse únicamente en las costumbres de los paganos de Europa Occidental, los neopaganos son conocidos por adoptar otras tradiciones, como el Antiguo Egipto o las religiones africanas politeístas. Esto pone de manifiesto que decir que el neopaganismo es una extensión de las antiguas tradiciones paganas es una simplificación excesiva. No obstante, demuestra que algunas prácticas centrales siguen vivas y en buen estado hoy en día a través de este renacimiento de las antiguas prácticas espirituales.

El neopaganismo, tal y como se practica hoy en día, también tiene un lado oscuro. Hay bastantes grupos neopaganos asociados con el nacionalismo extremo, influenciados por individuos como Hitler, que creía profundamente en algunos rituales paganos que representaban la supremacía blanca. Incluso antes de la Segunda Guerra Mundial, ciertos grupos neopaganos expresaban sentimientos antisemitas y profundamente racistas, aunque, podría decirse que gran parte del neopaganismo contemporáneo es un subproducto de la década de los sesenta. Así pues, la gran mayoría de los neopaganos no adoptan del todo creencias negativas, sino que están más influenciados por el psiquiatra Carl Jung y el escritor Robert Graves. Amaban la naturaleza y no les interesaba en absoluto el nacionalismo de ningún tipo.

Muchos neopaganos quieren aclarar hoy en día que no deben confundirse con los wiccanos. Es fácil confundir ambas prácticas espirituales, ya que estos grupos honran las antiguas tradiciones en igual medida, pero sus actitudes y creencias varían considerablemente. La wicca es una forma de brujería contemporánea, y la brujería es solo un pilar del paganismo. Por lo tanto, la wicca es una tradición de la cultura pagana y fue fundada originalmente por Gerald Gardner en la década de 1950, pero no es en absoluto lo mismo que el paganismo. Esto se explicará con más detalle en la siguiente sección.

La wicca y la Regla de los Tres

"Si no hace daño a nadie, haz lo que quieras". ¿Le suena este adagio? Si es así, entonces está más al día en la comprensión de la Wicca contemporánea de lo que cree. Este dicho forma parte de la Rede Wicca, que, en esencia, es una declaración que proporciona el sistema moral clave en la religión wicca. Aunque otros neopaganos pueden identificarse con la rede, esta constituye principalmente la columna vertebral de la

wicca moderna y de otras creencias relacionadas basadas en la brujería.

La palabra "rede" significa "consejo" o "asesoramiento", lo que tiene sentido cuando se piensa en las implicaciones que hay detrás de este verso. Su objetivo es guiar a la bruja moderna para que utilice su magia sin hacer daño a los demás.

Llegados a este punto, probablemente se esté preguntando cómo se definen los wiccanos y cómo ven su relación con el paganismo antiguo y el druidismo. Aunque son una religión distinta y tienen su propio conjunto de prácticas y principios, los wiccanos se toman en serio los antiguos rituales y oraciones de los paganos. Han incorporado muchas facetas de ese sistema de creencias al suyo propio. Sin embargo, sus orígenes son muy modernos, y la forma en que ha entrado en la corriente principal es bastante específica de su historia.

Tal y como la conocemos hoy en día, la wicca parece ser o bien una religión hiperfemenina y Nueva Era con legiones de seguidoras, o bien algo más parecido a los adolescentes aterradores que aparecen en la película de culto de los años 90 Jóvenes brujas. Por supuesto, la wicca no se parece en nada a estos estereotipos comunes, aunque tengan cierta familiaridad. La religión se desarrolló en Inglaterra durante la primera mitad del siglo XX y fue introducida al público en 1954 por Gerald Gardner, que, irónicamente, era un funcionario británico jubilado. A pesar de su ocupación abotonada durante el día, Gardner cultivó un profundo aprecio por el paganismo y varios rituales antiguos, inspirándose en sus estructuras teológicas y prácticas para crear su giro del siglo XX en la religión.

Dado que la wicca no posee una figura central de autoridad, ni cree en lugares de culto centralizados como una iglesia o una sinagoga, ha habido un considerable desacuerdo sobre lo que constituye la wicca. Sus raíces han sido siempre objeto de debate, para bien o para mal, lo que dificulta que mucha gente aprecie plenamente lo singular que es esta religión.

En términos de teología, la wicca es una religión puramente dúo-teísta, que adora a una diosa y a un dios. Estos seres superiores son vistos típicamente como la diosa triple y el dios cornudo. Cada una tiene aspectos divinos específicos, y estas características tienen sus raíces en diversas deidades paganas a lo largo de la historia. Por esta razón, a veces se les denomina la gran diosa o el gran dios astado. La palabra "grande" denota que la deidad contiene otras deidades dentro de su naturaleza. Es una especie de huevo que anida, y esta distinción es importante para los wiccanos. También indica que la wicca fue creada como una adaptación de retazos de elementos más antiguos; muchos fueron tomados de religiones preexistentes o de movimientos paganos previamente desconectados entre sí.

Aunque Gardner trabajó en la formulación de esta religión, que comenzó a practicarse en la primera mitad del siglo XX, de sus escritos se desprende que nunca pretendió que fuera un renacimiento estricto del druidismo o del paganismo. Más bien, la wicca es una religión contemporánea que da prioridad a la brujería y proporciona un giro bastante contemporáneo a muchos preceptos paganos. Aunque los wiccanos celebran los cambios de estación y las fiestas más importantes son el solsticio de invierno o el solsticio de primavera, se diferencian de otros neopaganos por una forma específica de culto y oraciones o rituales recién escritos. En general, los wiccanos no pretenden revivir réplicas exactas de antiguas tradiciones y festividades. En cambio, presentan el paganismo a través del prisma de las preocupaciones y costumbres del siglo XX.

Sin embargo, una creencia que comparten los wiccanos, los neopaganos y otros ocultistas es la Regla de los Tres. Esta dicta que cualquier energía que una persona ponga en el mundo, ya sea positiva o negativa, le será devuelta por partida triple. Piense en ello como una versión occidental de creencias como el karma. Algunos practicantes creen que esta ley es demasiado estricta y defienden una ligera variación en la que el retorno sería menor que el triple, pero la idea general se entiende fácilmente.

La mayoría de los ocultistas han afirmado en sus investigaciones que la Regla de los Tres presenta una "recompensa o castigo directo ligado a las acciones de uno, particularmente cuando se hace magia". Los wiccanos, neopaganos, druidas y otros ocultistas discrepan ampliamente sobre cómo interpretar dicho principio. Algunos historiadores han ignorado hasta qué punto los distintos grupos creen en este adagio. Aunque se puede determinar con exactitud que la Regla de los Tres representa una de las creencias centrales de los paganos a lo largo de los siglos, no todos los wiccanos creen en ella. Por la misma razón, como no todos los neopaganos practican la brujería, puede que no encuentren mucha verdad en esta regla.

Ya sean más experimentados o nuevos en la fe, los wiccanos a veces debaten sobre la Regla de los Tres y la consideran una sobreinterpretación de la Rede Wicca. Otros aún debaten hasta qué punto es representativa de las creencias antiguas y si es una idea más moderna inspirada principalmente en la moral cristiana. Por otro lado, los wiccanos que creen firmemente en esta ley suelen recurrir a una pieza clave de la liturgia wiccana que Gerald Gardner imprimió inicialmente en la influyente novela de 1949, La *Ayuda de la alta magia.* Con todo, la Regla de los Tres no es tan atípica para las creencias antiguas, y existen diferentes iteraciones de esta idea básica en todo el mundo, ya sea como el concepto de karma, ampliamente creído entre los seguidores de la religión dhármica, o la más moderna "Regla de Oro".

Según la historia registrada, la Regla de los Tres fue mencionada ampliamente por el afamado brujo Raymond Buckland, quien prácticamente escribió el texto moderno sobre la religión wicca después de que Gardner oficiara la práctica espiritual. Antes de la innovación de Buckland, la idea misma de la ética recíproca en la wicca era nebulosa, mal definida y difícil de precisar. A cualquier consecuencia de la práctica mágica, ya fuera negativa o positiva, se le asignaba una comprensión general del karma y nada más. Existe cierto escepticismo dentro de la comunidad wicca sobre la aplicación de La Regla de los Tres a su práctica, ya que Buckland expuso la idea en 1968, una fecha difícilmente "antigua". Posteriormente, La Regla de los Tres se convirtió en la base de *La Rede Wicca,* publicada por Lady Gwen Thompson en 1975.

Los debates sobre la aplicación exacta de La Regla de los Tres y de La Rede Wicca, para el caso - son interminables. Sin embargo, el núcleo de estas ideas es compartido por muchos neopaganos y otras personas que se identifican como miembros del ocultismo. El núcleo de esta práctica espiritual se percibe como una línea vívida y minuciosa desde las creencias antiguas hasta el momento contemporáneo, que se hace tangible a través de la escritura y la redacción de la poesía.

Paganismo celta

Un grupo de personas con una enorme influencia en el mantenimiento y la configuración de la comprensión contemporánea del paganismo y el druidismo en la actualidad es el paganismo celta. Esta última iteración es muy diferente de las discutidas anteriormente, principalmente porque se adhiere más formalmente a una reconstrucción politeísta del neopaganismo celta. Hace hincapié en la exactitud histórica en lugar de romantizar los mitos o los rituales. Los seguidores también hacen hincapié en las preocupaciones teológicas específicas del druidismo en un esfuerzo más auténtico por revivir el modo de vida celta precristiano. Estos esfuerzos son bastante modernos, ya que se originaron en los escritos de eruditos aficionados y miembros de comunidades neopaganas a mediados de la década de 1980, cansados de lo diluidas que quedaron algunas de estas antiguas creencias. Aunque este movimiento está lejos de ser un monolito y cuenta con varios subgrupos y denominaciones, están unidos en la creencia de que hay que mantener el contexto cultural específico de los celtas.

Los paganos celtas creen que los rituales antiguos deben separarse de las encarnaciones cristianas que llegaron después. El folklore, los mitos y las leyendas son formas excelentes de introducir a la gente en las formas antiguas sin malinterpretarlas o salpicarlas con demasiadas interpretaciones contemporáneas. Creen firmemente en la belleza de estas antiguas tradiciones y en que sus ricos legados deben ser preservados para las generaciones futuras. Una línea profunda que recorre estas conversaciones entre los paganos celtas es el sentido de urgencia y el temor de que gran parte de la cultura antigua y las tradiciones únicas de los celtas corren el riesgo de desaparecer para siempre. Por ello, este sentido impregna todo su trabajo y su práctica específica del paganismo.

El movimiento tuvo sus orígenes en la década de 1980, pero se convirtió en un auténtico fenómeno en los últimos treinta años, dada la proliferación de Internet y los consiguientes foros en línea que permiten el debate libre y abierto entre paganos. Establecieron que una parte importante de su práctica espiritual es abogar por la protección de los sitios arqueológicos y sagrados celtas. Por ello, proyectos de construcción como la posible destrucción de la Colina de Tara en Irlanda hace unos años fueron noticia. Historiadores, archiveros y apasionados paganos celtas unieron sus fuerzas para organizar y protestar contra la construcción y trabajaron duro para establecer el sitio como un hito histórico digno de protección por parte del Estado.

Los paganos celtas no tienen muchos textos centralizadores propios y reconocen que la estructura de su sistema de creencias puede percibirse como un poco irregular dada la evidente ausencia. Aunque se esfuerzan por revivir estas prácticas religiosas y las creencias de los antiguos celtas con la mayor exactitud posible, siempre reconocen abiertamente que algunos aspectos son reconstrucciones. No pueden verificar la exactitud histórica de algunos de los rituales y tradiciones que se esfuerzan por revivir. Aun así, se toman en serio la supervivencia cultural y el estudio riguroso es una parte importante de su práctica. Aumentan sus creencias con el trabajo de eruditos y arqueólogos y restan importancia a las historias o mitos si no tienen pruebas, independientemente de que sean o no verificables por los historiadores.

Los grupos mencionados a lo largo de este capítulo se esfuerzan por preservar y mantener el legado de paganos y druidas a su manera. Aunque hay muchas diferencias, les une el deseo de rendir homenaje a las formas antiguas y mantener viva y floreciente una parte importante de la historia cultural.

Capítulo 8: Herramientas mágicas(k) y cómo utilizarlas

La palabra "magia(k)" no es solo una grafía de moda para la palabra magia, ni es una grafía asociada a los paganos o al druidismo. La magia(k) es magia específica utilizada para el bien. Generalmente, la magia se asocia con la negatividad que causa daño a los demás o con la alteración de las cosas para el beneficio personal. La magia(k) trata de ayudar a los demás mediante el uso de diferentes herramientas, hechizos y habilidades asociadas o conectadas con el reino espiritual. Este capítulo explorará las diferentes herramientas mágicas(k) y cómo se utilizan en las tradiciones wiccanas y paganas. También discutiremos la relación entre la magia(k) y el paganismo y profundizaremos en el proceso de la práctica mágica. Al leer este capítulo, conocerá el significado de los animales en las prácticas mágicas paganas irlandesas. Por último, descubrirá el papel que desempeñan los cristales en la magia y cómo puede seleccionar uno que se adapte a sus necesidades.

Herramientas mágicas

Cuando la gente se interesa por primera vez en cualquier forma de paganismo, se apresura a comprar todo tipo de herramientas mágicas que pueda tener en sus manos. Mucha gente no se da cuenta de que cada herramienta tiene un propósito significativo y específico; por eso hay que saber qué herramientas y artículos rituales comprar y para qué utilizarlos. Vale la pena señalar que muchos de estos artículos no son comunes en todas las tradiciones, y los que lo son no siempre se utilizan de la misma manera.

- **Altar**

Este libro dedica un capítulo entero a los altares y a su instalación para incorporarlos a su práctica espiritual, lo que significa su importancia en la práctica pagana. Los altares desempeñan un papel importante en los rituales y las celebraciones. En la mayoría de las religiones y mitologías, los altares se utilizan para honrar a los dioses, realizar rituales y ofrecer sacrificios. No es necesario que sea un altar artesanal; un altar en casa es tan sencillo como una pequeña mesa con sus utensilios y ofrendas. Puede cambiar el tema, las decoraciones y los objetos para que coincidan con la temporada que está celebrando. También puede dedicar un altar a la deidad que adora incluyendo sus imágenes, sus colores asociados, símbolos, etc. Algunas personas también tienen más de un altar en sus casas. Los altares ancestrales son muy comunes. Incluyen cenizas, fotos o reliquias de miembros de la familia que han fallecido. Tener un altar de la naturaleza tampoco es una práctica poco común. Mucha gente lo utiliza para exhibir objetos interesantes y raros que colecciona, como rocas únicas, conchas marinas seductoras e incluso trozos de madera con dibujos. Si tiene hijos a los que desea introducir en el concepto de espiritualidad y prácticas religiosas, puede hacer que le ayuden a montar el altar o incluso que creen el suyo propio en sus habitaciones.

- **Athame**

Un athame es una daga de doble filo que puede fabricar usted mismo o comprar ya hecha. Esta herramienta puede ser tan sencilla o tan adornada y personificada como usted desee. Muchos rituales paganos incluyen el uso de esta herramienta para dirigir la energía. El athame se utiliza sobre todo cuando se proyecta un círculo. También se utiliza como alternativa a las varitas. Esta herramienta no está pensada para ser utilizada para cortar objetos reales. Crear su propio athame puede ser un proyecto de bricolaje muy divertido. El proceso es tan sencillo o tan complicado como su nivel de habilidad para trabajar el metal. Por eso debe asegurarse de encontrar instrucciones en línea que se adapten a sus habilidades.

- **Escoba**

Las escobas de bruja no se utilizan para volar, sino para ayudar a limpiar una habitación. Una escobilla tradicional se conoce como escoba. Esta herramienta se utiliza para limpiar un lugar barriéndolo antes de un ritual. Cuando barremos una habitación con una escoba, estamos eliminando las energías negativas que residen en la habitación - una práctica que es esencial si se va a realizar una ceremonia o un ritual en la habitación. La escoba se asocia con el elemento Agua porque sirve como purificador. Muchos paganos tienen una gran variedad de escobas, ya que son muy fáciles de fabricar. Las escobas se pueden fabricar con casi cualquier material, pero si se trata de hacer una escoba tradicional, se utiliza el abedul para el cepillo y el roble o el fresno para el bastón.

- **Campana**

Las campanas son habituales en muchas ceremonias, tanto religiosas como no religiosas. Los espíritus son ahuyentados por ciertos ruidos, y el acto de hacer sonar una campana en una habitación o en un área más grande puede ahuyentar cualquier espíritu maligno o negativo en una habitación. Esto se debe al volumen de una campana y a la frecuencia con la que suena. Las vibraciones se mueven por una habitación y ayudan a despejarla. Puede encontrar otros instrumentos para ahuyentar a los espíritus malignos siempre y cuando haya una calidad de vibración. Aunque puede hacer sonar las campanas antes de realizar un ritual o una ceremonia, debe tratar de cerrar la ceremonia haciendo sonar la campana al principio y al final.

- **Velas**

Las velas son una de las herramientas más utilizadas en las prácticas y rituales paganos. No solo se utilizan para representar el elemento Fuego y como símbolo de varias deidades, como Badb y Brigid, las velas suelen ser también un elemento de trabajo de hechizos. Esto se debe a que se sugiere que las velas pueden absorber la energía personal de un individuo. Cuando la vela se quema, libera esta energía no deseada. Quizá le sorprenda saber que en algunas tradiciones se acostumbra a dejar la vela encendida durante un número determinado de días como parte del hechizo. Muchas personas creen que crear su propia vela la hace mucho más poderosa que las ya hechas. Por eso prefieren fabricar sus propias velas. Otros, sin embargo, creen que es la intención lo que puramente importa. Se centran en el inter que ponen en el hechizo en lugar de prestar mucha atención a la procedencia de la vela o a su fabricación. La mayoría de las tradiciones, sin embargo, se centran en los colores de la vela, ya que es un aspecto importante cuando se trata de magia con velas.

- **Pentáculo**

El pentáculo se utiliza en las prácticas paganas de mayo, pero no confunda el pentáculo con el pentagrama: suenan muy parecidos, pero son muy diferentes. Un pentagrama es una estrella de cinco puntas, mientras que un pentáculo es una losa plana con símbolos tallados en ella. La gente incorpora esta herramienta en la magia ceremonial y la utiliza como talismán protector. La mayoría de las tradiciones wiccanas y paganas también ven el pentáculo como un símbolo del elemento Tierra. Los paganos y los wiccanos suelen colocar esta herramienta en sus altares para sostener los objetos que van a consagrar como parte de un ritual. Los pentáculos pueden fabricarse fácilmente (todo lo que se necesita es una plancha de madera lijada y un kit para quemar madera) o comprarse en una tienda especializada.

- **Libro de las Sombras (BOS, por sus siglas en ingles)**

El Libro de las Sombras debe incluir toda la información mágica significativa que pertenece a la tradición y la práctica espiritual de su propietario. A pesar de lo que las películas y las novelas nos han hecho creer, no existe un único libro de las sombras. Se supone que el BOS es personal y único para su propietario, ya que sirve como cuaderno de notas de toda la información que creen que es crucial. Este libro puede contener rituales, hechizos, las reglas de la magia e información relevante, cartas de correspondencia, tradiciones y mitos, cuentos sobre las deidades, invocaciones y mucho más. Muchos paganos deciden pasar este libro de una generación a otra. Sin embargo, si no tiene un BOS transmitido por su tatarabuela, puede hacer uno usted mismo. Aunque le costará mucho esfuerzo confeccionarlo, debe disfrutar del proceso todo lo que pueda porque es muy personal. Tómese el tiempo necesario para pensar en lo que cree que pertenece a este libro. La creación de su propio BOS puede fortalecer su espiritualidad y hacer que se sienta aún más conectado a su tradición.

- **Caldero**

Los calderos, al igual que los cálices, son instrumentos muy comunes en las creencias y tradiciones orientadas a la diosa. Los calderos son muy femeninos y tienen forma de útero. Es un símbolo del recipiente de la vida. Al ser recipientes, los calderos están relacionados con el elemento Agua, y pueden utilizarse en muchos rituales y celebraciones. Utilícelos también en cualquier celebración en la que se busque el conocimiento. Son recipientes de agua, pero también son recipientes para otras cosas, como el conocimiento y la inspiración. Por ejemplo, puede utilizarlo para presentar ofrendas o quemar velas e incienso. Muchas diosas de diversas tradiciones también pueden ser representadas a través del caldero. También puede utilizarlo para mezclar hierbas y utilizarlas con fines mágicos. Mucha gente utiliza los calderos para adivinar a la luz de la luna tras llenarlos de agua. Si suele utilizar calderos para cocinar, asegúrese de dedicar uno aparte para sus prácticas mágicas. Muchas prácticas mágicas harán que su caldero deje de ser adecuado para cocinar.

- **Cálices**

Como acabamos de mencionar, el cáliz suele estar fuertemente asociado a deidades y arquetipos femeninos. También es un símbolo femenino que simboliza el útero y es representativo del elemento Agua. El cáliz se utiliza a menudo junto al athame en algunas prácticas. Al recrear el Gran Rito, simbólicamente, esta combinación es representativa de la Divina Femenina. Puede utilizar un cáliz de cualquier material, como estaño y plata, en su altar. También puede utilizarlo para ofrecer ofrendas a su deidad. Sin embargo, si va a ofrecer vino, debe tener en cuenta los metales no tratados. Los cálices de cerámica son ahora más populares y son fáciles de conseguir. Muchas personas utilizan cálices de diferentes materiales en función del ritual que lleven a cabo.

- **Herramientas de adivinación**

Existen numerosas herramientas y métodos de adivinación entre los que puede elegir para enriquecer su práctica mágica y espiritual. A muchas personas les gusta experimentar con diferentes tipos de herramientas de adivinación en lugar de ceñirse a un solo método. Sin embargo, es normal que se sienta más cómodo utilizando una herramienta de adivinación concreta o que sienta que es un área dotada por naturaleza. Es posible que algunos métodos simplemente no funcionen para usted. Por ejemplo, puede ser capaz de comprender de forma natural el tarot y las cartas del oráculo, pero sentirse completamente perdido cuando se trata de los pentagramas Ogham, y eso está bien. Algunos ejemplos de herramientas de adivinación comunes son:

- Numerología
- Cartas de tarot
- Monedas y libros del I ching
- Péndulos
- Aceites esenciales
- Cristales
- Signos y señales
- Escritura de la corriente de la conciencia
- La práctica de abrir libros en páginas al azar para recibir mensajes
- Mensajes de animales

- **Cristales**

Puede seleccionar e incorporar innumerables piedras en sus prácticas sanadoras y espirituales. Las piedras que elija para trabajar deben depender de sus intenciones. Por eso debe asegurarse de seleccionarlas en función de sus asociaciones y características, más que por su atractivo estético. Profundizaremos en este tema y cubriremos los usos y atributos de múltiples cristales más adelante en el capítulo. Las piedras de nacimiento también funcionan bien en las prácticas mágicas. Asegúrese de limpiar su cristal o piedra preciosa antes de su primer uso.

- **Túnica ritual**

Si quiere dar a sus rituales un toque más especial, puede llevar una túnica durante el proceso. Las túnicas rituales son muy fáciles de hacer y pueden llevarse en cualquier color y estilo, dependiendo de lo que exija su tradición o práctica. A muchas personas no les importa mucho lo que llevan puesto para realizar sus rituales. Después de todo, lo que importa es la intención. Sin embargo, llevar una túnica es significativo para otros porque lo consideran una forma de separar sus prácticas espirituales de las actividades mundanas de la vida diaria. Ponerse la túnica significa entrar en una mentalidad espiritual o pasar del reino físico al reino mágico.

- **Varita mágica**

Puede comprar una varita en una tienda especializada o hacer una tan sencilla o tan lujosa y decorativa como desee. Cuando pensamos en la magia, inmediatamente nos viene a la mente la imagen de una varita. Por muy estereotipado que suene, la varita es una de las herramientas mágicas más populares y utilizadas en el mundo de la wicca y el paganismo. Las varitas se crean para cumplir una amplia gama de propósitos mágicos, incluyendo la dirección de la energía a lo largo de los rituales. Las varitas representan el poder, el valor y, por supuesto, la energía masculina (después de todo, es un símbolo fálico). Las varitas se utilizan en el aire, por lo que están relacionadas con ese elemento. Los báculos pueden considerarse un tipo de varita, pero están conectados con el fuego, y esa es una distinción importante según lo que se quiera conseguir. Puede utilizar la varita para invocar a una deidad o consagrar una zona sagrada. Asociamos las varitas estrechamente con la madera (y también podría pensar en objetos o ingredientes infundidos en la madera), pero la madera no es el único material que puede utilizarse. Se puede utilizar casi cualquier material, y el usuario es más importante que el objeto. Muchos practicantes tienen una amplia colección de varitas, especialmente los que no utilizan athames.

- **Báculo mágico**

Al igual que el athame y las varitas mágicas, el báculo puede utilizarse con el propósito de dirigir la energía, según algunas tradiciones. Muchos wiccanos y paganos incorporan el uso del bastón mágico en sus ceremonias, rituales y actividades espirituales. Aunque no es una herramienta mágica vital, puede ser de gran ayuda, teniendo en cuenta que está vinculado a la autoridad y al poder. Algunos incluso creen que estas figuras divinas son las únicas que pueden llevar esta herramienta. Por otro lado, otras tradiciones permiten a todos los practicantes utilizar el báculo. Los báculos están más asociados a la energía masculina y al fuego, pero pueden utilizarse en lugar de las varitas y también pueden representar el aire en ocasiones. Al igual que muchas de las herramientas que hemos mencionado anteriormente, puede fabricar su propio báculo en lugar de comprarlo.

Paganismo y magia(k)

La idea de la espiritualidad y la magia está muy relacionada con las creencias paganas. Aunque los distintos grupos paganos tienen perspectivas religiosas diferentes, el marco subyacente que sirve de base a los fenómenos metafísicos y a las actividades mágicas es relativamente similar. Hay algunos principios básicos de esta filosofía. El primer aspecto es la implicación de los animales en la idea de dios y la idea de la magia. En segundo lugar, la incorporación de varios elementos naturales como espíritus: los espíritus del fuego, el agua, el aire y la tierra. En tercer lugar, el concepto de Dios no se limita a un solo dios, sino que hay un dios y una diosa y, en algunos casos, hay múltiples diosas. Por último, las prácticas espirituales o mágicas que se realizan pueden hacerse de forma individual o en grupo.

Las prácticas mágicas realizadas por los paganos se utilizan para una serie de fines. Los más comunes son:

- Para inducir a alguien en el aquelarre o grupo.
- Como celebración de la temporada.
- Para honrar a la deidad.
- Para ponerse en sintonía con la naturaleza.
- Para alcanzar la autorrealización.
- Para la sanación mágica.

El proceso de la práctica mágica se divide en tres partes que a veces no son tan fáciles de identificar. La primera es la fase de separación, la segunda es una fase de prueba y, por último, la reintegración.

Separación

La primera fase es la de separación. Se trata de diferenciar entre el mundo físico y el mundo espiritual. A diferencia de la mayoría de las otras religiones, los paganos no tienen un lugar de culto dedicado como una iglesia o un templo. En su lugar, el lugar sagrado de culto se crea en cualquier lugar en el que les apetezca adorar, y lo hacen siempre que desean adorar. La forma más común es a través de un proceso conocido como "proyectar el círculo".

Consiste en demarcar físicamente un espacio, normalmente en forma de círculo, utilizando cosas como sal, piedras o velas, y consagrar el espacio invocando a las entidades espirituales y a las deidades. En algunos casos, el trazado del círculo se realiza con herramientas mágicas y sagradas como una varita o un cuchillo ritual. Los practicantes piden a estas deidades que bendigan el espacio que han creado e invitan a la deidad al espacio para que lo bendiga con su presencia, y también piden a la deidad que les ayude en las prácticas que van a ejercer en ese espacio. La creación de un espacio sagrado es común entre todas las religiones paganas. Principalmente, la gente crea este espacio en su casa, pero para algunos festivales, lo crean en el exterior donde también pueden hacer una hoguera para ayudar en el proceso. Este espacio sagrado es una zona que se encuentra en la frontera del mundo físico y el espiritual sin formar parte de ninguno de ellos.

Prueba

La segunda parte del proceso es la actividad que tiene lugar dentro del círculo. Se conoce como la fase de prueba, ya que "pone a prueba" la fuerza del círculo. Las prácticas que tienen lugar dentro del círculo pueden variar mucho en función del objetivo del ejercicio. Sin embargo, todas las prácticas tienen tres partes bien diferenciadas. La primera parte consiste en elevar el nivel de energía o crear la energía necesaria. El segundo paso es dar a esa energía un propósito y cargarla hasta el nivel deseado. El último paso es enfocar y dirigir esta energía hacia el receptor.

Las diferentes prácticas que se realizan en el círculo dependen del resultado deseado y de lo que sea apropiado para ese evento en particular. Por ejemplo, en la fiesta de Beltane destaca el fuego y se celebra la fertilidad. Sin embargo, el espíritu del festival también se celebra de forma metafórica: escribiendo sus deseos y arrojándolos al fuego, para que sean entregados al universo y a los dioses. O el proceso de plantar semillas en macetas de tierra en el espacio sagrado para representar la plantación de semillas de alegría y felicidad en nuestro interior. También hay hechizos personalizados que se utilizan para cosas concretas como atraer dinero a la vida de uno, mejorar el amor en una relación o curarse de una lesión física o emocional. Por ejemplo, el practicante utilizará piedras y herramientas relevantes para potenciar el amor e inducir energía positiva.

Reintegración

Este es el último paso del proceso. Cuando la energía se eleva, las interacciones con las entidades y todo el proceso de creación de los resultados deseados se dirigen a la persona a la que van dirigidos. Al mismo tiempo, este es también el proceso en el que el practicante y el sujeto se conectan a tierra y "sellan" el portal que abrieron para conectar con el reino espiritual. Este proceso final es esencial para asegurar que la energía que se ha transferido al receptor de la energía dada a las herramientas utilizadas durante el proceso de adivinación se almacena de forma segura en ellas.

La conexión a tierra puede realizarse de dos maneras. La primera y más común es a través de la visualización. El practicante y el sujeto se visualizan formando parte de la tierra y reconectándose con el mundo físico. Las personas que practican la magia de los árboles suelen visualizar que están echando raíces en la tierra como un árbol echa raíces y consigue un agarre más fuerte en la tierra. También actúa como una forma de desechar el exceso de energía, ya que la tierra absorbe el exceso de energía disipada a través de las raíces.

La segunda forma es consumir alimentos y bebidas "bendecidos" que se cree que devuelven a la persona a su estado normal. Por lo general, esto incluye vino y pasteles, pero algunas personas también prefieren otras bebidas como una cerveza o un zumo sin alcohol. Los pasteles pueden ser de cualquier tipo, y algunas personas prefieren un producto horneado salado. A continuación, se desmonta el círculo y se agradece a las entidades que estuvieron allí para ayudar en el proceso.

Los animales y la magia

Los animales también ocupan un lugar especial en el paganismo irlandés. En algunos casos, se utilizan metafóricamente y, en otros, tienen una presencia física en las prácticas. Uno de los conceptos animales más comunes en el paganismo es la idea del animal de poder. También conocido como animal tótem o animal espiritual, es cuando una persona se identifica con un determinado animal como su guardián espiritual. De forma similar a cómo la gente encuentra guardianes espirituales del reino espiritual que son otras entidades, los animales tótem toman la forma de un animal y desempeñan el mismo papel. Otro concepto que resuena con los animales espirituales es el de "Familiares". Un familiar animal se identifica como un animal con el que una persona tiene un vínculo especial o con el que siente una fuerte conexión. Los familiares son animales físicos que existen en el mundo real, pero tienen un espíritu que pertenece al mundo espiritual. La persona conecta con ellos a un nivel mucho más profundo.

Se utilizan partes de animales en diversos rituales y en el proceso de lanzamiento de hechizos. Por lo general, cosas como la piel de una serpiente, la mandíbula de una cabra, la cornamenta de un ciervo o incluso la piel de un gran gato pueden utilizarse en las prácticas espirituales. A menudo se fabrican herramientas con estos objetos, como mangos de cuchillos hechos con los huesos de un animal, o un chal hecho con la piel de un animal. En otros casos, se utilizan partes del animal directamente en el proceso mágico, la piel de una serpiente. Además, la mayoría de estos objetos se recogen en lugar de cazar al animal solo para obtener una parte específica. Pueden recogerse de animales utilizados como ofrenda a los dioses, animales que han muerto de forma natural o cosas que los animales dejan de forma natural, pieles desprendidas o cuernos rotos.

Los pájaros también ocupan un lugar muy importante en la magia. Algunos se consideran una señal de malas noticias, de peligro o incluso del comienzo de una catástrofe natural. Otros se consideran mensajeros que entregan un mensaje del mundo espiritual. El reto consiste en descifrar correctamente lo que dicen y utilizar ese conocimiento para su propósito. Entre las aves, el búho es una de las más importantes. El búho ocupa un lugar especial en muchas culturas, pero en el paganismo se asocia a la diosa Atenea. Simboliza la sabiduría y el conocimiento de la diosa.

Cristales y magia

No es necesario tener accesorios como hierbas, varitas y cristales cuando se practica la magia. Sin embargo, estos activos pueden mejorar enormemente la eficacia de su magia. Si hay algo en lo que puede invertir, o si está empezando a incursionar en los accesorios mágicos y quiere algo que tenga un impacto tangible en sus prácticas, tienen que ser los cristales. Aquí tiene algunos de los mejores cristales que puede considerar y sus beneficios.

• **Cuarzo transparente**

De todos los miles de cristales diferentes disponibles, el cuarzo transparente debería ser su elección si tuviera que elegir uno solo. Es una piedra neutra y puede utilizarse prácticamente para todo, especialmente si consigue una piedra de cuarzo transparente con punta. Este cuarzo puede ser una herramienta muy poderosa. Lo mejor del cuarzo transparente es que funciona muy bien con otros accesorios. Puede amplificar la potencia de otras herramientas que esté utilizando. Así que, tanto si tiene otras piedras, hierbas o cualquier otra cosa para usar, se amplificará usando el cuarzo transparente. Puede utilizar esta piedra para la meditación, la terapia, la magia e incluso la protección.

• **Citrino**

El citrino forma parte de la familia del cuarzo y, al igual que el cuarzo claro, es un cristal muy poderoso. Sin embargo, esta piedra tiene un tono anaranjado brumoso y a veces amarillo y es especialmente eficaz para la limpieza y otros procesos de curación. Es una piedra con la capacidad de absorber la energía de su entorno, por lo que es fantástica para limpiar un espacio, sus otras piedras y herramientas mágicas(k), e incluso para limpiar las influencias negativas de su hogar. Además de la limpieza, esta piedra se utiliza para mejorar su capacidad psíquica, lo que la convierte en una gran piedra para tener cuando se medita o para cosas como el viaje astral.

• **Cuarzo rosa**

La piedra de cuarzo es un potente cristal para la magia, y las diferentes variaciones son buenas para cosas específicas. Por ejemplo, el cuarzo rosa es extremadamente bueno para el amor, las emociones e incluso el trabajo espiritual. Este es el cristal que debe utilizar si está realizando hechizos basados en las emociones y, concretamente, en el amor. Es un cristal muy enraizado, por lo que también puede utilizarse para manejar situaciones con una energía emocional intensa. Por ejemplo, esta es la piedra que debe utilizar si está tratando de difuminar un asunto entre dos personas o ayudando a una persona a obtener más claridad y paz en su mente.

• **Ámbar**

El ámbar es una piedra muy poderosa si busca algo que le ofrezca protección. A menudo se asocia con el sol debido a su color. Sin embargo, también tiene una profunda relación con la Tierra. En realidad, el ámbar no es un cristal, sino savia de árbol fosilizada, lo que significa que ha pasado millones de años bajo tierra y es un producto de las plantas y no de la piedra. Por esta razón, tiene una conexión muy poderosa con la tierra y hace un tremendo trabajo como piedra de conexión a tierra.

- **Malaquita**

Esta es una de las piedras favoritas de las brujas verdes, sobre todo por su color. Sin embargo, otros pueden utilizarla, y es estupenda para la meditación e incluso para protegerse del peligro. Se asocia comúnmente con la conciencia y se utiliza a menudo para cosas como la adivinación y la comprensión a un nivel más profundo. Es una de esas piedras que pueden llevarse a diario y utilizarse para prácticas dedicadas y rituales de conexión a tierra.

- **Obsidiana**

Esta es otra de las piedras favoritas de las brujas, ya que también era la piedra favorita de la diosa de las brujas, Hécate. Aunque esta piedra se asocia con la protección y puede absorber todas las formas de energía, también se suele utilizar para los espejos de adivinación. La obsidiana es una gran fuente de energía y se la conoce como una piedra muy poderosa en gran parte debido a sus orígenes. La obsidiana nace de las erupciones volcánicas y, por tanto, se asocia con el fuego. Si practica la magia de destierro, esta piedra le será muy útil.

- **Ojo de tigre**

Al igual que el animal por el que se le conoce, el ojo de tigre se utiliza como fuente de fuerza, valor y fiereza. Es ideal para las personas que desean mejorar su autoestima y necesitan un impulso de energía positiva. Es una piedra polivalente que funciona excepcionalmente bien en combinación con otras piedras; el cuarzo blanco amplificará su energía. También se puede emparejar con la obsidiana negra para darle una defensa increíblemente holística.

- **Piedra de sangre**

La piedra de sangre recibe su nombre no porque sea roja. En cambio, es una piedra verde con motas de rojo en ella. Esta piedra es excelente si está trabajando en su salud o en la de un paciente y también puede usarse como protección.

- **Piedra de luna**

De color blanco lechoso y regida por la luna, esta piedra es excelente para todo lo relacionado con la intuición, la conciencia, los sueños y los asuntos generales de la mente. Esta piedra también puede utilizarse en lugar de otras piedras, como el cuarzo, la amatista o la piedra de sangre.

Puede comprar fácilmente estas piedras en su tienda local de metafísica o incluso encontrarlas en su joyería local. Sin embargo, tenga en cuenta que las piedras que encuentra o que le regalan tienen más poder que las que compra en una tienda. Además, si tiene estas piedras en forma de collar o pulsera, puede seguir utilizándolas para su brujería.

La práctica de la magia(k)

Además de los componentes principales de la práctica de la magia(k), como los cristales o los animales, hay otros componentes que lo hacen posible. Tanto si está lanzando hechizos como realizando una limpieza espiritual, puede utilizar diferentes herramientas para obtener un mejor efecto.

Uno de los instrumentos más importantes para los brujos que practican la magia(k) es una varita. Por lo general, está hecha de cristales, como el cuarzo o la ammolita, y viene en una variedad de tamaños y formas. La forma más común es en forma de bastón y de 15 a 20 centímetros de largo con un extremo romo o puntiagudo. Las varitas puntiagudas se suelen utilizar en las prácticas en las que hay reflexología o si el practicante quiere concentrar la energía en un punto concreto. Las varitas romas se suelen utilizar en prácticas de limpieza y en situaciones en las que la piedra transfiere energía a zonas más amplias, como una habitación de una casa o un grupo de personas.

Como hemos mencionado anteriormente, los altares también son un equipo esencial que hay que tener; se hablará de ellos con gran detalle en el próximo capítulo. Puede tener un altar especialmente diseñado para practicar la magia y otras prácticas sagradas o utilizar un altar improvisado con cualquier mesa elevada de su casa. Los altares suelen estar decorados con elementos sagrados, como textos sagrados u objetos utilizados como símbolos. Lo que coloque en su altar depende totalmente del propósito del hechizo o del ritual.

También debe utilizar la sal para demarcar una zona para las prácticas mágicas. Algunas personas prefieren demarcar una zona cavando una zanja poco profunda alrededor del área o utilizando velas. La sal funciona especialmente bien, ya que su energía es excelente para mantener alejadas las fuerzas no deseadas, y también ayuda a retener toda la energía dentro de ese espacio. También debería tener algunas velas para su práctica mágica. En algunos casos, esto se utiliza para definir el área. En otros casos, el fuego y la luz son ingredientes utilizados en el proceso.

Cómo puede iniciarse

La mayoría de las cosas que necesitará, como la sal, los cristales o las hierbas, son artículos que puede conseguir fácilmente en su ferretería o tienda de comestibles local. Si busca algo muy particular y no está disponible en su localidad, siempre tiene la opción de hacer un pedido en línea. A medida que el paganismo, en todas sus formas, se hace más popular y la gente de todo el mundo se interesa por esta filosofía, aumenta la demanda de herramientas y equipos. Muchos vendedores de todo el mundo fabrican estos artículos, y muchos son brujos consumados a los que les gusta fabricar a mano muchos productos. Las versiones artesanales pueden ser un poco caras, por lo que no hay nada malo en conseguir una opción más económica si está empezando. Determine si realmente le gusta, entonces consiga una versión de mayor calidad. Como punto de partida, analice lo que quiere hacer y los hechizos que quiere practicar y consiga un equipo que se ajuste a esas necesidades. Algunas cosas, como los cristales de cuarzo, pueden utilizarse para muchas cosas, por lo que siempre es una buena inversión. Si quiere hacer cosas muy específicas, averigüe lo que necesita e invierta en consecuencia. Además, asegúrese de limpiar todo su equipo después de usarlo y de refrescarlo antes de cada uso.

Capítulo 9: Cómo montar un altar pagano

Para practicar sus rituales paganos, necesita un espacio especial, y puede conseguirlo creando un altar. Si quiere crear un altar, hay diferentes pasos que puede seguir. Este capítulo describe el significado de un altar pagano irlandés o galés y los consejos para construir uno. También habla de las diferentes herramientas que puede colocar en el altar y su propósito.

Significado de un altar pagano

Un altar pagano es un espacio sagrado donde se colocan los objetos espirituales que se utilizan para el ritual, los hechizos, la meditación, las oraciones, las visualizaciones, la adivinación y la conexión con la deidad.

Los paganos utilizan este espacio, también llamado santuario, para realizar su trabajo ritual. Un altar es un lugar personal en el que un practicante coloca diferentes artículos rituales. Este lugar se utiliza principalmente para los trabajos de hechizos religiosos. Si no puede realizar sus rituales en el exterior, puede crear un santuario dentro de su casa.

Suele ser una plataforma o estructura elevada que se utiliza para la oración o el culto. Los practicantes de la wicca suelen encontrar varios objetos simbólicos y funcionales que se utilizan para adorar a la diosa y al dios, decir cánticos y oraciones y lanzar hechizos. También puede utilizar su altar para conectarse con el mundo espiritual de diversas formas. Puede utilizar esta plataforma para realizar rituales, como la celebración de ciclos estacionales, la devoción a una deidad o los ritos de paso. Los elementos que utilice para decorar su altar dependerán de sus gustos y preferencias. Por ello, es una excelente idea que su altar refleje su espiritualidad.

Su altar puede ser de cualquier tamaño o forma, y usted elige el material que desee. Mucha gente cree que la madera es el mejor medio, ya que proviene de la tierra. Sin embargo, la piedra y el metal también funcionan bien para su altar. Aunque no existe una estructura universal del altar, se suele creer que el lado izquierdo es la zona de la diosa. En esta zona se colocan símbolos femeninos como cálices, cuencos y otros símbolos que representan a las diosas y estatuas. Por otro lado, el lado derecho está destinado a los dioses, y aquí se colocan símbolos como la varita y el athame. La estatuilla del dios y su vela también se encuentran en el lado derecho del altar.

La zona central del altar se conoce como el espacio de trabajo o ambas zonas. El caldero asociado a los cuatro elementos se coloca en el centro. Debe saber que la práctica pagana irlandesa está pensada específicamente para construir una relación. Puede conseguirlo presentándose con constancia en su altar y realizando allí su trabajo religioso. Sin embargo, no debe ser un trabajo duro. Por el contrario, debe ser algo que le conecte con su dios o diosa.

Cómo hacer su altar pagano

Antes de crear su altar, lo primero que debe hacer es decidir si quiere algo permanente o temporal. Puede crear un altar para desmontarlo y guardarlo en un lugar específico. Otra cosa que debe considerar es la ubicación de su lugar sagrado. Puede colocar su altar en cualquier lugar, y otras personas tienen santuarios naturales al aire libre. También puede llevar su altar portátil a su jardín o al interior de la casa si tiene espacio suficiente.

Lo bueno de crear un altar natural es que le ofrece una estrecha conexión con la madre naturaleza. Si no tiene un jardín, cree un altar en el interior, pero asegúrese de que dispone de una habitación donde pueda colocarlo. Elija un rincón de su dormitorio donde pueda crear un lugar especial para realizar sus rituales. Un dormitorio es una habitación privada, y es fácil relajarse en esta habitación cuando se está solo.

Cuando haya elegido el lugar apropiado para su altar, asegúrese de determinar el tamaño y la forma del mismo. Puede conseguir una cómoda, una mesa o cualquier plataforma móvil. Cuando elija una cómoda, utilice los cajones como almacén para los artículos que necesite para sus rituales, como encendedores, velas y otros. Al practicar el paganismo irlandés, el fuego es un componente fundamental. Siempre que realice sus ritos, asegúrese de tener alguna forma de llama, normalmente obtenida de las velas. Su espacio también debe tener un lugar para colocar sus velas y garantizar la seguridad.

Debe tener algo que represente ese lugar para crear una conexión. Encuentre algo que represente a una deidad, no se vea en el aprieto de intentar encontrar una estatua o un cuadro perfecto. Eso no existe, ya que los dioses son sin forma y carecen de figura. Por lo tanto, cualquier cosa que le ayude a visualizar a su dios puede ser de gran ayuda para construir una relación sólida.

Cuando diseñe su altar, debe empezar ciñéndose a lo básico. Si quiere construir el altar desde cero, asegúrese de conseguir los materiales adecuados a los que pueda dar forma en las estructuras deseadas. Es importante empezar con elementos sencillos y desarrollarlos con el tiempo. Desarrolle constantemente su altar en función de sus necesidades. Intente crear algo que resuene con sus intenciones y consiga cosas que tengan sentido y sean especiales para usted. Haga adiciones a su altar en función de sus necesidades cambiantes.

¿En qué dirección debe mirar un altar pagano?

Para algunos, la dirección del altar no importa ya que puede estar orientado hacia cualquier lado. Sin embargo, otros consideran oportuno que los altares estén orientados hacia el este, ya que es por donde sale el sol. En la mayoría de las tradiciones, el sol se asocia a la aportación de nueva vida o al aire y a su mantenimiento. Al salir, proporciona la energía necesaria para realizar diferentes cosas. Cuando su altar está orientado hacia la dirección este, está apreciando su poder y ayudando a crear una fuerte conexión con la naturaleza. El noreste es otra dirección popular entre la mayoría de los paganos, ya que es simbólica en su tradición.

Se cree que la mayoría de los rituales están asociados a la dirección norte, ya que representa la tierra. Una opción es conseguir una brújula portátil para situar su santuario en la dirección adecuada. Se cree que la dirección sur simboliza el fuego, mientras que el agua es para el oeste. El centro representa el espíritu. Sin embargo, puede poner su altar orientado hacia cualquier dirección que crea que le funciona. Lo más importante es que el altar debe estar en un lugar donde pueda verlo y conectarse con él todos los días. Todos tenemos intenciones diferentes, así que no copie a los demás. Algo que funciona para otra persona puede no funcionar para usted. Dé prioridad a sus necesidades y crea en sí mismo.

Si su altar consta de objetos pesados, lo mejor será construir uno permanente. Otras zonas a tener en cuenta son los cajones, los tocones de los árboles, las bandejas y los alféizares de las ventanas. Asegúrese de que el espacio está libre cuando decida construir una plataforma exterior. Utilice su intuición para elegir una zona ideal para su santuario. Seleccione los elementos correspondientes para utilizarlos en sus ritos cuando la plataforma sea inamovible.

Elija el estilo de su altar

Hay muchos estilos diferentes de altares, por lo que su estilo debe estar muy influenciado por el paganismo celta y otros elementos como las deidades. Para el paganismo irlandés y galés, hay símbolos específicos con los que debe familiarizarse y saber cómo pueden ayudarle a conseguir sus objetivos. También debe considerar su práctica y cómo el altar reflejará su espiritualidad. Un altar cuidadosamente diseñado mejora la apariencia de su lugar. Si el diseño es un componente esencial para usted, elija algo bien elaborado.

Elementos a utilizar para la diosa

Al montar un altar pagano, es esencial determinar los artículos que utilizará para el lado de la diosa. Este lado representa lo divino femenino, la luna, el cerebro derecho, la inconsciencia y la noche. Por lo tanto, los componentes de la diosa difieren de los utilizados para el lado del dios. Debe conseguir una vela con el mejor color que crea que representa a la diosa. Si practica el paganismo, debe comprender el significado de la luz. Los colores para el lado de la diosa incluyen el verde, el azul, el púrpura y el plateado. Investigue primero para conocer sus intenciones y cómo puede conseguirlas.

Las bolas de cristal o las herramientas de adivinación son otros componentes vitales que debe añadir cuando monte su altar. Los cristales vienen en varias formas y desempeñan diferentes funciones. Por lo tanto, cuando elija los cristales, asegúrese de que se alinean con sus intenciones y entienda cómo utilizarlos. Una estatua es otro componente vital que puede añadir a su altar, ya que representa a la diosa. Hay varias formas de diosas disponibles, como Isis, la diosa de la luna, o los animales tótem. Si no consigue una estatua, busque un dibujo o una imagen de su diosa preferida. También puede utilizar otros animales lunares siempre que se ajusten a sus intenciones. Otras cosas que representan los elementos femeninos son el agua, como las conchas marinas, un cuenco de agua, un caldero o el cristal de mar. Algunos de los elementos de la tierra incluyen objetos de color marrón o verde, por ejemplo, plantas, piedras, huesos, tierra y flores. Dependiendo de su intención y de su práctica espiritual, puede conseguir tantos objetos como desee.

Elementos a utilizar para el dios

Al igual que el lado de la diosa, también debe encontrar artículos apropiados para el lado del dios de su altar. El lado del dios simboliza el divino masculino, el sol, los elementos del aire y el fuego, la conciencia, el día y la mitad derecha del cuerpo o el cerebro izquierdo. Algunas de las cosas que puede querer poner en el lado del dios incluyen una vela grande con cualquier color de su elección. Algunos colores a considerar son el amarillo, el rojo, el naranja o el dorado. Deben reflejar sus intereses y otras cosas que quiera conseguir.

Una estatua es otro elemento importante que debe añadir a su altar. Puede utilizar un tótem animal masculino o una imagen solar. Los dos elementos masculinos que puede incluir son los colores rojo o naranja, una varita o athame, incienso, velas, dientes o garras. Sin embargo, asegúrese de no herir a los animales para obtener estos elementos. Incluya también un quemador de aceite o ceniza y plumas. Las herramientas de adivinación para poner en el lado de los dioses también son esenciales para su altar.

Su práctica espiritual diaria determinará las herramientas que necesita para sus ritos. Otros objetos especiales y sagrados pueden incluirse en la lista de artículos para poner en el lado del dios. Los artículos vienen en diferentes formas y tamaños, así que consiga algo que se adapte a su altar. Si su santuario es pequeño, asegúrese de conseguir herramientas portátiles para ponerlas en los diferentes lados de los dioses.

Elementos para colocar en el centro del altar

El centro del altar es crucial, ya que representa el núcleo de su espiritualidad. Es el patrón o la matrona de su deidad con la que trabaja la mayor parte del tiempo. Es importante conocer las deidades con las que quiere trabajar para conseguir los artículos adecuados. Utilice cristales, velas o calaveras, y asegúrese de conseguir algo muy importante y poderoso para representar el elemento espiritual. Estos artículos deben ser de color blanco, arco iris, violeta o púrpura, ya que estos colores consisten en una gran energía. Su signo zodiacal debe determinar la vela para el centro del santuario.

Si tiene un pentáculo que representa la tierra, inclúyalo en el lado de la diosa. Un libro de la sombra es otro elemento crucial que puede colocar en el centro del altar. Un athame y una varita pueden colocarse en el lado de la diosa de su altar. Si el altar no es muy grande, elija componentes críticos solo para desordenar su espacio. Lo más importante es que consiga cosas que pueda utilizar, y que además aporten valor a su vida. Consulte siempre su libro de vida del paganismo para conseguir las cosas adecuadas.

Elementos adicionales para colocar en su altar

Los elementos que coloque en su altar dependen principalmente de sus intenciones y preferencias personales. Cuando establece su lugar sagrado para realizar sus rituales, sabe lo que quiere conseguir. Por lo tanto, siéntase libre de incluir cualquier cosa que crea que le ayudará a alcanzar sus objetivos deseados. Añada popurrí o hierbas a su altar. Puede añadir muchos tipos diferentes de hojas a su lugar de culto, y estos dependen de sus intenciones. Además, incluya cristales, ya que también vienen en varias formas. Antes de adquirir las piedras, asegúrese de conocer su propósito.

Las cartas del tarot o del oráculo son algunos de los elementos que puede añadir a su altar pagano. Las cartas constan de diferentes imágenes y diseños y suelen utilizarse para la meditación. También puede utilizarlas para la adivinación si quiere saber lo que puede ocurrir en el futuro. Si su altar es grande, añada una pequeña caja que pueda utilizar para guardar sus objetos sagrados. Los objetos de hechizo son cruciales, ya que desempeñan un papel en las diferentes formas de magia que pretende realizar. Los talismanes y las joyas mágicas son otros objetos que puede incluir al crear su altar.

Dado que puede utilizar su altar para varias funciones, siéntase libre de añadir cualquier cosa divina y significativa. Incluya una escalera de bruja o cuelgue un amuleto para obtener energía y protección si es posible. Sin embargo, debe tener cuidado de no abarrotar su altar con cosas que no vaya a utilizar. Si no conoce la función específica de un componente, mejor no lo añada a su espacio sagrado. A medida que aumenten sus necesidades, puede añadir los elementos, pero investigue primero para conseguir los ideales.

En este capítulo se han tratado diferentes elementos a tener en cuenta a la hora de montar un altar pagano. Debe saber que cada persona tiene un enfoque diferente a la hora de crear su espacio sagrado para los rituales. Dependiendo de sus intenciones y necesidades, puede utilizar cualquier método con el que se sienta cómodo. Asegúrese de poner los elementos apropiados en este espacio sagrado, ya que los necesitará para los rituales, los hechizos, la meditación, las oraciones, la adivinación y la conexión con las deidades. Todos estos componentes deben estar en el lugar adecuado antes de comenzar sus ritos.

Capítulo 10: Hechizos y rituales paganos sencillos

Los paganos utilizan diferentes rituales y ceremonias para celebrar o conmemorar muchos aspectos de la vida. Este capítulo destaca los hechizos y rituales paganos sencillos que puede probar si es un practicante. También proporciona las instrucciones paso a paso y los ingredientes para cada receta. Algunos rituales y hechizos comunes están pensados para el amor, la protección, la suerte, la abundancia y otros.

Rituales de Beltane

En la tradición celta, cada año consta de dos mitades, una que representa la oscuridad y la otra la luz. El final de la estación oscura anuncia la llegada de la mitad luminosa del año y se acompaña de celebraciones conocidas como Beltane. El 1 de mayo es la fiesta más importante y más grande y se celebra en Irlanda y Escocia. La celebración de Beltane implica muchos rituales, y la mayoría incluyen el fuego. Durante este periodo, se creía que los seres sobrenaturales estaban activos y que sus poderes podían pasar libremente al mundo de los mortales.

Estas celebraciones tenían por objeto recordar a los agricultores cuándo debían sembrar y cuándo cosechar durante el periodo antiguo. En otras palabras, los festivales de Beltane marcaban acontecimientos importantes del calendario para señalar el regreso de la luz. Estas celebraciones iban acompañadas de varios rituales que se explican a continuación.

Rituales del fuego

El fuego desempeñaba un papel fundamental en estos rituales de Beltane, ya que simbolizaba el regreso del sol después del invierno. También se creía que el fuego tenía una magia simpática que podía mejorar el crecimiento de las cosechas y los animales. El humo protege, y una hoguera significa mucho humo. El fuego es también el gran protector y proveedor, y las cenizas tienen poderes protectores imbuidos en ellas. Por eso bailar alrededor de una hoguera ha sido tan frecuente en muchas culturas a lo largo de la historia. Los humanos a veces saltaban sobre las llamas.

Los fuegos domésticos se encendían con las llamas obtenidas de la hoguera central. En algunos casos, se utilizaba sangre de animales como sacrificio a los dioses. Las hogueras también marcaban los acontecimientos importantes del año, como la salida de los animales a pastar, y formaban parte de la celebración de estos eventos. Había lugares especiales donde se celebraban las principales fiestas cada año, y los rituales se realizaban para proteger a los animales, las personas y las cosechas. También estaban destinados a fomentar el crecimiento.

Los fuegos en los fogones en el interior de las casas no debían salir al exterior, ya que se creía que arrastrarían la suerte. Las hogueras se apagaban durante las celebraciones de mayo y se volvían a encender con las llamas de la hoguera principal. A partir de entonces, no se permitía que las hogueras se apagaran. Durante este periodo, cuando se realizaba el ritual, se instaba a la gente a rechazar peticiones, evitar a los extraños y ofrecerse a compartir cualquier cosa. El ritual del fuego estaba destinado específicamente a proteger las fortunas personales y otras pertenencias. El vínculo entre los mortales y los inmortales era muy estrecho, por lo que no se esperaban cuestiones como la muerte o las heridas.

Rituales de agua y flores

Se creía que el agua obtenida de los pozos locales era muy potente, y también se decía que las flores que rodeaban estas fuentes sagradas eran reconstituyentes. También se creía que el rocío de la hierba del Día de Mayo proporcionaba una cura para todo el año. Según los practicantes, caminar sobre el rocío o utilizarlo para lavarse la cara ofrecía poderes curativos. Las flores se recogían durante las celebraciones y se utilizaban para decorar los altares y otros lugares sagrados. Las flores amarillas pueden alejar a los espíritus malignos, de los que se dice que no les gusta el color brillante. También puede ser que las flores amarillas contengan los poderes y el espíritu de las deidades, y los espíritus malignos son repelidos por ese poder.

Rituales y amuletos de buena suerte

Las celebraciones del mes de mayo suelen estar relacionadas con la cosecha y la abundancia, lo que aporta alegría y felicidad. Los rituales se utilizan para la suerte y la protección contra las fuerzas imprevistas. Es bueno que tanto poder provenga de las celebraciones y los rituales en esta época del año, ya que se observa que entre la víspera y el día de mayo es cuando los espíritus malignos son más poderosos. El agua y la flor amarilla se combinaban a menudo para alejar a estos espíritus malignos y atraer la suerte. Otras prácticas se desaconsejaban en mayo por considerarse de mala suerte. Por ejemplo, casarse en mayo se consideraba de mala suerte.

En Irlanda, se adorna el árbol de mayo o el arbusto de mayo. Se colocan cintas en los arbustos o árboles cercanos a la casa, y los arbustos de espino blanco son los más tradicionales para decorar si se encuentran cerca. También se cuelgan ramas, hojas y flores sobre la puerta para que la buena suerte y la fortuna entren en la casa.

Hechizos de amor

Los hechizos de amor se practicaban en el paganismo irlandés, y estos estaban destinados específicamente a traer de vuelta a un amante perdido o a hacer más fuerte su relación. Si usted quería traer de vuelta a un amante perdido, iría a un practicante pagano, y este le preguntaría el nombre, la fecha de nacimiento y el lugar de nacimiento de la persona con la que quiere reconciliarse. El practicante también le preguntaría los mismos detalles para poder unir sus datos con los de ellos.

Había ciertos ingredientes necesarios para el hechizo. Por ejemplo, los hechizos de amor no funcionarían sin ingredientes como polvo de sándalo y pétalos de rosa. Si quiere enamorarse de alguien, primero tiene que proporcionar todos los ingredientes necesarios para que el practicante pueda realizar el hechizo. Los hechizos se dirigen, emitiendo una onda de energía en todas las direcciones. A continuación, se indican algunos de los ingredientes básicos que necesitan los hechiceros para hacer volver a sus ex amantes.

- **Las velas rosas** representan su regreso al amante y deben arder el mayor tiempo posible antes de que se rompa el hechizo.
- **Elemento de fuego:** El fuego es un componente esencial en un hechizo de amor, ya que representa la pasión y la destrucción. Destruirá los sentimientos negativos que puedan haber destruido la relación.
- **Hierbas y pétalos de flores:** Aumenta las posibilidades de reunirse con su amante con más flores. Se dice que una combinación de lavanda y caléndula es eficaz a la hora de realizar su hechizo de amor. Con su intención, mezcle estas flores en las proporciones adecuadas para crear un polvo y utilícelo para los rituales de hechizo de su amante.
- **El polvo de simpatía** es un ingrediente común utilizado para acelerar el hechizo mágico de amor. Alinea las energías dentro del hechicero y el objetivo para hacer el proceso más rápido.
- **Fotos:** el lanzador del hechizo necesitará la foto de su amante o de los dos juntos.
- **Aceite para el retorno de los amantes:** El aceite para el amor también puede utilizarse para traer de vuelta a su amante perdido. Recoja las flores cuando la luna esté creciente para que su hechizo sea más poderoso.
- **Mechones de pelo:** Consiga un mechón de pelo de su amante, ya que este es un ingrediente esencial para lanzar un hechizo para traer a su amante de vuelta. Puede buscar el pelo de su

amante en un peine o seguirlo en las peluquerías.

- **Ropa de su expareja:** Un trozo de la ropa de su amante es otro ingrediente esencial que debe conseguir para que el hechizo de amor tenga éxito.
- **Los recortes de uñas** pueden producir un poderoso hechizo y jugar un papel fundamental para traer de vuelta a su expareja. Sin embargo, puede ser difícil para usted conseguir estos componentes, así que vea la mejor manera de conseguirlos.
- **Las joyas** son otro ingrediente mágico para su hechizo de amor para devolver a un ex amante. No debe ser una pieza muy cara, por lo que un anillo o una pulsera vieja serán suficientes.

Sin embargo, hay ciertas cosas que nunca debe hacer, aunque consiga todos los ingredientes. Por ejemplo, nunca debe hacer un hechizo para que su expareja se quede con usted en contra de su voluntad. Sus hechizos deben llevar a alguien al lugar donde quiere estar y no ser forzado. La otra persona debe estar preparada para el amor que viene con el hechizo.

Si es posible, debe consultar a su expareja y hacerle saber sus intenciones, para no tomarla por sorpresa. Cuando se trata de asuntos amorosos, nunca fuerce las cosas, ya que puede producir resultados no deseados. Debe dejar de lado sus diferencias con su amante si quiere disfrutar de su relación una vez que se reconcilien.

Magia

Los paganos irlandeses también practican la magia como otras religiones. La brujería estaba prohibida en Irlanda y Escocia, pero esto cambió más tarde, alrededor del siglo XVIII. Al honrar a sus deidades, las brujas creen que los seres humanos tienen el poder de provocar un cambio de diferentes formas que no puede ser probado por la ciencia. Las brujas también realizan rituales y hechizos para curar a las personas y ayudarlas en cuestiones generales de la vida. La magia nunca debe realizarse para dañar a alguien, y los siguientes son ejemplos positivos.

Magia con velas

Este es un buen hechizo de propósito general que cualquiera puede hacer siempre que crea en él. Debe elegir una vela con el color adecuado para el trabajo que desea realizar. Por ejemplo, el amarillo representa la riqueza, el rosa o el verde el amor, el azul la buena fortuna, el rojo la fuerza, el marrón la estabilidad y el malva la sabiduría. Si desea atraer algo, escriba su nombre desde la parte superior a la inferior de la vela. A la inversa, también puede escribir lo que desea disipar desde la parte inferior a la superior de la vela.

Al igual que otros tipos de magia, es mejor hacer su magia con velas al anochecer. Es una buena idea comenzar su magia en luna nueva si quiere atraer algo hacia usted. Por otro lado, comience el hechizo en luna menguante si quiere disipar algo. Encienda la vela y visualice lo que quiere conseguir, y mantenga la concentración. Apague la vela cuando termine y repita el procedimiento la noche siguiente hasta que la luna pase a la fase menguante o creciente. Cuando haya terminado, entierre la vela en algún lugar y no la tire. Olvídese del hechizo y no hable de él.

Marionetas de brujas

Las marionetas son figuras de cera, arcilla o plastilina que se asemejan a la persona en la que se quiere centrar la magia. Cuando se consagra en el altar de la bruja, la marioneta puede estar unido por una cuerda a un hombre y a una mujer. Se cree que una combinación de energía femenina y masculina es más eficaz y proporciona un tratamiento simbólico. La pata de la marioneta puede vendarse como parte del hechizo de curación. También se puede coser la boca para evitar que la persona viva representada por la marioneta difunda chismes.

Cuando el ritual ha funcionado o alcanzado sus objetivos, la marioneta se entierra o se quema para liberar el hechizo. Esencialmente, cuando emprenda un hechizo concreto, se comunicará con espíritus invisibles, y ellos le escucharán siempre que haga lo correcto. Si cree que quiere curar a alguien, consiga las herramientas adecuadas para el hechizo o el ritual. Es crucial visualizar su intención y lo que quiere conseguir al realizar el hechizo para que sea efectivo.

Hechizos de protección

Debe conocer el entorno en el que vive y comprender el folklore de la zona. Honre a los espíritus de la tierra y busque la energía de los lugares sagrados honrados por la gente que vivió antes que usted. Entrelace su energía y su relación con los espíritus de la tierra para protegerse de los hechizos malignos. Por ejemplo, los árboles de serbales se utilizan para la protección. También hay otros árboles con propiedades equivalentes en otras partes del mundo. Debe saber cómo pueden protegerle contra los hechizos malignos.

Busque un serbal y hónrelo como aliado pidiéndole un regalo de la madera o las bayas del árbol. Ensarte las bayas en una pulsera para llevarla cuando sienta que necesita protección. También puede colocar cruces de ramitas de serbal atadas con un cordón rojo en sus ventanas y puertas para que le protejan. Asegúrese de dar las gracias al árbol por los encantos. Cree un paisaje donde pueda plantar un solo árbol y trátelo como un espacio sagrado para realizar sus rituales. Los espíritus reconocerán todos los esfuerzos que haga para conectar con la naturaleza. Debe realizar sus rituales con regularidad para disfrutar de una protección ilimitada.

Ritos de sanación

Debe entender y honrar las fuentes de agua que le rodean si quiere realizar ritos curativos. El método tradicional de curación popular requiere que visite un pozo sagrado o una masa de agua sagrada y sumerja un paño en el agua. Lave a la persona enferma al tiempo que pide a los espíritus del agua que la curen y la bendigan. Deje el paño en un espino y deje que se biodegrade. A medida que el paño se pudre, la enfermedad se aleja del enfermo. El proceso debe producirse de forma natural para obtener los mejores resultados.

Esta práctica se conoce como "colgar los paños", y algunas personas suelen malinterpretarla. Hay que utilizar telas biodegradables, para que el crecimiento del árbol no se vea afectado. Cuando algo es malo para la tierra o la naturaleza, no es bueno para la magia popular. Por lo tanto, utilizar plástico u otro material no biodegradable puede no darle resultados positivos a su hechizo. El plástico impacta en el medio ambiente de muchas maneras, ya que no se pudre como otras materias compostables, por lo que no debe incluirlo en sus hechizos si quiere conseguir sus objetivos.

El paganismo irlandés hace hincapié en la importancia de desarrollar vínculos estrechos con la naturaleza y lo consigue a través de diferentes ritos. En este capítulo se han tratado diferentes hechizos y rituales paganos para ayudar a la gente a resolver diferentes aspectos de su vida. Antes de emprender estos hechizos, es esencial conocer los ingredientes necesarios y cómo utilizarlos. Asegúrese de seguir las instrucciones o recurra a los servicios de un practicante experimentado.

Conclusión

Tras una visión general de la historia pagana en Irlanda, queda claro que el paganismo irlandés representa la mezcla perfecta de antiguas tradiciones, adaptaciones modernas y creencias adoptadas de otras religiones. Debido a las interminables devociones de los druidas, muchas prácticas tradicionales permanecieron, incluso en el moderno paganismo irlandés. Los seguidores siguen siendo libres de elegir a sus guías espirituales, ya sea una deidad o cualquier otra criatura que habite en los reinos naturales. En muchas religiones, solo se enfatiza la lealtad y la honestidad como rasgos de carácter a los que aspirar. Por otro lado, los paganos también creen en la responsabilidad personal. Los paganos honran a sus deidades y guías espirituales con festivales y rituales y destacan la importancia de respetar la naturaleza y su energía. Cada solsticio de la Rueda del Año de las Brujas tiene un significado único en la vida de los celtas. Todos están relacionados con acontecimientos en momentos específicos del año.

Aprender sobre la espiritualidad celta le permitirá desvelar los secretos del druidismo en Irlanda junto con las prácticas de brujería galesa. Existen muchas coincidencias entre la brujería irlandesa y la galesa, pero esta última es conocida por sus características únicas, como las cuatro ramas de creencias. Al estar basada en la naturaleza, la brujería celta era más popular y estaba más extendida en Irlanda que en cualquier otro país, lo que permitió que las ramas galesas se diferenciaran de ella. En tiempos de necesidad, los espíritus y las deidades a las que acuden los seguidores también son diferentes para los paganos irlandeses y galeses. Aunque el paganismo no siempre se asoció con la brujería, las creencias populares locales y las prácticas de curación en Irlanda facilitaron la conexión entre estas dos costumbres.

Hoy en día, muchas de las antiguas prácticas del paganismo han desaparecido, y las que sobrevivieron solo pudieron hacerlo con la ayuda del druidismo. A pesar de la opresión de los celtas tras la difusión del cristianismo en Irlanda y la posterior pérdida de influencia que sufrieron, los druidas consiguieron transmitir parte de la tradición celta a las siguientes generaciones. Gracias a sus esfuerzos, incluso en los tiempos modernos, el antiguo legado del paganismo sigue vivo, aunque principalmente en el neopaganismo y en otras creencias paganas contemporáneas similares, como la wicca.

Por último, este libro le permitirá conocer las herramientas mágicas(k) y sus usos en el paganismo irlandés. Tanto si está aprendiendo el camino de la brujería como si está bien versado en las prácticas espirituales, el uso de las herramientas adecuadas le hará mejorar en su oficio. Montar un altar no siempre es necesario para convertirse en un practicante activo, pero tener un espacio sagrado mejorará su capacidad para proyectar una intención y hacer que sus deseos se hagan realidad. Un altar puede estar dedicado a la deidad preferida y servir como superficie para preparar todo lo que necesita para realizar un hechizo o un ritual. Con tantas velas, cristales, varitas y conjuros entre los que elegir, su espacio sagrado le inspirará para encontrar la combinación perfecta que le lleve por el camino correcto siempre que necesite una respuesta o guía en su práctica.

Tercera Parte: La Morrigan

Prácticas celtas secretas, rituales de devoción, adivinación y hechizos de magia(k)

Introducción

La tradición celta está llena de leyendas sobre poderosos dioses y diosas que supervisan diferentes aspectos de la vida de los celtas irlandeses. Una de estas deidades era Morrigan (o "la Morrigan", como también se le conoce), que posee una historia increíblemente rica y compleja, por no mencionar su asociación con papeles paradójicos. Aquellos que solo han escuchado algunas historias sobre ella suelen referirse a ella como una deidad de la guerra o una diosa de la muerte. Explicar esta deidad es un reto, ya que la mayor parte de la información que tenemos sobre ella fue registrada a partir de cuentos populares y cambiaba con cada narración, dependiendo de la persona que relatara las historias.

Solo los que están más familiarizados con las múltiples apariciones de Morrigan pueden comprender su contribución al ciclo de la vida, la muerte, el renacimiento y todo lo que hay entre medias. Como otros miembros sobrenaturales de la tribu Tuatha Dé Danann, Morrigan también tiene una profunda conexión con la naturaleza. Existen pruebas arqueológicas que demuestran que sus símbolos se encontraban en objetos que indicaban su papel como diosa de la Tierra, nutriendo a los humanos y sus territorios. Se encuentran pruebas similares sobre su aspecto como diosa triple de la feminidad y la fertilidad.

No solo era temida por su aspecto antes y después de una batalla, sino que también era venerada por ello. Este libro mostrará cómo Morrigan aportaba consuelo en la antigüedad y cómo puede seguir haciendo lo mismo por usted hoy en día. Suponga que considera a Morrigan como un símbolo de empoderamiento, intuición, justicia y sabiduría en lugar de verla como una villana. En ese caso, ella le proporcionará todas estas cualidades. Los papeles de las mujeres representados en el linaje celta son todos de una fuerza inmensa, y Morrigan no es diferente. No se la ve y se la llama con el nombre colectivo de las Morrigan que describe a varias figuras femeninas poderosas sin razón. Ella tiene el poder de varias mujeres, y puede prestarlo a cualquiera que la honre. Sus recursos y cualidades están tan estrechamente ligados que cuando se invoca a una diosa para que le ayude, su bendición provendrá probablemente de todas ellas.

Muchos piensan que esta diosa solo podía influir en los acontecimientos que tenían lugar en el campo de batalla. Sin embargo, Morrigan no era llamada la diosa de la fertilidad solo por su capacidad de asegurar la reencarnación de las almas que perdían sus cuerpos en el campo de batalla. Como revela este libro para principiantes, la diosa también tenía algunas funciones menos conocidas como sanadora, comadrona y protectora de las tierras. Los fascinantes mitos que leerá sobre sus diferentes aspectos son suficientes para tener a cualquiera al borde de su asiento.

El enfoque práctico de los capítulos le proporcionará amplia información sobre cómo montar un altar dedicado utilizando símbolos y diversas herramientas mágicas, todo en nombre de honrar a Morrigan. Tanto si quiere utilizar sus habilidades para predecir el resultado de un acontecimiento importante, como si quiere superar un obstáculo especialmente formidable o necesita orientación o curación, en este libro encontrará todo lo que necesita para ello. Lo único que le queda por hacer es empezar a practicar y prepararse para recibir sus bendiciones. Recuerde, si se siente atascado con una tarea en particular, darle su propio giro siempre facilitará la manifestación de sus intenciones.

Capítulo 1: Los disfraces de la Morrigan

Este primer capítulo le presentará a la Morrigan (también conocida como Morrigu) como una única diosa celta con muchas caras y el trío de diosas que viven dentro de su ser al que nos referiremos como "aspectos". Incluso su nombre colectivo - la Morrigan - se da para reconocer la diversidad de sus formas y habilidades. Como los celtas no conservaban registros escritos, la mayoría de sus leyendas han llegado hasta nosotros a través del folclore transmitido a lo largo de los siglos.

Estas historias incluyen relatos de la única Morrigan, o al menos de las mujeres que a menudo se consideran como ella. Cada una de las caras o disfraces de Morrigan hace referencia a sus habilidades como diosa celta cambiante de la guerra, la soberanía, el destino y la muerte. Al mismo tiempo, muchos de ellos la describen de diferentes maneras. Por ejemplo, algunos relatos le atribuyen características mágicas, mientras que otros lo niegan y solo la ven como patrona de los elementos naturales y las batallas. Sin embargo, la mayoría de las descripciones de la Morrigan coinciden en que, aunque se la asocia principalmente con la guerra, también tiene una característica que le confiere un estatus de diosa de la fertilidad terrenal. A pesar de su fama de presagio de la muerte, hay un aspecto positivo en ella. Y esto es cierto independientemente de cuál de las siguientes apariencias se la haya visto.

Badb

También conocida como el cuervo de la batalla, Badb es probablemente el aspecto más conocido de la diosa de la guerra en la historia celta. Es una de las tres diosas hermanas llamadas colectivamente las Morrigan. A veces también se la ilustra como un único ser con múltiples rostros. Este concepto - de tres en uno - es muy probablemente una consecuencia de la asimilación de los paganos celtas al cristianismo y la adopción de la doctrina de la Santísima Trinidad. Sin embargo, no se puede negar el vínculo entre todas sus habilidades y otras posibles apariencias de la Morrigan.

Lo que resulta aún más confuso sobre la Morrigan es el uso de su nombre para un miembro de las diosas triples. Por cierto, de las tres hermanas, es Badb, a la que se refiere a menudo con este nombre, la que era conocida como creadora de confusión. Aunque las tres están asociadas a la muerte durante las batallas y las guerras, Badb aparece con más frecuencia que sus hermanas. Y cuando lo hace, se ve como una confirmación de muerte o masacre en el futuro.

Lo más probable es que Badb aparezca la víspera de una batalla en forma de su animal favorito, el cuervo. Este presagio señala que lo más probable es que se produzca un derramamiento de sangre. En otras ocasiones, simplemente visitaba a los gobernantes disfrazada de bruja y les advertía del resultado de la batalla. Sin embargo, si realmente quería disuadir a las partes de entrar en combate, se transformaba en una forma incluso más aterradora. Ya sea en forma de bruja, de cuervo o de otra criatura, sembraba el pánico y la confusión total entre los guerreros con la esperanza de impedirles luchar. A veces era suficiente, si ella sobrevolaba el campo de batalla como el cuervo, para que los guerreros comprendieran el resultado. Si no era así, volaba hacia el campo de batalla y gritaba desde allí. También hacía lo mismo después de la batalla para asustar tanto al enemigo que estuviera demasiado asustado para volver a atacar.

Trabajando junto a su hermana, Badb era capaz de mucho más que hacer huir al enemigo. Juntas podían influir en la naturaleza invocando nubes, ocultando el sol y provocando tormentas y truenos mortales. Este clima mágico podía durar hasta tres días para asegurarse de que el enemigo muriera o cambiara de opinión para no entrar en guerra.

Se dice que su papel se modificó ligeramente después de que perdiera a su familia y el territorio de su tribu cayera en manos de una tribu rival. A partir de entonces, prometió traerles prosperidad, paz y victoria en todos sus tratos en lugar de ocuparse de las guerras entre los clanes.

Badb es también una de las pocas interpretaciones de la Morrigan que aparecen en la mayoría de las culturas paganas y neopaganas contemporáneas. Sigue apareciendo como cuervo, que es su forma favorita como guía espiritual cuando interactúa con los celtas. Sin embargo, ahora también estamos familiarizados con la forma en que esta ave llegó a estar vinculada a la diosa de la batalla y la guerra. Los mirlos, como las cornejas y los cuervos grandes, aparecían a menudo en los campos de batalla después de que el combate hubiera cesado y tras otras catástrofes que implicaban muerte y derramamiento de sangre. Aunque esto pueda parecer una imagen especialmente espantosa de los animales asociados a la diosa, hay algo más en esta historia. Los cuervos son aves inteligentes y se dice que pueden predecir muchos resultados en la naturaleza, lo que probablemente llevó a su asociación con la profecía de la guerra. Es posible que hayan aprendido a reconocer las señales del inminente derramamiento de sangre, lo que les hizo sobrevolar a las tropas incluso antes de que comenzara la lucha. Por muy improbable que parezca, está respaldado por investigaciones que se han llevado a cabo hasta el año 2020.

Otra forma de Badb asociada a la profecía es la de una mujer mayor. En la tradición celta, a menudo se pensaba que las mujeres mayores tenían una gran sabiduría y que podían ver el futuro y atisbar el destino de las personas. Para establecer una vez más un paralelismo con las diosas triples, Badb podría haber sido considerada como la "*anciana*". Después de todo, ella simbolizaba tanto la sabiduría como la inevitabilidad de la muerte.

Otra forma que adoptaba Badb era la de la banshee, que utilizaba cuando quería aterrorizar a sus enemigos. Se decía que estas criaturas eran sidhe malévolas, o espíritus que vivían en el otro mundo. Primero se presentaba como un cuervo y luego se transformaba en una banshee mientras seguía utilizando la voz rasposa del cuervo. Si esto no surtía efecto, comenzaba a chillar con una voz aguda. No está claro si esta forma de Badb habita en el mundo espiritual como las otras banshees, pero también hay una referencia a que actúa como presagio de la muerte fuera de los campos de batalla. Dado que el grito de una banshee tendría el mismo efecto siempre que alguien se encontrara con una, es muy posible que exista una conexión tangible entre todos estos papeles. Sin embargo, este papel de Badb también es común en las interpretaciones modernas. Estas pueden o no haber sido contaminadas por los intentos de la Iglesia cristiana de reducir las creencias celtas a cuentos ocultos y místicos. Debido a esto, la mayoría de sus espíritus se han convertido en criaturas traviesas, y la leyenda de los Tuatha Dé Danann no es más que un cuento inventado en el pasado. Sin embargo, la Morrigan como Badb ha conservado bastante poder. Esto no solo se debe a su capacidad de infundir miedo, sino que también se refiere a su naturaleza valiente y protectora.

Macha

La hermana de Badb, Macha, era también una poderosa diosa irlandesa de la guerra, pero sus habilidades estaban más vinculadas a la tierra que a cualquier otra dimensión de la vida. Al igual que la trinidad de la Doncella, la Madre y la Anciana, la Morrigan también era conocida por un trío de deidades femeninas algo diferente. Macha, Badb y Nemain eran vistas como hermanas, o a veces como aspectos hermanos de la misma deidad. Macha también era conocida como el cuervo, lo que también la relacionaba con la reina cuervo. Sin embargo, también se la asociaba comúnmente con los cuervos y los caballos. Al igual que su hermana cuervo, Macha aparecía en el campo de batalla disfrazada de ave, influyendo en la batalla de varias maneras.

Otra referencia a las diosas triples eran los tres aspectos de Macha. Tenía un elemento maternal y reproductivo, elementos rurales a menudo asociados con la naturaleza y un elemento de fertilidad sensual. Estas tres partes se unían para formar una diosa madre que protegía a su pueblo en tiempos de guerra y le proporcionaba sustento y protección para el resto de su vida. Por su labor en estos ámbitos, también es posible que Macha fuera miembro de la antigua tribu celta Tuatha Dé Danann, todos los cuales tenían habilidades sobrenaturales y dependían de la naturaleza para mantenerse en vida.

Nemain

En irlandés, la palabra "nemain" significa frenesí, lo que es claramente ilustrativo del tipo de papel que tenía esta diosa en el panteón celta. Se decía que esta deidad femenina de la guerra vigilaba la batalla con una furia intensa, lo que contradice los atributos calculadores con los que se caracteriza a la Morrigan. Por esta razón, es probablemente una de las diosas irlandesas menos conocidas. Sin embargo, tenía algunas otras cualidades en común con las otras apariencias de Morrigan. Por ejemplo, nunca luchaba en una batalla, sino que influía en su resultado por otros medios. Se sabe que elegía un bando y luego intimidaba a la otra parte con chillidos que helaban la sangre y una presencia aterradora en general, como lo haría el cuervo o una banshee. Aunque solo utiliza su voz característica, Nemain también podría hacerse visible si lo deseara. Ha sido la anunciadora de la muerte, y verla sembraría el pánico en las líneas enemigas. El grito de muerte de Nemain podía predecir la desaparición de todo un ejército en el campo de batalla e incluso la masacre del resto del clan por parte del enemigo. Poderosos guerreros han caído muertos del susto al escuchar su chillido, por lo que, en cierto modo, esta era una herramienta añadida a su arsenal mortal. Utilizando esta habilidad como arma, era capaz de proteger a los soldados y a los miembros civiles del clan que ella eligiera, siempre y cuando ellos la honraran a cambio. También puede haberse aparecido a las almas de los difuntos, dirigiéndolas hacia el otro mundo.

La lavandera del vado *(The Washer at the Ford)*

Aunque se decía que ver a la lavandera del vado antes de una batalla era un mal presagio, la Morrigan en esta apariencia tenía un papel mucho mayor que el de ser simplemente un presagio de muerte. En esta animación, aparecía como una joven doncella que lavaba las armaduras y las armas de aquellos destinados a perder la vida en la batalla que se avecinaba. También intentaba disuadir a los guerreros de luchar afirmando ser la hija de un rey que les ofrece muchas riquezas si hacen la paz. En otras ocasiones, ofrecería su amor a cambio de su protección durante el combate. Aunque en estas ocasiones se la veía como una joven o una mujer, se transformaba fácilmente en una vieja bruja que impartía sabiduría y concedía el don de la fertilidad en todos los ámbitos de la vida. Aquellos que eran capaces de reconocerla como la encarnación de la diosa recibían de ella la soberanía y la bendición. Sus campos estaban siempre llenos de cosechas nutritivas, sus animales estaban protegidos de las enfermedades y sus propias vidas estaban aseguradas durante el combate. Por otro lado, aquellos que no la veían como la deidad de la guerra eran maldecidos en esos mismos aspectos fundamentales. Los guerreros y gobernantes que desobedecían sus deseos eran castigados con la pérdida de una batalla, la muerte o la caída de su tribu ante la supremacía de sus enemigos.

La Gran Reina Fantasma

No hay muchos registros o incluso mitos sobre la aparición de Morrigan como la Gran Reina Fantasma. Algunos creen que la razón es que era una metamórfica tan poderosa que determinar su apariencia o papel era casi imposible. A veces, aparecía como un cuervo negro, anunciando la muerte a quienes la veían. Otras veces, intentaba disuadir a las partes enfrentadas de entrar en el campo de batalla apareciendo como una hermosa mujer ante ellos. Aquellos que la rechazaban y hacían caso omiso de sus súplicas sufrían graves consecuencias durante una batalla. Una vez concluida la batalla, volvía a aparecer, pero esta vez en forma de mujer vieja y demacrada con heridas en el cuerpo, lamentando todas las vidas que se habían perdido durante la guerra. Esto también implicaba que ella misma había participado en la batalla, a pesar de que nadie la había visto luchar.

La Reina de las Hadas

El folklore de la encarnación de Morrigan como Reina de las Hadas ha sobrevivido hasta los tiempos modernos debido a su importancia para los paganos. Para ellos, esta poderosa figura femenina representa mucho más que una simple figura mítica. En sus corazones, la Reina de las Hadas ha trascendido las fronteras entre la guerra y el amor, la vida y la muerte, por los poderes naturales y sobrenaturales. Se la honra durante Beltane y Samhain por las bendiciones que concede para la temporada de la cosecha. Las hadas han sido un elemento común en la tradición celta desde la antigüedad. Se las veía como criaturas algo traviesas, pero sin embargo dispuestas a ayudar a los humanos si les pedían protección, guía o curación. En Irlanda, se dice que viven en los montículos de las hadas, también conocidos como la tierra de los espíritus. Como Reina de las Hadas, la Morrigan puede cruzar a su reino a través de masas de agua, cámaras funerarias, túmulos y otros elementos naturales del paisaje.

Al cruzar los montículos de las hadas, puede comunicarse con espíritus como los Síth y pedir su ayuda para socorrer a los humanos y a otras criaturas de la naturaleza. Se cree que ella conduce a estas hadas a través de la tierra alrededor de Samhain y Beltane, cuando el velo entre los mundos se vuelve delgado. Juntas acuden en ayuda de los humanos, protegiéndolos a ellos, a sus animales y a las cosechas de los espíritus malignos que también pueden cruzar los reinos en esta época.

La reina cuervo

Al igual que muchos otros aspectos de la Morrigan, nunca se ha visto a la reina cuervo participando en batallas. De hecho, se dice que ni siquiera se preocupa por las luchas de la humanidad entre la ley y el caos, ni se alinea con el lado del bien o del mal. Como diosa de la muerte, se limita a custodiar y guiar las almas de los que han muerto. Ella ayuda a todos en la transición del reino mortal al espiritual. Incluso les ayuda a iniciar su viaje hacia el mundo exterior si es necesario. La gente también le pide que proteja las almas de sus seres queridos fallecidos de los espíritus malévolos que se sabe que roban y se alimentan de almas mortales inocentes. La reina cuervo tiene un gran respeto por los procesos naturales de la vida y la muerte y espera el mismo respeto de sus seguidores. Aquellos que no la respeten se enfrentarán a menudo a graves consecuencias. Y aunque tampoco le preocupa el tiempo que un alma habita en un cuerpo antes de llegar a ella, hace todo lo posible para facilitar el paso del alma. Se dice que a menudo asiste a los que han sufrido una muerte violenta a una edad temprana.

Doncella, Madre, Anciana (diosa triple)

Tras su fama como deidad de la guerra, el segundo aspecto reconocido de Morrigan es el de diosa triple. El número de interpretaciones de esta icónica trinidad en el antiguo papel irlandés es demasiado numeroso para contarlo. Las creencias modernas del paganismo y el neopaganismo quizá ofrezcan una imagen más clara de los papeles de estas deidades femeninas. Según estas, la Doncella es representada como una joven - muy probablemente virgen - que aún no ha despertado a su naturaleza femenina. Llena de ideas juveniles, el paso a la feminidad le resulta encantador. Como tal, puede traer un nuevo comienzo, especialmente en torno a la fase creciente del ciclo lunar.

Representando la siguiente fase de la vida de una mujer, la Madre se convierte en la diosa de la fertilidad, que aporta abundancia, crecimiento, sabiduría y realización en todos los ámbitos de la vida. Su poder es mayor en la época de la luna llena, especialmente en primavera y a principios del verano, cuando hace que la tierra sea fértil. Por último, en su aspecto de Anciana, se convierte en una vieja increíblemente sabia, deseosa de compartir sus conocimientos con la siguiente generación. Actúa como guía en tiempos oscuros, incluyendo la muerte y la pérdida. En esta encarnación, es más poderosa durante la fase menguante de la luna y vigila la tierra helada durante el invierno.

Este triple aspecto de la Morrigan se utiliza a menudo como ejemplo de cómo las sociedades antiguas veían a las mujeres, y según muchos, esto puede seguir aplicándose en los tiempos modernos. Al fin y al cabo, las doncellas siguen siendo veneradas, las madres siguen siendo honradas y las ancianas siguen siendo apartadas. Sin embargo, hoy en día, cada vez más mujeres intentan reclamar el último papel por toda la sabiduría que promete. Piden a la Morrigan que les ayude a abrazar y celebrar sus últimos años de vida en lugar de permitir que las generaciones más jóvenes las aparten.

Anand

Anand es la última del trío de hermanas llamadas Macha, Badb y Anand. Sin embargo, a diferencia de sus hermanas, también se dice que es la madre de los dioses celtas. Esta caracterización de ella proviene probablemente de la misma fuente que afirma que los Tuatha Dé Danann eran una tribu de dioses y no solo humanos con habilidades sobrenaturales. Esto también coincide con la representación de Morrigan como la madre en su famoso aspecto triple. Al igual que Morrigan, Anand también es honrada como la diosa de la soberanía y la doncella de la fertilidad, el segundo de los triples aspectos de Morrigan. Cualquiera que deseara obtener el poder legítimo sobre la tierra de su tribu debía casarse con Anand. También se dice que tiene habilidades para cambiar de forma y a menudo era simbolizada por el caballo, al igual que su hermana Macha.

Ériu, Banba y Fódla (diosas de la tierra irlandesas)

Ériu, y sus hermanas Banba y Fódla, formaban un trío de poder femenino muy influyente en la antigua Irlanda. Estaban casadas con tres jefes de los Tuatha Dé Danann, y sus maridos eran todos nietos de Dagda, el primer líder de esta tribu sobrenatural. Su número y su probable procedencia de esta antigua tribu son sus únicas conexiones con las otras apariencias de la Morrigan. Aunque Ériu, Banba y Fódla no tenían tanto poder como su marido, estas mujeres demostraron un increíble valor y un intenso deseo de defender su tierra.

También tenían una conexión muy fuerte con la naturaleza y podían recurrir a su poder siempre que cualquiera de su tribu necesitara su magia curativa. Cuando los Tuatha Dé Dannan sucumbieron finalmente a las fuerzas enemigas, estas diosas de la tierra tenían una petición especial que hacer a las filas de su enemigo. Si los nuevos gobernantes accedían a dar a la tierra el nombre de los Tuatha Dé Danann, las diosas les concederían muchas bendiciones, asegurándoles una buena cosecha y muchas riquezas naturales. Como fue a Ériu a quien el enemigo escuchó primero, llamaron al territorio Ériu-land en su honor, y ella ha estado concediendo las bendiciones desde entonces.

Danu (diosa de la Tierra)

Aunque gran parte de su origen sigue siendo un misterio, lo más probable es que Danu sea la homónima de los Tuatha Dé Danann, la primera tribu celta que se dice que habitó en Irlanda. También venerada como la diosa Madre, Danu fue una figura ancestral influyente para los celtas. Debido a sus orígenes nobles y posiblemente sobrenaturales, ejercía un inmenso poder, algo que también proporcionaba a su descendencia. No solo eso, sino que consideraba necesario mantener una buena relación con la nobleza y los gobernantes de Irlanda, concediendo a menudo regalos a los de nacimiento aristocrático. Para ayudarles a mantener su soberanía, Danu solía obsequiar a los reyes y jefes de Tuatha Dé Danann con talentos extraordinarios. Estos gobernantes solían tener un nivel de creatividad inusualmente alto y eran hábiles en varias actividades de la vida cotidiana.

Se dice incluso que Danu inculcó la sabiduría para gobernar a otros dioses del panteón celta. Dado que los Tuatha Dé Danann emigraban a menudo de un territorio a otro, pedían a Danu que les proporcionara abundantes y exitosas cosechas dondequiera que fueran. Algunas fuentes se refieren a ella como la diosa del viento y la tierra, que bendice todas las cosas de la vida. En este papel, se la relaciona con los túmulos de hadas donde se comunicaba con ellas, lo que muchos dólmenes irlandeses aún pueden autentificar.

La relación de la diosa madre con la naturaleza se extendía a los ríos, permitiendo que estas masas de agua nutrieran a todas las criaturas en muchas partes del mundo celta. Gracias a estas aguas, el exuberante verdor de Irlanda sigue siendo tan impresionante como se dice que era hace siglos. También se teoriza que el Danubio - uno de los ríos más largos de Europa - recibe su nombre de Danu.

Aunque Danu rara vez estaba presente en los escasos registros escritos que se obtuvieron sobre la vida de los celtas, está bastante viva en varias tradiciones neopaganas. En ellas, es venerada como la diosa triple, una clara asociación con las otras identidades de la Morrigan en todo el lore irlandés. Debido a sus versátiles poderes, Danu puede utilizarse en diversas prácticas y es una excelente opción a la que pueden recurrir las brujas principiantes.

Capítulo 2: La Morrigan en el mito celta

La Morrigan se considera sin duda uno de los arquetipos más influyentes y misteriosos de la tradición y la mitología celtas. La fantasma, o Gran Reina, que es una de las implicaciones de su nombre, siempre ha sido representativa de conceptos como la muerte, el destino y la guerra. Como ya sabe, Morrigan era una ingeniosa metamórfica que adoptaba la forma adecuada para los mensajes que llevaba. Cuando aparecía como un cuervo negro justo antes de la batalla, los que tenían la desgracia de verla sabían que no tenían suerte.

Aunque la Morrigan es exclusiva de la mitología celta e irlandesa, se han encontrado figuras similares en otros registros de la tradición celta.

Por ejemplo, Morgan le Fay, que aparecía como una gran enemiga o adversaria en la leyenda artúrica, compartía múltiples características con la Morrigan. Ambas figuras aparecieron como profetas y seres que cambian de forma y que emergen en diversas manifestaciones. Muchos estudiosos sugieren también que los nombres de la Morrigan y de Morgan le Fay tienen la misma raíz etimológica. Sin embargo, ambos nombres tienen definiciones totalmente diferentes en galés e irlandés, lo que significa que no hay pruebas suficientemente sólidas para corroborar la conexión (cuando se trata del nombre, al menos).

La figura de la diosa soberana de la mitología irlandesa también comparte varios atributos con la Morrigan. Por ejemplo, las figuras de la diosa son representadas como un conducto para el gobierno y la tierra de Irlanda. En otras palabras, la diosa de la soberanía se asocia con la fertilidad, que es un símbolo de la prosperidad y la fertilidad de Irlanda y su tierra. Del mismo modo, la Morrigan está muy asociada a las vastas tierras de Irlanda, especialmente a las que fueron nombradas en su honor, según el *Dindshenchas*. El *Dindshenchas* se traduce a grandes rasgos como el "tradición de los sitios". Incluye historias de cómo se nombraron los diferentes lugares de Irlanda.

Muchos estudiosos sugieren que la Morrigan también está asociada con la banshee, o *bean sidhe*, que es una figura prominente en el folklore irlandés. La banshee es una figura que puede predecir la muerte de miembros de la familia. Se la reconoce por sus fuertes gemidos, lamentos y chillidos. La Morrigan también se caracteriza por sus chillidos amenazantes cuando está en presencia de la muerte. Se cree que la Morrigan fue una inspiración para la *bean sidhe* o que la banshee procede de la misma tradición oral que ella.

La Morrigan no solo guarda similitudes con otras figuras del mundo celta, sino que también tiene vínculos con arquetipos de otras mitologías. Por ejemplo, las valquirias (un grupo de mujeres que determinan quiénes viven y quiénes mueren en la batalla) son figuras de la mitología nórdica antigua que guardan un parecido con la Morrigan. Aparecen en uno o en tres, siendo el tres el denominador común y muy significativo. También tienen capacidades adivinatorias o proféticas y están asociadas a los pájaros. Algunos estudiosos sugieren que las Morrigan, las Valkirias y otras figuras mitológicas femeninas encarnan un increíble poder y fuerza de carácter y representan el ciclo completo de la vida. Pueden dar vida dando a luz y pueden quitarla, ya que pueden determinar quién muere en la batalla. A lo largo de la mitología celta y de otras mitologías antiguas similares, la diosa o figura femenina parece estar al tanto de forma natural de los destinos de los hombres.

Morrigan sigue siendo relevante a día de hoy debido a su aclamación en el mundo de la cultura popular. Es una figura habitual en los medios de comunicación pop y ha hecho su aparición en numerosos cómics, incluidos los de Marvel Comics, series de televisión y videojuegos.

En el capítulo anterior se presentó a Morrigan como diosa celta única y como diosa triple, sin entrar en demasiados detalles. En este capítulo, sin embargo, podrá ver cómo se desarrollan los rasgos y las manifestaciones de la diosa en la tradición y los mitos celtas.

La batalla de Magh Tuireadh *(Cath Maige Tuired)*

El Cath Maige Tuired es una de las piezas mitológicas más significativas en lo que respecta a la información disponible sobre las deidades irlandesas y cómo vivían en las antiguas tierras, que comprenden la actual Irlanda. Narra una guerra o batalla que tuvo lugar entre los fomorianos y los Tuatha Dé Danann en relación con los derechos para gobernar Irlanda. Una de las deidades más importantes resulta ser la Morrigan, que desempeña un papel vital, especialmente a través de su poesía y sus poderes mágicos, en la rebelión que se llevó a cabo contra los fomorianos.

Aunque su papel en la mitología es difícil de precisar, teniendo en cuenta que las traducciones al inglés del texto recortan partes importantes de su diálogo, su poderoso papel sigue siendo innegable. Lamentablemente, las traducciones transmiten una impresión inexacta de su comportamiento y acciones; sin embargo, cuando se lee en el idioma original, el papel que asume la Morrigan tiene una sustancia mucho mayor, y los matices en las descripciones se perciben fácilmente, aunque el idioma inglés no logra transmitir algunos matices cruciales. Teniendo en cuenta sus dos apariciones, pretendemos transmitir la importancia de sus esfuerzos y acciones en la batalla. En este caso, empleó sus habilidades mágicas para impulsar la lucha de los Tuatha Dé Danann contra los fomorianos, además de utilizar sus exitosas intenciones para llevarlos a la victoria antes de presentar finalmente una doble profecía sobre los destinos de las personas que componen ambos bandos.

Las batallas

El ciclo mitológico de la mitología irlandesa comprende dos textos de sagas conocidos colectivamente como el *Cath Maige Tuired.* Esta obra es una pieza de referencia que narra dos batallas diferentes que tuvieron lugar en Connacht. La primera tuvo lugar en el territorio de los Conmhaícne Cúile Tuireadh, situado cerca de Cong, en el condado de Mayo, en Irlanda. En Irlanda, la segunda batalla tuvo lugar cerca de Lough Arrow, en el condado de Sligo. Los Tuatha Dé Danann libraron la primera batalla contra los Fir Bolg, y la segunda batalla la libraron los Tuatha Dé Danann contra los fomorianos.

En la primera batalla de Cath Magie Tuired, se dice que la Morrigan y sus hermanas, Macha y Badb, utilizaron su magia y sus hechizos para influir en la batalla, y su hechicería dejó a los Tuatha Dé triunfantes, permitiéndoles construir una fuerte base en Irlanda. Sin embargo, no pasó mucho tiempo antes de que los fomorianos, que resultaron ser mucho más difíciles de derrotar, arrasaran las tierras de Irlanda, buscando establecer su propio punto de apoyo. El Dagda buscó la ayuda de una de sus esposas, la Morrigan, mientras los Tuatha Dé se preparaban para partir a la batalla contra los fomorianos. Necesitado de una profeta, el Dagda la encontró finalmente en la orilla de un río, donde tuvieron relaciones sexuales. Cuando terminaron, la Morrigan miró al futuro y vio que los Tuatha Dé Danann saldrían victoriosos de la batalla. Sin embargo, advirtió que esta victoria tenía el precio de una masacre.

Los dioses irlandeses se reunieron y se prepararon para luchar contra la asamblea de fomorianos. Naturalmente, preguntaron a Morrigan qué elementos útiles podía aportar a la batalla. Ella respondió crípticamente, diciendo que todo lo que decidiera seguir se convertía en un objetivo de caza. La batalla no tardó en convertirse en un baño de sangre. Solo terminó cuando la Morrigan instigó la sed de asesinato y sangre mientras gritaba a los Tuatha Dé Dannan, haciendo que los fomorianos huyeran y se desvanecieran en el mar.

Cath Maige Tuired Cunga- La Primera Batalla de Moytura

La Morrigan aparece por primera vez en la tradición de la Primera Batalla de Moytura, o la Cath Maige Tuired Cunga, en una rivalidad entre los Tuatha Dé Danann y sus partidarios y los Fir Bolgs, que eran indígenas de las tierras.

Nuanda, el rey de los Tuatha dé Danann, pidió que se le diera la mitad de las tierras, a lo que Eochaid, el rey de los Fir Bolg, se negó. Esto se convirtió rápidamente en la batalla de Moytura. Streng, una importante figura del Fir Bolg, desafió a Nuanda a un combate uno a uno, durante el cual cortó la mano derecha de Nuada. Aunque esto se consideró un triunfo de algún tipo, su felicidad se vio truncada cuando la Morrigan mató al rey de los Fir Bolg.

Cath Maige Tuired- La Batalla de Moytura

La Morrigan hizo apariciones recurrentes en el relato para llevar a los Tuatha Dé Danann a la batalla, esfuerzo que consiguió. Sus esfuerzos por suscitar una buena lucha fueron especialmente evidentes cuando su participación era necesaria para garantizar la victoria. Por ejemplo, apareció para empujar a Lugh a luchar después de que este se armara. Se dice que apareció frente al ejército en actitud belicosa, justo cuando los guerreros habían jurado acabar con Indech, el rey fomoriano. También apareció en medio de la batalla para animar a los Tuatha Dé Danann, lo que fue el punto de inflexión para que se levantaran y reclamaran su triunfo.

Cada vez que aparecía, sus exhortaciones eran directas, redactadas con fuerza y cuidado, y persistentes. Hizo promesas de herir al rey de los fomorianos, Indech, utilizando sus poderes mágicos. Ella tomó su ardor de batalla y trajo su sangre al ejército. La magia que ella lanzó durante la batalla final contribuyó significativamente a la muerte de Indech. Al final de la batalla, la Morrigan predijo destinos tanto negativos como positivos para el mundo, asegurando que su propio bando saldría triunfante.

Si se echa un vistazo al texto irlandés del lore y a sus traducciones literales, se encontrará que la Morrigan es un motivador esencial en la batalla. Su papel era evidente tanto por su participación activa como por su incitación y estímulo literal. Los textos incluso terminan con sus palabras adivinatorias, lo cual es apropiado, teniendo en cuenta el papel excepcional que desempeñó en el resultado victorioso de su pueblo.

Los poemas

Hay tres poemas asociados a la Morrigan, que se encuentran al final de la saga Vath Maige Turid. El primero se sitúa justo antes de la batalla principal, mientras que los otros dos se sitúan después de que esta termine, marcando el final de toda la saga.

Los poemas están creados en una forma de poesía muy antigua: el roscaid. No tiene factores de rima y no es métrica. Muchos estudiosos sugieren que el roscaid es tan antiguo que puede ser anterior a los registros escritos de la lengua irlandesa. Los poemas escritos en esa forma tienen aliteración conectiva, que es quizás el único elemento consistente en estos poemas. Cuando las palabras (o la palabra) que se encuentran al final de un verso aliteran con las palabras (o la palabra) que se encuentran al principio del verso siguiente, esto se llama aliteración conectiva. Este enlace continuo permite utilizar la imaginería establecida por una línea para crear la utilizada en la siguiente. Aunque se trata de una forma de arte muy inteligente, puede ser increíblemente agotador traducirlo. Los verbos, o la falta de ellos, la sintaxis y las palabras perdidas hace casi imposible transmitir los mismos significados o mantener el flujo poético al traducirlos del irlandés al inglés.

Lo increíble de estos poemas es que incluso cuando se extraen del texto en prosa que los rodea, siguen formando un texto propio. Algunos académicos creen que toda la saga se concibió inicialmente en este formato de versos sueltos. La estructura y la redacción del poema se han conservado en la antigua lengua irlandesa. Desgraciadamente, al ser tan arcaica y, por tanto, poco clara, los narradores modernos de los poemas se ven obligados a seguir añadiendo prosa para garantizar una mejor entrega y un significado más claro.

El primer poema se cuenta en tiempo presente y sirve de narración en vivo de la batalla. Este poema se concentra en los relatos de los preparativos que se llevaron a cabo antes de la batalla y los siguientes efectos adversos de la lucha. El segundo poema es la penúltima parte de la saga. Es un maravilloso relato clásico que retrata una visión de prosperidad, abundancia y paz eternas. Este poema es quizás una imagen contrastada del primero. El tercer poema, escrito en tiempo futuro, destaca la prosa como visión y equilibra el poema anterior.

Táin Bó

El Táin Bó, que puede traducirse como el robo del toro, es uno de los géneros o piezas más destacados de la primera literatura irlandesa. Las obras literarias irlandesas fueron divididas especialmente por los académicos medievales en géneros como el Táin Bó, que es el el robo del toro, el Feis o Fled (la Fiesta), el Echtra, que se traduce en Aventura, el Imram o el Viaje, el Tochmarc, que significa el Cortejo, el Aided, que significa Muerte, y finalmente el Compert (Concepción). Hoy en día, estos "géneros" se conocen más comúnmente como ciclos literarios.

Los Táin

Táin Bó Cúailnge, que significa "El robo del toro de Cuailnge", es una de las piezas más populares de la tradición irlandesa. También fue especialmente conocido entre el público literario del periodo comprendido entre los siglos XI y XIV. El Táin Bó Cúailnge es también la historia principal del Ciclo del Úlster. Se cree en gran medida que este cuento era bien conocido en la literatura oral antes de que fuera puesto por escrito por los grabadores de la cristiandad medieval.

Existen otros numerosos tána, o táin múltiples, que también fueron traducidos al español. Otros, sin embargo, son conocidos simplemente por sus nombres. Estos tána incluyen Táin Bó Flidaise (El robo del toro de Flidais), Táin Bó Aingen o Echtra Nerae (El robo del toro de Aingen), Táin Bó Dartada (El robo del toro de Dartaid), Táin Bó Fraích (El robo del toro de Fráech), Táin Bó Regamna (El robo del toro de Regamain), Táin Bó Regamon (El robo del toro de Regamon), Táin Bó Ere, Táin Bó Munad, Táin Bó Ros, Táin Bó Ruanadh y Táin Bó Sailin.

Es probable que en la antigua Irlanda fuera tradición recitar varios relatos cortos antes de contar El Gran Táin y otros cuentos igualmente largos. Por ello, muchas personas consideran erróneamente que estas piezas, que son meros preludios, son una parte del verdadero Táin Bó Cúailnge. Esto es especialmente cierto en el caso de los documentos escritos, debido a su naturaleza estática y vinculante.

Cú Chulainn y la Morrigan

Los relatos de Táin Bó Regamna y Táin Bó Cuailnge, que vamos a tratar, giran principalmente en torno a Cú Chulainn y sus interacciones con las Morrigan. Cú Chulainn, también conocido como Cuchullin, Cúchulainn y Cuchulain, es una de las figuras más destacadas de la literatura irlandesa medieval. Cúchulainn es el protagonista del Ulaid o Ciclo del Úlster. También se le considera el mejor caballero de la Rama Roja, que es el nombre de los guerreros leales a Conchobar mac Nessa. Se cree que Conchobar mac Nessa, o Conor, era el rey de los ulaides que habitaban la parte noreste de Irlanda durante el inicio del siglo I a. C.

Cú Chulainn, que supuestamente nació con el nombre de Setanta, era hijo de Lugh "del brazo largo" y Dectera. Las habilidades y la maestría de Cúchulainn se perfeccionaron gracias a sus dones especiales, que incluían tener siete pupilas en cada uno de sus ojos, siete dedos en cada uno de sus pies y siete dedos en cada una de sus manos. Cú Chulainn era especialmente favorecido entre las deidades del panteón, por lo que escapó a la maldición de la debilidad cíclica que se abatió sobre todos los hombres del Úlster. Comparado con otros grandes héroes y figuras de la historia, como Aquiles de Grecia, Cúchulainn era capaz de realizar hazañas, tareas y trabajos extraordinarios. Cuando se enfurecía, el heroico Cú Chulainn adoptaba las características de los berserkers de Escandinavia, convirtiéndose en una bestia deforme fuera de control. El Táin Bó Cuailnge, o el robo del toro de Cuailnge, con solo 17 años, dejó constancia de su singular y heroica protección del Úlster contra Medb (la reina de Connacht) y sus fuerzas. Según la tradición, Cú Chulainn fue desgraciadamente engañado por sus adversarios y atraído a una batalla injusta que le hizo morir a la edad de 27 años.

Táin Bó Regamna- El robo del toro de Regamna

La Morrigan desempeñó un gran papel en el ciclo de cuentos del Úlster, tanto como figura servicial como enemiga de Cú Chulainn, el protagonista del cuento. En el robo del toro de Regamain o Táin Bó Regamna, Cú Chulainn asalta a una anciana montada en una vaca, expulsándola de su territorio, cuando la mujer se transforma en un cuervo, lo que le hace caer en cuenta de algo muy importante: la transformadora es, en realidad, la Morrigan. Para su desgracia, la Morrigan castiga a Cú Chulainn porque debería haber sido más sabio en sus acciones si hubiera sabido quién era ella. La Morrigan decide que predecir su presencia en la muerte de Cú Chulainn en el Táin Bó Cúailnge sería un castigo adecuado.

Táin Bó Cúailnge- El robo del toro de Cooley

Después, en el Táin Bó Cúailgne, la Morrigan se presenta como un cuervo para advertir al Toro Pardo de Cooley. Le aconseja que abandone el Úlster antes de que la reina Medb de Connacht lo asedie. Mientras Medb se abría paso hacia el norte de la tierra, los hombres del Úlster fueron envenenados por una maldición inminente. Todos, excepto Cú Chulainn, se vieron afectados, por lo que se le dejó defender las fronteras del Úlster por su cuenta.

Mientras se encontraba en un descanso de la batalla, una joven doncella, la Morrigan, intentó seducirle, pero él consiguió contrariarla al negarse a dejarse llevar por su increíble belleza y rechazarla. Esta acción tuvo un resultado predecible, y Morrigan se puso furiosa. Tan pronto como él volvió a la batalla, ella aprovechó todos sus poderes, transformándose en una anguila para hacer tropezar a Cú Chulainn mientras luchaba frente a un fiordo. Él pudo recuperarse rápidamente.

Sin embargo, atacó a la anguila y le rompió las costillas. La Morrigan se transformó en lobo, lo que asustó al ganado y lo hizo entrar en la batalla y dirigirse hacia Cú Chulainn. Este utilizó una honda para protegerse, por lo que cegó al lobo, o a la Morrigan, en un ojo. La Morrigan se transformó entonces en una novilla y volvió a cargar contra él. Sin embargo, el héroe irlandés utilizó otra honda y rompió la pierna de la Morrigan. Derrotada, la Morrigan se vio obligada a retirarse.

Poco después de su gran victoria, Cú Chulainn se encontró con una anciana que estaba ordeñando una vaca. La mujer tenía las mismas heridas que las que había infligido anteriormente al ejército de animales que tuvo que combatir durante la batalla; costillas rotas, un ojo ciego y una pierna rota. Estaba muy claro que la Morrigan se había transformado una vez más. Sin embargo, las heridas no habían llamado la atención de Cú Chulainn. Ofreciéndole tres tragos de su vaca, el héroe aceptó con gusto y la bendijo con cada sorbo que tomaba. Las heridas de la mujer se curaron con cada bendición que pronunció Cú Chulainn. Después de curarse por completo, la Morrigan apareció en su verdadera forma de diosa. Se levantó y le recordó todo lo que había hecho para insultarla. Luego, le advirtió que su muerte llegaría pronto antes de que ella se fuera.

Poco antes de que Cú Chulainn fuera asesinado, la Morrigan apareció una vez más frente a él. De camino a la batalla, se topó con una mujer que lavaba la sangre de la armadura. Seguramente era un presagio de la perdición que le esperaba. En otra batalla con el ejército de la reina Medb, la profecía de la Morrigan se hizo realidad. Cú Chulainn fue herido de muerte. Se ató voluntariamente a una roca a pesar de sus intensas y profundas heridas. Este movimiento insensato fue en un esfuerzo por asustar a sus enemigos. También se sugiere que sabía que acabaría muriendo, por lo que juró morir mientras se levantaba, engañando a sus enemigos para que creyeran que seguía vivo. Nadie supo que había muerto hasta que un solo cuervo negro, que era la Morrigan, se posó en el hombro de Cú Chulainn, significando su muerte.

Durante siglos, Morrigan ha permanecido entre las figuras más influyentes y prominentes de la literatura y la tradición irlandesa. El arquetipo ha desempeñado un papel importante al ayudar a su pueblo a salir victorioso de las batallas. Sus poderes también la convirtieron en enemiga de una de las figuras más poderosas de los ciclos literarios irlandeses, llevándolo a su perdición.

Capítulo 3: Animales y símbolos sagrados

En la mitología celta, generalmente se creía que los animales simbolizaban la vitalidad y la fertilidad porque suelen ser animados de sangre caliente y respiran, se mueven, crecen y se reproducen. Muchos de los animales que se habían domesticado eran una fuente de alimento y una fuente útil de materiales utilizados para fabricar ropa y herramientas. Cada parte del animal tenía alguna utilidad; la piel se utilizaba para el atuendo y los huesos eran utilizados por las tribus para fabricar herramientas. Son un símbolo de la continuación de la vida. También se creía que ciertos animales eran el conducto hacia el reino espiritual y la tierra de los dioses. Esta increíble conexión se ilustra durante su uso en la caza, en la que se buscaba la sabiduría, el conocimiento y los secretos.

Al igual que cualquier otra deidad de la mitología irlandesa, La Morrigan está estrechamente vinculada con varios conceptos, objetos, animales y símbolos. Cada asociación explora y explica una faceta diferente de esta diosa. Al familiarizarse con cada asociación, se familiariza más con la propia diosa. Esto reforzará su conexión con ella y facilitará una mejor comunicación con ella durante las oraciones o los rituales.

Animales sagrados

La Morrigan y sus tres hermanas están unidas o relacionadas con varios animales. Las grandes reinas están asociadas a siete animales que eran las apariciones más comunes utilizadas por la Morrigan: el cuervo grande, la corneja, el caballo, el lobo, la anguila, la serpiente y la vaca. Ella se transformó en estos animales en varias ocasiones, y cada circunstancia la hizo aparecer en una forma apropiada. Todas las formas elegidas transmitían diferentes significados y se utilizaban en situaciones específicas para enviar mensajes o lograr una tarea.

Para comprender plenamente los significados que hay detrás de las formas que adoptó la diosa, debemos explorar el significado que cada uno de sus animales sagrados tenía en la cultura irlandesa. Como recordará del capítulo anterior, la Morrigan se transformó en un cuervo en el cuento de Tain Bo Regamna. Badb tomó la forma una corneja en el cuento del Albergue de Da Derga. Aunque ambos son mirlos, hay una diferencia entre ellos tanto física como simbólica: los rasgos distintivos del cuervo son su pico más grueso y su cola redondeada. Las cornejas son más pequeñas y tienen la cola recta. En el capítulo anterior también se trató la aparición de la Morrigan en el Tain Bo Cúailgne, donde se transformó en novilla, anguila y lobo durante su discusión con Cu Chulain. Macha también tiene importantes vínculos con las cornejas, así como con los caballos. He aquí un desglose más detallado de estos animales y sus asociaciones con la diosa:

Cuervo y corneja

Los cuervos y las cornejas son miembros de la familia Corvidae. Como se alimentan de carroña, los guerreros celtas (y la gente en general) empezaron a asociarlos con la muerte y el presentimiento. Además de ser mensajeros de la muerte, los cuervos y las cornejas se consideraban mensajeros de lo divino, ya que estaban a caballo entre el mundo de los vivos y el de los muertos. Los cuervos también simbolizaban la guerra y la profecía, pues se alimentaban de carroña y eran atraídos por los campos de batalla. Se encontraron cuervos impresos en antiguas monedas y armaduras irlandesas. Los estudiosos también encontraron los huesos del ave en los lugares de depósito de sacrificios junto a los antiguos celtas.

A lo largo de la historia y de la literatura mitológica, el cuervo siempre ha sido conocido como símbolo o presagio. Los antiguos creían que siempre que había un cuervo cerca, sus llamadas, su comportamiento y su dirección de vuelo podían observarse e interpretarse como un mal presagio. Por ejemplo, si alguien está a punto de comenzar una nueva tarea y aparece un cuervo, es una señal muy fuerte de que el empeño no tendrá un final feliz. Los cuervos que aparecían cerca de las casas también eran símbolos de muerte. Sin embargo, si un cuervo volaba hacia el lado derecho de una persona y clamaba, siempre que tuviera blanco en las alas, se interpretaba como un signo de buena suerte.

Según los académicos, la mayor parte de la tradición irlandesa que rodea al cuervo también está adoptada por la mitología nórdica, lo que representa la influencia de los vikingos. La Morrigan no es la única deidad irlandesa asociada al cuervo. Otras numerosas figuras, incluido el rey guerrero Lugh, también están vinculadas de forma destacada con el ave. El cuervo se considera una personificación de la muerte y se pensaba que podía viajar entre el mundo físico, el otro mundo y el reino de los muertos. Su importancia como pájaro de mal agüero quizá provenga del hecho de que está fuertemente vinculado a los presagios de la fatalidad.

En la mitología irlandesa, la corneja tiene asociaciones ligeramente diferentes y se cree que representa tanto los buenos como los malos augurios. Badb era conocida comúnmente como Badb Catha, que se traduce como corneja de batalla o Badb de batalla. Se creía que ella, y las Morrigan, se transformaban de la forma humana a la forma de cornejas. La tercera hermana, Macha, también está vinculada a las cornejas. Su nombre tiene varios significados, uno de los cuales es cuervo de Royston, que es un término antiguo para la corneja cenicienta.

La Morrigan toma la forma de cornejas a menudo para señalar a los que van a morir en el campo de batalla. A la muerte de Cú Chulainn, La Morrigan se transformó en corneja y se posó en su hombro. La corneja cenicienta se diferencia de los otros tipos de cornejas en que no es totalmente negro. Su pecho, cola, cabeza y alas son negras, pero todo lo demás es gris. Esto hace que sea fácil distinguirlos de sus homólogos de color negro sólido. Las cornejas cenicientas son una visión muy común en las islas Shetland, donde la mitología afirma que se creía que los cuervos negros sólidos señalaban la inanición que se avecinaba. Al igual que los cuervos, se creía que las cornejas eran presagios de desastre o muerte. Ver una corneja cenicienta en la zona se consideraba un símbolo de mala suerte en el condado de Clare porque se creía que el Badb, el bando de la banda, las hadas y las brujas se transformaban en estas aves.

Lobos

Mucho antes de que aparecieran en Irlanda, los lobos ya eran bien conocidos por los celtas. También eran importantes para los pueblos nativos del Neolítico. Las pruebas arqueológicas sugieren que los lobos se cazaban por su piel, y sus dientes y huesos se utilizaban para fabricar joyas. Estos animales eran uno de los símbolos de la guerra, y el carnyx o cuerno, que era un instrumento que sonaba durante la batalla, se creó con la forma de su cabeza. Las imágenes de lobos se utilizaban a menudo para decorar las armaduras de los guerreros. Apropiadamente, estos animales están estrechamente ligados a la guerra y a todos sus pertrechos por sus características de ferocidad. Los antiguos irlandeses llamaban a los guerreros "cabezas de lobo". Además, las tribus celtas creían que el lobo era su antepasado. Todo esto hacía que los lobos fueran representativos de la batalla, de lo salvaje e incluso de los muertos, lo que naturalmente llevó a asociarlos automáticamente con la Morrigan.

También se sabe que los lobos tienen fuertes vínculos con los cambio de formas y los forajidos. Según la mitología, existía la creencia de que los forajidos se transformaban en lobos. La gente solía tener perros en la creencia de que era la versión domesticada de los lobos. Una de las formas que adoptó la Morrigan cuando llegó a Cu Chulain, cuyo nombre se traduce como "el perro de Culann", era un lobo. En ese momento, Cu Chulain estaba defendiendo el Úlster, lo que se considera una acción honorable, lo que convierte el ataque de la Morrigan en una forma de bandolerismo.

Anguilas y serpientes

Como se puede recordar, la Morrigan también adoptó la forma de una anguila cuando luchaba contra Cú Chulainn. Mucha gente también creía que el corazón de su hijo Meiche tenía tres serpientes o víboras en su interior, lo que lo hacía capaz de destruir Irlanda.

Las serpientes se consideran un símbolo de fertilidad, regeneración, maldad, muerte, sanación, destrucción y agua. El Badb está muy asociado a los temas del veneno y las serpientes, y el nombre Neiman también significa venenoso.

Vaca

Las vacas desempeñaban un papel necesario e importante en el estilo de vida y la cultura celtas, lo que las llevó a cimentarse en la mitología celta. Poseer vacas o una vaca indicaba el estatus y la riqueza de una persona, y las vacas se convirtieron en una forma de moneda y de intercambio monetario. Numerosas diosas irlandesas estaban vinculadas a las vacas en el sentido de que adoptaban su forma, poseían vacas que ordeñaban abundantemente o tenían vacas mágicas. Como resultado, las vacas llegaron a representar la satisfacción y la provisión de las necesidades diarias. Era un animal fundamental para la supervivencia y la prosperidad de un clan.

La vaca representa el lado de la Morrigan que proporciona estabilidad y crecimiento fértil. La gran reina ha aparecido en varios cuentos en forma de vaca o interactuando con vacas. Su primera aparición en forma de vaca fue en el cuento de Tain Bo Cuialgne, donde se la representaba como una novilla roja sin cuernos. Más tarde, también adoptó la forma de una mujer mayor ordeñando una vaca. Fue entonces cuando engañó a Cu Chulain para que bebiera su leche y la bendijo con sus palabras para que pudiera sanar. Curiosamente, la primera vez que Cu Chulain y la Morrigan se encontraron fue con la apariencia de una vaca. Él trató de impedir que ella montara una vaca que creía que había robado.

Caballo

Los caballos eran también otro símbolo de estatus para los celtas, lo que hizo que se les venerara y cuidara. Han sido fundamentales en la expansión de la cultura celta, ya que fueron cruciales para la agricultura, la guerra, las comidas (como carne) y el transporte una vez que fueron domesticados.

El papel que desempeñó el caballo en la guerra hizo que se asociara con la victoria, la resistencia, el aguante y la fidelidad. La Morrigan está estrechamente ligada a la guerra, y su presencia en el campo de batalla determina quién saldrá victorioso en la batalla.

Símbolos y sigilos

Cualquier sigilo o símbolo ilustrativo que se asocie con la Morrigan implica o se basa en tres. Estos símbolos son el trisquel, la triqueta y la triple luna.

- **Trisquel**

También conocido como triskelion, el triskele ha sido utilizado por los celtas desde el año 500 a. C. Está dibujado o tallado como tres espirales entrelazadas y tiene varias interpretaciones sobre su significado y su importancia para la cultura y la mitología celta. La interpretación más notable es que representa triplicidades sagradas y representa el movimiento. También simboliza la unificación o el movimiento a través de los ciclos y los mundos centrales de la mitología celta.

- **Triqueta**

Otro símbolo basado en el tres, la triqueta, también se conoce como el nudo de la Trinidad y ha sido adoptado por varios pueblos y religiones. Se ilustra como un círculo único que interseca tres vesica de piscis o una figura triangular de tres arcos entrelazados. Representa la unidad y el significado de los tres en la mitología celta: tierra, mar y cielo. Utilizado desde la Edad de Bronce europea, ha sido tallado en muchos edificios y objetos como símbolo de protección.

- **La triple luna**

El símbolo de la triple luna está asociado al ciclo lunar y a la triple diosa. Al referirse al ciclo lunar, la triple luna representa la luna creciente, la llena y la menguante. En relación con la diosa triple, representa a la Doncella, la Madre y la Anciana. Cada fase de la luna está ligada a una identidad de la diosa triple: la luna creciente representa a la Doncella, la luna llena es la Madre, y la luna menguante, simboliza a la Anciana. La triple luna es un arquetipo adecuado para La Morrigan, ya que ella también es una diosa triple.

Lo que representa la diosa

La Morrigan era famosa por sus habilidades proféticas y por cómo su presencia podía cambiar las mareas de la guerra, determinando esencialmente el ascenso y la caída de clanes y pueblos. A sus adoradores y a los que se habían ganado su favor, su presencia les daba un gran valor y una renovada determinación. A la vista de una bandada de cuervos o cornejas, sus enemigos temblaban y la moral caía.

Como diosa de la guerra, era capaz de predecir la caída de los guerreros en el campo de batalla: lavaba las ropas o las armaduras de los que estaban destinados a morir. Su asociación con la batalla y el derramamiento de sangre también la vincula estrechamente con la vida y la muerte. Sus tres identidades tienen cada una sus propias representaciones y dominios de poder y control.

Aunque tanto Badb como Nemain eran deidades de la guerra y la destrucción, Badb también estaba relacionada con el renacimiento. Macha estaba relacionada con la fertilidad. Gobernaba las tierras sagradas y los caballos que podían otorgar a la gente riqueza y poder. Debido al impacto que tuvieron los caballos en el avance de la cultura celta. También representaba a los guerreros de élite, como la caballería celta, que era muy honrada en la época.

Como la gran reina, era conocida por otorgar la soberanía o por arrebatársela a aquellos que ya no eran dignos. Su prominencia en la mitología celta es por una buena razón, dado su poder e influencia sobre los celtas. Su capacidad de cambiar de forma le permitía adoptar muchas formas diferentes y también animaba a sus adoradores a adaptarse a cualquier reto al que se enfrentaran. Esta flexibilidad se convirtió en la destreza que los guerreros aprovechaban en el campo de batalla para ser más fuertes y feroces.

Los números sagrados de la gran reina

Hay tres números notables relacionados con La gran reina. Se la asocia con el tres, el seis y el nueve por varias razones. Principalmente porque la mitología celta se centra en la triplicidad o la regla de los tres, y estos números son múltiplos de tres. Esto también puede verse en los sigilos de los que hablamos antes basados en la triplicidad.

Como la mayoría de los otros dioses y diosas de la mitología celta, La Morrigan tiene tres lados en su identidad y divinidad. Este número sagrado y la filosofía inspiraron los acertijos y la fraseología triádica arraigada en la creencia. Está muy extendido en la mitología irlandesa, ya que representa la unidad y la creación de los diferentes reinos, y el proceso de la acción que se convierte en producto del pensamiento. El tres se considera el primer número mágico de la numerología, y a partir de él se han basado o construido otras filosofías.

El seis representa la finalización de dos ciclos, dos veces tres. Representa el equilibrio y la ambivalencia. En la mitología irlandesa, la sexta luna significa la limpieza y el logro del equilibrio. Como triplicación del triple, el nueve se considera el número más mágico. Esto significa que es bastante omnipresente en la mitología celta. Representa la finalización y la novedad en la agitación de los ciclos. Dado que el tres ya es un número poderoso, la repetición de cualquier cosa tres veces aumentará su potencia. Esto se hace evidente en los hechizos, rituales y oraciones.

Colores asociados a la Morrigan

La Morrigan tiene dos colores principales asociados a ella: el rojo y el negro. Algunas fuentes incluyen también el blanco y el gris, pero no está muy aceptado. Sus colores aparecen en sus historias de diferentes maneras: la ropa que llevaba, los animales en los que se transformaba, los objetos que utilizaba, etc. Su asociación con el rojo y el negro se deduce de los relatos y textos en los que aparece. Estos colores revelan más sobre la diosa y su dominio y poder.

Rojo

El rojo está conectado y asociado con varios conceptos diferentes, y cuanto más exploramos esas conexiones, más vemos su relevancia en la representación de la Morrigan. En particular, el rojo simboliza la pasión y el deseo. Como diosa de la guerra, ella misma se apasionaba por las batallas y el campo de batalla, y a menudo desempeñaba su papel mediante la magia. Esto inspiró a sus adoradores a ser también apasionados y entusiastas de la batalla y la guerra, haciéndoles estar dispuestos a morir en el campo de batalla sin apenas miedo. También inspiró a sus adoradores a ser apasionados en otras áreas, incluyendo el amor, la familia y el parentesco.

En línea con la pasión en el campo de batalla está el derramamiento de sangre, otro simbolismo ligado al rojo. Esta asociación es bastante acertada si tenemos en cuenta la condición de la Morrigan como diosa de la guerra. El rojo representa la sangre derramada durante la guerra, ya sea necesaria o innecesaria. En los textos, aparece como una vaquilla de orejas rojas, un perro rojo y lleva vestidos/capas rojas. En las descripciones, a Badb también se la denomina "boca roja" o "Badb roja".

Negro

Durante mucho tiempo, el negro se ha asociado con la muerte y el presentimiento. El mero hecho de mirar este color en determinados escenarios puede provocar sentimientos de morbosidad. Esto se debe, en parte, a que los cuervos y las cornejas también son negros, estrechamente ligados a la muerte. Sin falta, la gente veía a los cuervos acudir a los cadáveres o a las pilas de cadáveres. Ver a estas aves alimentarse de carne muerta, especialmente de aquellos con los que probablemente tenían fuertes vínculos, llenaría sin duda a los testigos de malos sentimientos.

El negro también se asocia con el asombro, el misterio y lo desconocido. Las operaciones encubiertas y ocultas tienden a integrar el negro en sus prácticas. Esto puede ser a través de túnicas, máscaras y velas, entre otras cosas. El negro exuda poder y dominio de forma sutil y definitiva. La Morrigan, en su encuentro con Cú Chulainn, apareció como una anguila negra durante su primer intento de frustrarlo en la batalla.

La diosa triple y las fases de la luna

Hemos mencionado brevemente la relación entre la Morrigan y su conexión con las fases de la luna. Aquí profundizaremos un poco más en las fases con las que está asociada. La luna está asociada a la energía femenina y a los ciclos de muerte y renacimiento, al igual que la propia diosa.

- **La luna nueva**

La luna nueva representa el comienzo de un nuevo ciclo. Es la primera media luna de luz que se ve después de que la luna y el sol se unan. Esta nueva luz es bastante potente y es la razón por la que se recomienda establecer sus intenciones durante la luna nueva. Puede iniciar proyectos o planificar cómo va a afrontar sus objetivos. La energía de la luna nueva coincidirá y amplificará su propia energía cuando establezca estas intenciones. Al igual que es el mejor momento para planificar, también es un buen momento para la autorreflexión mientras determina cómo entrar en esta nueva fase de su vida.

- **La luna oscura**

En algunos círculos, la fase de la luna oscura se confunde a veces con la luna nueva. Esto ocurre sobre todo cuando se discute solo el aspecto astronómico del término. Para las brujas o los paganos, la diferencia no es solo visible, sino también palpable. La fase de luna oscura llega justo antes de la fase de luna nueva; es decir, justo antes de que se pueda ver cualquier iluminación en la superficie de la luna. En esta fase, al mirarla, la luna está completamente desprovista de luz y oscura. Esta fase representa el descanso y la observancia. Debe realizar la mayor parte de su trabajo de sombra e interno durante este tiempo. Puede apoyarse en la abundante sabiduría de la Morrigan durante la luna oscura.

- **La luna menguante**

Cuando la luna pasa de llena a menguante, hay menos visibilidad y luz. Todos los planes y objetivos han llegado a su punto álgido o se han cosechado durante la luna llena, y al pasar a la luna menguante, es el momento de retroceder. Reconozca sus logros y hónrelos. Todo lo que se ha propuesto ha requerido esfuerzo y fuerza personal. En este momento, explorará el crecimiento personal que ha experimentado al perseguir sus objetivos. Estas fases lunares más oscuras requieren una visión suave y dejar ir la energía o las emociones reprimidas.

Samhain

El Samhain marca la división de la mitad más clara del año (el verano) y la mitad más oscura (el invierno) y del mundo físico y el otro mundo. Suele celebrarse entre el 31 de octubre y el 1 de noviembre. Cuando los irlandeses emigraron a América, muchas de las costumbres se integraron en la cultura del país de acogida y se convirtieron en la base de las tradiciones de Halloween. Entre ellas se encuentra el uso de máscaras o disfraces.

Como la barrera entre los mundos se hacía más fina durante el Samhain, las entidades malévolas podían cruzar y atormentar a los humanos. Había varios monstruos y criaturas diferentes que vagaban por el pueblo durante esta época. La gente solía dejarles ofrendas para apaciguarlos y que no les hicieran daño o los secuestraran. También se disfrazaban de animales y monstruos por la misma razón.

La desaparición del sol también desempeñó un papel en la aparición de estos monstruos. Se creía que, al desaparecer el sol en el inframundo, ya no era capaz de inhibir las actividades de los monstruos en el mundo físico. Por esta razón, el fuego (un elemento asociado a La Morrigan) es una parte importante del festival. El fuego, como elemento, ha sido responsable del avance de la civilización humana. No solo se utilizaba para mantenernos calientes, sino que también era esencial para alejar a los depredadores y guiarnos en la oscuridad.

Todo esto hace que el fuego simbolice la iluminación, el poder y la energía. El fuego también se asocia con la energía y es una de las cuatro energías elementales en la mayoría de las creencias y culturas. Un elemento salvaje puede consumir lo que se encuentra en su camino y convertirse en un siervo obediente, una vez domesticado. Aunque destruye y causa la muerte, también purifica y puede promulgar nacimientos o renacimientos, como la Morrigan.

La forma más antigua de Samhain era la más importante de las fiestas trimestrales del fuego. Mientras se recogía la cosecha, se dejaban los hogares familiares para que ardieran. Una vez terminada la cosecha, el pueblo se unía a los sacerdotes druidas para encender un fuego comunal. Durante esta ceremonia de encendido del fuego, se honra al sol como fuente de toda la luz y el fuego al estar representado por una rueda que enciende la hoguera comunal. Cada persona tomaba entonces una llama de esta hoguera y la utilizaba para encender su lumbre.

En la Edad Media, se pasó de utilizar hogueras comunales a otras más individuales. Las familias encendían estas hogueras en sus fincas para protegerse de las criaturas mágicas y de los visitantes no deseados del reino de los espíritus.

La Cath Maige Tuired

La Morrigan desempeña un papel fundamental en los mitos que rodean al Samhain. Se trata de la batalla de la llanura de los pilares (Cath Maige Tuired), una lucha en la que participan los Tuatha Dé Danann y los fomorianos. Al llegar a Samhain, ella se encuentra con Dadga, el dios principal irlandés, y tienen relaciones sexuales antes de que ella le ordene que reúna a todas las personas hábiles. Acostarse con La Morrigan en Samhain le aseguró la victoria, ya que ella reunió a su pueblo y lo motivó a luchar. En la noche de Samhain, ella salió en su carro, tirado por un caballo de una sola pata, del sidhe de Cruachan.

Capítulo 4: ¿Fae (hada) o fantasma?

La Morrigan, como sabemos, era una metamórfica y, según la mitología, rara vez aparecía en la misma forma dos veces. Sus habilidades para cambiar de forma eran tan entrañables como aterradoras para los celtas, que nunca estaban seguros de la siguiente forma en la que aparecería. Su naturaleza mercurial se refleja incluso en su nombre, y algunos historiadores creen que "mor" puede haber derivado de una palabra indoeuropea que significa "connotar terror" o "monstruosidad". Incluso puede ser una amalgama del escandinavo y del eslavo antiguo "mara", que se traduce aproximadamente como "pesadilla", y la última parte de Morrigan, "rigan", se traduce como "reina". Por lo tanto, la etimología indica que su nombre podría traducirse adecuadamente como "Reina Fantasma", que es una forma excelente de resumir todas sus cualidades únicas y temibles. El nombre de Morrigan, con su grafía y pronunciación únicas, sería, por supuesto, regurgitado más tarde en el periodo irlandés medio, y muchos de los mitos e historias concomitantes con los que estamos familiarizados hoy en día están profundamente ligados a este momento concreto y a la cultura celta.

Como es lógico, debido a las apariencias de Morrigan, su legado puede ser bastante polarizante. A veces se refieren a ella como Fae, o reina de los hados, o como Reina Fantasma. Estos arquetipos son polos opuestos, pero este hecho ilustra más que nada su naturaleza dual. En este capítulo, exploraremos las dos formas principales de Morrigan y deconstruiremos su significado en un contexto histórico. La compleja naturaleza de Morrigan, en cierto modo, refleja nuestras propias luchas con nuestros lados oscuros. Como todos sabemos, tanto la luz como la oscuridad residen en un mismo ser, y la mayor parte del trabajo espiritual de la humanidad consiste en garantizar que la luz no sea suplantada por las fuerzas más oscuras. La figura de Morrigan encierra muchas lecciones para nosotros hoy en día, y su espíritu, junto con las historias mitológicas, sigue siendo tan relevante como siempre.

La Reina de las Hadas

Comencemos por examinar una faceta de la persona de la Morrigan como hada, o Reina de las Hadas. Nuestra comprensión contemporánea de un hada - o de las hadas, como solemos referirnos a ellas hoy en día - es diferente a la de sus orígenes. La imagen de Campanita, aunque encantadora y quizás traviesa, no es la forma en que los celtas percibían a un hada. Para empezar a entender el disfraz de hada de Morrigan, puede ser útil comprender primero el contexto de la mitología de las hadas.

En el dialecto escocés, la palabra significa "de". En la Edad Media, se utilizaba para referirse a un ser de otro mundo o plano espiritual, lo que hace más tangible su aplicabilidad a los seres míticos o criaturas legendarias. Las hadas se encuentran de una u otra forma en el folklore y las leyendas de múltiples países europeos, aunque, por supuesto, Morrigan ocupa un lugar elevado y muy apreciado en la literatura y la espiritualidad de los celtas. Las hadas, un espíritu sobrenatural, pueden asociarse a veces con el bien, pero también pueden tener un enfoque más bien amoral en sus relaciones con los demás, especialmente con los humanos. Dentro de los entresijos de la mitología celta, el término hada se utiliza generalmente solo cuando se aplica a criaturas mágicas que poseen una apariencia humana y no son tímidas a la hora de utilizar sus poderes. También pueden ser propensas a hacer travesuras, y no hay que subestimar la astucia incluso de las hadas buenas. En la religión pagana, las hadas suelen ser adoradas de la misma manera que los espíritus de los muertos u otros espíritus de la naturaleza. Sin embargo, no es de extrañar que, una vez que el cristianismo se convirtió en una estructura religiosa dominante y se apropió de elementos clave del paganismo para evitar alienar a los nuevos feligreses de la iglesia, las hadas pasaran a ser conocidas como ángeles, aplicándose una terminología diferente a los que han caído en desgracia y se han convertido en demonios.

Esto, en cierto modo, se entrelaza con las leyendas artúricas y, en particular, con la figura de Morgan le Fay, que muchos creen que fue una iteración de la Morrigan como hada. La leyenda del rey Arturo y las historias de las figuras de su mundo - la reina Ginebra, Lancelot del Lago y Morgan le Fay, entre muchas otras - tienen en realidad sus orígenes en la mitología celta. Estas historias forman parte del tejido de la cultura pagana hasta tal punto que los historiadores han podido identificar fácilmente sus contrapartidas cristianas posteriores. Resulta interesante que las interpretaciones modernas de las leyendas artúricas se esfuercen a menudo por explorar las historias en el contexto de una Europa en rápida evolución. Teniendo en cuenta el esquema más amplio de los acontecimientos, el personaje de Morgan puede ser representado como la asediada cultura pagana abrumada por el recientemente poderoso cristianismo. Como tal, tiene sentido centrarse por un momento en la iteración más famosa de la Morrigan como el hada o Morgan le Fay.

La hechicera

En las primeras menciones registradas de Morgan, se la muestra como una diosa que, por lo general, es un espíritu benévolo y está relacionada de alguna manera con el rey Arturo. En parte de la literatura, aparece como su hermanastra, pero en otras historias, la relación de sangre parece más bien nebulosa, aunque siempre se establece firmemente que es pariente de Arturo. Como a menudo se la muestra como una diosa en estas historias, los historiadores han utilizado esto para ayudar a solidificar el vínculo entre Morrigan y su equivalente literario Morgan le Fay.

En cualquier caso, sus primeras apariciones en la mitología no son exhaustivas, y los relatos sobre ella y sus actividades no nos proporcionan una lista de características para seguir, ni siquiera el más básico de los esbozos biográficos. Sin embargo, sabemos que esta situación de pizarra en blanco pretende hacernos saber que es una especie de salvadora mágica del rey Arturo, y su importancia en los relatos se acentúa con el tiempo. Con la creciente frecuencia de sus apariciones a lo largo de los años, la naturaleza ambigua de Morgan se hace más evidente, y vemos que su brújula moral se cuestiona cada vez más. El carácter de Morgan se transforma significativamente con el tiempo. Mientras que en los primeros relatos adopta el papel de protectora, se convierte en una antagonista e incluso es retratada de forma bastante cínica en el ciclo Lancelot-Grail y otros ciclos mitológicos. Esto no es del todo sorprendente, dado que el auge del cristianismo acabaría mirando a los personajes claramente etéreos, ya sean diosas o hadas, con considerable desconfianza. En las interpretaciones medievales de las leyendas artúricas, que son posiblemente las versiones más populares del cuento, Morgan es representada como una entidad imprevisible de doble naturaleza que tiene tanto el potencial del bien como del mal, aunque se inclina más por este último. ¿Le resulta familiar? La evolución de Morgan en estos cuentos puede verse como la culminación última de una comprensión más amplia de Morrigan y de la dualidad de la diosa.

Sin embargo, antes de avanzar demasiado, podemos descubrir un poco más sobre las primeras iteraciones de la encantadora Morgan para poder entender mejor la conexión con Morrigan.

En la leyenda artúrica, hay poco debate sobre la infancia de Morgan. En varios mitos se señala que se sentía atraída por las artes mágicas y que llevaba una piedra druida como talismán especial. Se esforzó por obtener conocimientos de la nodriza que la crio y luego de los dioses y hadas que poblaban la sagrada corte de Avalon. Su búsqueda de las artes oscuras es un hecho que se utilizaría para arrojar calumnias sobre ella y para que autores posteriores o tradiciones orales la trataran con desdén. Al igual que Morrigan, Morgan era representada en los cuentos anteriores como una diosa de triple aspecto, cada uno de los cuales poseía un cierto número de atributos. Otra razón por la que se cree que Morgan deriva de la Morrigan es lo que sabemos de la historia de origen de la primera.

En la mitología galesa, se pensaba que Morgan compartía la misma madre que Arturo, Modron. Curiosamente, tanto Modron como Morgan son diferentes formas localizadas de la Morrigan, que en los cuentos galeses se representa también con la forma de un cuervo o corneja, presagio de muerte para nuestros valientes héroes. Así pues, cabe suponer que Morgan le Fay es, de hecho, la diosa Morrigan bajo otra apariencia. Muchos paganos creían que Morgan estaba relacionada de algún modo con Morrigan, si es que no era la propia diosa. Esto explica además por qué Morgan fue representada en historias posteriores como un presagio del mal. Una vez más, a medida que el cristianismo se hizo dominante, especialmente en Europa occidental, las costumbres y la cultura de los paganos quedaron subsumidas por esa religión y reencuadradas dentro de los valores judeocristianos.

La Reina Fantasma

Morgan le Fay y las descripciones siempre cambiantes en las leyendas artúricas es una buena transición para explorar la versión más oscura de la diosa Morrigan y lo que significa para los paganos. Morrigan, tal y como aparece en las leyendas artúricas, no es siempre malvada, pero es una figura profundamente ambigua que parece vacilar entre su deber de proteger al rey Arturo y frenar sus tendencias más oscuras de caos y control. En la apariencia de Morrigan como Reina Fantasma o Espectral, la mayoría de los matices se tiran por la ventana, y la diosa cede a los impulsos malignos más plenamente.

En la mitología celta, el símbolo de Morrigan es el cuervo, la más oscura y misteriosa de las aves, a menudo asociada con la muerte. Dado que a Morrigan también se la conoce como la diosa de la guerra, o incluso se la denomina simbólicamente como el "martillo de guerra", esto tiene sentido. Como presagio cambiante de la batalla y la calamidad, Morrigan tuvo una enorme influencia en la cultura celta y, más concretamente, en la historia de Irlanda. Como ha leído en capítulos anteriores, Morrigan era en realidad un trío de poderosas y dinámicas hermanas que infundían temor en los corazones de muchos. A veces recibían los nombres de Badb, Macha y Nemain, pero en otras historias mitológicas registradas, se ha hecho referencia a las hermanas de Morrigan como las diosas Ériu, Banba y Fódla (o *Fótla*). En una serie de importantes obras folclóricas llamadas el Ciclo del Úlster, Morrigan aparece con mayor frecuencia como esta tríada de diosas. Como hemos leído en capítulos anteriores, la historia es significativa en el folklore irlandés y merece la pena repetirla aquí con matices añadidos. La Morrigan está en el centro de las batallas de Cúchulainn con el ejército de Connacht para proteger el Úlster contra la reina Medb. Esta infame batalla se prolongó durante meses y a menudo se considera uno de los tramos más traumáticos detallados en la historia de la Edad Media. Una noche, Cúchulainn decidió invocar el derecho al combate individual para poder derrotar él solo a todos los guerreros. Morrigan apareció para seducir a Cúchulainn en respuesta a esta invocación, ofreciéndose a él antes de la batalla. Cúchulainn, siempre el soldado centrado y dedicado, se negó.

Esto indignó a Morrigan, que entonces utilizó su don para los disfraces para transformarse en anguila, haciendo tropezar a Cúchulainn mientras viajaba por el fiordo. Mientras intentaba defenderse de la diosa vengativa, la escurridiza anguila se transformó de nuevo en lobo, alejando al ganado cercano y haciendo que se uniera a Cúchulainn. El soldado, siempre ágil, respondió rápidamente con una honda, cegando efectivamente a la temerosa Morrigan en un ojo.

Esta es quizás la historia más famosa que involucra a Morrigan, pero está lejos de ser la única. Su influencia en la mitología es tan amplia, especialmente en la historia local de Irlanda, que a menudo se dice que el país lleva su nombre. La palabra "Irlanda" puede descomponerse en el celta "aariu", que significa vigilar, y "eire", que significa tierra. Combinadas, ambas palabras son "Eriu-land", que en celta significa Irlanda. Así pues, siempre se ha pensado que Morrigan vigila a Irlanda; si se trata de un acto benévolo o de un significado que denota algo más temible es algo que está en juego.

En definitiva, basándose en estos mitos, es fácil ver cuándo y cómo la naturaleza más oscura de la Morrigan se apodera de ella, incluso cuando parece creer que está ayudando o tratando de cuidar a los demás. Su ira, orgullo o deseo de control pueden consumirla y nublar su visión de los acontecimientos en el mundo en el que está intrincadamente entrelazada.

El hada y el fantasma

Morrigan aparece en diferentes historias con características ligeramente distintas cada vez. La literatura escrita podría sugerir que las formas en que su caracterización ha evolucionado están profundamente ligadas a las cambiantes costumbres y estructuras religiosas de Europa Occidental. Esto es en parte cierto. Al mismo tiempo, también es fácil conjeturar, basándose en las historias más populares esbozadas en este capítulo, que la Morrigan "buena", o hada, es intercambiable con la Reina Fantasma o Espectral. Al menos, su lucha por encontrar un equilibrio espiritual entre los dos bandos que luchan en su alma refleja la propia lucha de la humanidad por mantener a raya a los fantasmas oscuros. De este modo, el legado de la Morrigan perdura en el presente por su fiabilidad y la vulnerabilidad inherente a su valiente lucha. A pesar de ser una diosa poderosa, lo que sabemos de la Morrigan la hace sentir tangible, lo cual es curioso dado que es famosa por su naturaleza mercurial.

Entonces, ¿es la Morrigan un hada o un fantasma? Tal vez no sea una cuestión de lo uno o lo otro, sino más bien una pregunta sobre la antigua lucha entre el bien y el mal y una rumiación sobre hasta qué punto una persona puede contener una multitud de características mientras lucha con fuerza contra sus instintos más bajos.

Históricamente, Morrigan ha sido venerada como la diosa de la batalla, pero también se la consideraba la diosa del éxtasis, la fertilidad y la magia. Este hecho, por sí solo, parece apuntar a su naturaleza de diosa y confirma que su legado no es un claro sobre el que se puedan expresar puntos morales fáciles. Una lectura feminista de segunda o incluso tercera ola de Morrigan y de lo que ha llegado a significar para los paganos apoyaría esto, concluyendo que era simplemente una bruja o entidad con talento que deseaba de una manera que se siente más humana. Asimismo, dado su género, se la ha responsabilizado de sus acciones más que a otras figuras míticas con legados igualmente temibles, y la gente ha exigido a Morrigan un estándar más elevado. Como persona independiente, inteligente, pero esencialmente desconfiada, no siempre tomó las mejores decisiones. Era hiriente, mercurial y poseía una voluntad incógnita que no siempre le granjeó una gran popularidad. Sin embargo, calificarla de malvada a secas es poco equilibrado.

Incluso en los retratos más halagadores, Morrigan es retratada como una embaucadora, una astuta metamórfica que confundía a todo el mundo, incluso cuando pretendía ayudarles. Esta descripción se ajusta más naturalmente a la del hada, o fae, un ser mágico con buen sentido del humor, pero que no pretende hacer daño a los demás. Sin embargo, llevar esta tendencia al engaño a su extremo lógico también podría suponer problemas para Morrigan y los que caigan en sus garras.

Una búsqueda del equilibrio

En última instancia, Morrigan es un ser sobrenatural muy relacionable. Aunque no sea inmediatamente obvio, el viaje continuo de Morrigan, ya sea en su encarnación como Morgan le Fay o como el temible ser que aterroriza a los guerreros, representa un intento de alcanzar la armonía dentro del ser. Algunas historias modernas hacen que la batalla espiritual de Morrigan sea bastante explícita, pero está implícita en los mitos antiguos. Para los practicantes contemporáneos de la wicca y el paganismo, Morrigan es un vehículo eficaz para compartir nuestras ansiedades por no sentirnos con los pies en la tierra, sin un sentido del equilibrio que permita al fantasma, o al lado oscuro, instalarse y enconarse.

En definitiva, Morrigan es una contradicción cautivadora que ha mantenido a millones de personas en su esclavitud durante siglos. Es simultáneamente el espíritu de la furia y la paz, la alegría y el terror, un hada que también es un fantasma. En sus diferentes iteraciones a lo largo del tiempo, ha sido representada como la cuidadora de los reyes, una hermana cariñosa, madre y amante devota. También se la ha representado como una mujer malvada que no disfruta siendo plantada por su amante, una que mataría sin piedad a miles de soldados y destruiría toneladas de hogares simplemente para calmar algún sentimiento de pena. Morrigan es, a su vez, curativa y materia de pesadillas: su doble naturaleza asusta y confunde constantemente. Por supuesto, muchas de estas etiquetas también pueden lanzarse contra las madres o las mujeres en general. Su función de proteger a la sociedad y, al mismo tiempo, de continuar el ciclo de la vida mediante las exigencias físicas del trabajo, hace que su poder sea a la vez temido y subestimado, al igual que el de la propia Morrigan.

Se aconseja encarecidamente a los brujos modernos que aprovechen la energía de Morrigan mediante una serie de devociones. También es necesario que realicen un estudio exhaustivo y riguroso de su legado y sus múltiples manifestaciones. El fortalecimiento de su relación con (y la comprensión de) Morrigan mejorará profundamente su práctica espiritual. Aunque parte del trabajo puede realizarse en grupo, también se aconseja explorar las diversas oraciones y rituales en solitario para profundizar en la comprensión de un ser tan complejo que posee una gran sabiduría para todos nosotros, independientemente del género.

Ya hemos mencionado que Morrigan sigue siendo una figura relatable, a pesar de sus poderes desmesurados. Aunque hay muchas historias y rituales paganos que merecen una atención especial, hay algo en Morrigan y en su capacidad o, a veces, incapacidad de aprovechar sus poderes para el bien que merece la pena recordar y retener. Nuestro mundo moderno se ha vuelto cada vez más oscuro en los últimos tiempos, y ha sido fácil para muchos caer presa de sus instintos más bajos o dejarse envolver por sentimientos de venganza y traición. Sin embargo, estos sentimientos tienen sus limitaciones, y por muy excitante o satisfactorio que se sienta ceder y dejar que los impulsos más oscuros se apoderen de su mejor juicio, no sirven de nada si no está actuando también como protector hacia sus seres queridos, o al menos manteniendo una justa valoración del equilibrio dentro del universo.

La mayoría de las religiones y los practicantes espirituales dirán que el universo necesita tanto el bien como el mal en medidas iguales, y que, si uno se impone al otro por completo, se producirá un grave desequilibrio en la fortuna del mundo. Por lo tanto, tiene sentido defender a Morrigan, tanto al hada como a la Reina Fantasma, y aprender todo lo posible de su viaje. Centrarse en su legado y ser consciente de los rituales de oración solo hará que se profundice en el camino espiritual y se garantice una iluminación continua para todos.

Capítulo 5: La Morrigan como diosa de la fertilidad

La Morrigan es una de las deidades más poderosas, de la que se suele hablar en la literatura académica por su asociación con la guerra y el derramamiento de sangre. Sin embargo, también posee rasgos de personalidad menos conocidos y más intrigantes. Es interesante observar que hay varios aspectos de su personalidad que se discuten a menudo en la literatura, pero el hecho más intrigante es que la tradición mitológica sobre su naturaleza y atributos tiende a cambiar de un texto a otro. En este capítulo, nos esforzaremos por comprender mejor a Morrigan como diosa de la fertilidad y de la tierra.

Derivaciones de su nombre

Para comprender mejor su papel como diosa de la fertilidad y de la tierra, es intuitivo revisar los orígenes de su personalidad como diosa. Su nombre es un buen punto de partida porque ofrece pistas significativas sobre su identidad general y su naturaleza como deidad.

Hay, en general, tres teorías básicas que se asocian comúnmente a su nombre, "Morrigan", que hemos explicado en capítulos anteriores. Morrigan puede traducirse como "Reina del Mar", "Gran Reina" o "Reina Fantasma". Sin embargo, una de las traducciones más superficiales de su nombre es "Gran Reina" porque la palabra "Mór" en irlandés se traduce como grande o grandiosa. Al mismo tiempo, "rigan" significaría "reina". Sin embargo, en otros textos, "Mór" aparece como "Mor", lo que indica que puede tener un significado y un origen absolutamente diferentes. "Mor" es muy similar a "muir", una antigua palabra irlandesa que suele referirse al mar o a cualquier masa de agua.

Las múltiples formas de Morrigan

Como ya hemos mencionado, encontrará diferencias en los relatos sobre las dimensiones de su personalidad y sus atributos divinos. En algunos relatos, aparece como diosa solitaria, mientras que, en otros, se habla de ella como diosa triple. A menudo se la representa como una hermosa muchacha y a veces como una mujer de gran poder. A veces también se encuentra su imagen como una bruja.

El papel más comúnmente asociado a Morrigan es el de diosa de la batalla, y se la representa adoptando las formas de una corneja o un cuervo. El folklore también informa de que es la precursora de la muerte o la victoria de un soldado o de todo un ejército, y parece ser una adivina. Sin embargo, uno de los atributos menos promocionados y menos comprendidos de esta diosa está relacionado con la tierra y la fertilidad, posición por la que es venerada. También se la venera como diosa de la tierra y la fertilidad y se la vincula específicamente con la procreación y la fertilidad del ganado. En una línea similar, encontrará sus impresionantes poderes centrados en la sexualidad. Según el folklore, el jefe de los dioses salió victorioso de la guerra y fue reconocido y convertido en héroe gracias a las energías sexuales de Morrigan. Durante una gran batalla, ella se acostó con el héroe y le imbuyó de una fuerza y una motivación adicionales para triunfar finalmente, ya que se acostó con él y contribuyó a su éxito en la batalla. Debido a su aspecto sexualmente atractivo, es un reconocido símbolo de la fertilidad.

Morrigan, Macha y Badb

Hay otras dos diosas con las que Morrigan está vinculada, Badb y Macha. Las tres son reconocidas colectivamente como las Morrigu. Sin embargo, según algunos estudiosos, este trío no hace más que definir diferentes formas de la propia diosa Morrigan. Esta interpretación concuerda con la filosofía celta porque tienden a ver a los dioses y diosas como portadores de una potente energía divina. Se cree que las tres diosas son hijas de la deidad madre, Ernmas.

Morrigan es vista como una diosa de la abundancia y la fertilidad debido a su lugar como diosa del parto. A menudo se le reza cuando se inicia una nueva vida o alguien abre un nuevo capítulo en la vida porque su presencia y bendiciones garantizan que la vida acabará prevaleciendo y prosperando a pesar de la destrucción y la muerte.

Morrigan y otras deidades

La gran diosa celta Morrigan es una de las deidades más complejas, y hay varias capas en su persona divina. Para explorar mejor el papel de Morrigan como diosa de la fertilidad, la abundancia y la tierra, debemos discutir su asociación con otras deidades, como Anand, Danu, Ériu, Banba y Fotla.

La historia de Anu, Macha y Badb

Según el folklore, la diosa Anand es otro nombre de la diosa Morrigan, y era una de las tres hermanas (Badb, Macha). Anand, Badb y Macha eran las hijas divinas de la diosa Ernmas (ampliamente conocida como la diosa madre irlandesa). Estas tres diosas hermanas suelen llamarse colectivamente Morrigan o las Morrigan. A veces los nombres de Morrigan o Anand se intercambian con Fea o Nemain, pero esto varía de un mito a otro.

Para entender la aparición de esta diosa triple como Morrigan, conviene señalar que esta naturaleza triple es esencialmente inconsistente y ambigua. La naturaleza triple de la diosa Morrigan es bastante representativa de las fases lunares (es decir, lunas crecientes, llenas o menguantes), lo cual es bastante interesante de observar.

La diosa Anand, Anann o Anu es uno de los aspectos o formas de la poderosa Morrigan y se considera la diosa celta irlandesa de las doncellas. Es la diosa de la fertilidad y de la tierra y está profundamente relacionada con el mar y los ríos que fluyen por el mundo. Por otro lado, la diosa Macha (otra forma de la diosa Morrigan) se representa como la forma de diosa madre celta irlandesa de Morrigan. Macha también está fuertemente asociada a los aspectos de protección, fertilidad, soberanía y tierra, junto con sus atributos guerreros.

Se la suele representar con el pelo rojo y se la asocia con el elemento fuego. A Macha se la suele relacionar con los caballos y los cuervos. Por último, la Badb está considerada como una deidad celta irlandesa de tipo anciana (otra forma de la diosa Morrigan). También se la reconoce como la Badb Catha, que se traduce literalmente como "cuervo de batalla". Badb también está fuertemente relacionada con la muerte, la guerra y la profecía. Entre los animales vinculados a ella se encuentran los cuervos y las cornejas. Las tres diosas son asombrosamente poderosas y traen consigo una gran energía divina.

Esencialmente, la apariencia de triple diosa de Morrigan es significativa sobre todo por su relación con la importancia celta del concepto de trinidad o del concepto de triunidad. Al mismo tiempo, Morrigan puede ser vista como una diosa que aparece sola, por lo que el concepto de Morrigan y sus nombres intercambiables es un reto para describir y comprender. También es posible que se vea a la diosa Morrigan como una diosa que aparece sola y, en raras ocasiones, su nombre es curiosamente intercambiable con el de Badb.

Morrigan y Danu

Nadie ha tenido el mismo estatus etéreo que la diosa Morrigan entre todos los dioses y diosas celtas. Un rasgo central que atraviesa tanto a Danu como a Morrigan, y que las une, es su asociación con la fertilidad y los ríos.

Si miramos de cerca la historia mitológica, tenemos establecido que la poderosa deidad Morrigan pertenecía a la tribu divina de Tuatha Dé Danann, que resultó ser el pueblo de la gran diosa Danu. Según la tradición popular, Tuatha Dé Danann era la tribu mítica de seres divinos que estableció un asentamiento en la tierra irlandesa, y esto fue antes de que llegaran los antepasados de los galos modernos (es decir, los milesios). Histórica y mitológicamente, esta tribu era de los descendientes de la deidad Danu, y el poderoso Dagda (que era hijo de Danu) resultó ser el líder de los Tuatha Dé Danann. Esta tribu estaba formada por dioses, diosas y héroes que poseían grandes habilidades en ciencia, magia, arte y poesía.

Danu ha sido respetada y adorada como la diosa madre, pero hay mucho misterio en torno a su origen. Sin embargo, Danu resultó ser la diosa del poder, la soberanía y el ser. Al ser una diosa madre, se creía que varios dioses amamantaron a través de ella para recibir la sabiduría. Danu ha sido vinculada a varios dioses y diosas celtas fuera y dentro de Irlanda. Según las tradiciones neopaganas, es interesante observar que Danu era venerada como una de las diosas triples y está vinculada con la Morrigan. El nombre "Anu o Annan" y Danu son sorprendentemente similares, y por ello, algunos creyentes paganos pensaban que la gran madre Danu era solo una de las muchas caras de la diosa Morrigan.

Diosas Ériu, Banba y Fódla

Según los textos mitológicos, las Morrigan son las hermanas de la tríada de diosas de la tierra, Banba, Ériu y Fódla. Cuando se examinan los textos mitológicos irlandeses, Ériu (a veces llamada Eire) es reconocida como la hija de Ernmas y Delbaeth de Tuatha Dé Danann.

A Ériu se la considera la diosa de toda Irlanda y también se cree que se la considera una personificación. Mientras que Banba (también llamada Banbha) es venerada como una deidad patrona de Irlanda. Se casó con el nieto de Dagda (Mac Cuill) y fue una de las deidades más importantes de la tradición irlandesa. Según el folklore (una variación de la leyenda de Cessair), Banbha fue la primera deidad que llegó a las tierras irlandesas antes del diluvio. Cuando los milesios viajaban por las tierras irlandesas, eran acogidos por tropas mágicas de hadas y por la diosa Banba como anfitriones. Se escribió que esto llegó a ocurrir. Se cree que ocurrió en la Montaña de Senna (Mes). Banba ha sido considerada como la diosa de la tierra también por esta razón. Sin embargo, también era conocida como la diosa de la guerra y la fertilidad (al igual que la Morrigan). La tercera diosa, Fódla, también era conocida por los nombres de Fotla, Fódla, Fodhla o Fola y se encontraba entre las gigantas de Irlanda.

Estas tres hermanas pidieron a los milesianos que concedieran sus nombres al país, y su deseo se cumplió. Aunque Ériu se convirtió en el nombre famoso, Fódla y Banba también se utilizan para referirse a Irlanda en los textos poéticos. Según algunos historiadores, las diosas divinas vinculadas a Banbha, Eire y Fódla eran las tres Morrigan (Macha,

Badb y Morrigan).

Diosa de la fertilidad, la abundancia y la tierra

Al revisar los textos de la mitología celta, Morrigan es descrita principalmente como la diosa oscura de la guerra o de la muerte. Sin embargo, ahora que hemos hablado de otros muchos aspectos de la diosa Morrigan, es bastante evidente que hay mucho más que aprender sobre ella. Como ahora entendemos, Morrigan es también la diosa responsable de la soberanía de la tierra. Por lo tanto, a sus polifacéticas autoridades se añade también el estatus de protectora. Su asociación con los animales y su capacidad para transformarse en cualquier número de ellos da aún más credibilidad a su posición como diosa Morrigan se representa a menudo con las formas animales de un cuervo o una corneja. Sin embargo, en algunas ocasiones, sobre todo en los relatos del ciclo del Úlster, Morrigan fue representada por un lobo y una vaca. Estas representaciones animales de Morrigan sugieren que también es una diosa de la tierra y la fertilidad.

La diosa Morrigan está vinculada con los animales (el ganado o las reses en particular) y la fertilidad de la tierra. Aunque las historias generales y populares sobre Morrigan la describen como una diosa oscura, poderosa y siniestra, y más folklore le sigue atribuyendo autoridad sobre el dominio de la imponente sexualidad femenina, ya hemos hablado de la imponente sexualidad de la diosa Morrigan, y es por ello por lo que también tenía muchos atributos terrenales y fértiles. De hecho, algunos historiadores incluso sostienen que el papel de "portadora de presagios durante las batallas" puede no ser el papel dominante o definitorio de la diosa Morrigan porque muchas de sus actividades e intereses han tenido un aspecto tutelar. Era la cuidadora de la tierra, la sociedad y el ganado. Estos son los papeles que requieren un espíritu nutritivo y un cierto grado de terrenalidad. Uno de sus atributos o poderes dominantes era el poder de cambiar de forma, y puede interpretarse como una expresión manifiesta que muestra su afinidad con todo el universo viviente.

El protector de los intereses del pueblo

Un interesante registro titulado Cath Maige Tuired' (La batalla de Magh Tuireadh) es un texto de saga doble del ciclo mitológico de Irlanda. Este texto se refiere a las dos batallas de Connacht, cuyos detalles se han comentado en capítulos anteriores (la primera batalla ocurrió en el territorio de Conmhaicne Cuile Tuireadh, y la segunda tuvo lugar cerca del Lough Arrow en el condado de Sligo). Según el Cath Maige Tuired, Morrigan es una diosa protectora. Para algunos, puede parecer bastante sorprendente reconocer a la poderosa diosa Morrigan como la diosa protectora que salvaguarda los intereses de su pueblo. No solo eso, sino que además de la guerra, también se la asocia fuertemente con la fertilidad.

Así pues, hay muchas pruebas de que la diosa Morrigan se ha preocupado principalmente de la prosperidad de su tierra, de su vida animal, de la fertilidad y de mantenerla a ella y a su clan elegido a salvo de todas las fuerzas externas y ataques espirituales. Si se analiza esto más a fondo, dentro del contexto histórico, un aspecto destacado de las batallas y las guerras ha sido siempre la seguridad y la protección de la gente de esa tierra contra las fuerzas externas o la agresión. En la cultura celta, era bastante común que las mujeres participaran en las guerras sin perder sus atributos femeninos, e incluso se les permitía desempeñar funciones de liderazgo. Ocupaban su lugar junto a los hombres y eran tan fieras o más que ellos. Por lo tanto, es bastante fácil visualizar cómo se registra el folklore en torno a la participación de Morrigan en la guerra, ya que tiene que ser un acto de protección principalmente como defensa de su pueblo y de su tierra, con la misma fiereza que cualquier madre que protege a su descendencia.

Por lo tanto, de esta manera, la diosa Morrigan es ilustrada como lo que parece ser una manifestación de soberanía y diosa de la tierra. Esto solidifica allí un papel de Morrigan como diosa guardiana que protege el terrorismo y a las personas. Se la considera así porque participa activamente en asegurar la solidaridad política o militar de la tierra actuando como diosa soberana (en vez de como mera diosa de la guerra).

Morrigan como deidad madre

Este es otro atributo de crianza que se ha asociado a Morrigan, pero para visualizarla en este papel, es importante desafiar las nociones estereotipadas sobre una madre. Una preconcepción malsana y poco realista sobre las "madres" es que deben entregarse por completo a los hijos, pero esto no es una propuesta razonable y sana. La maternidad se asocia a menudo con el equilibrio. Una madre puede ser severa y autoritaria en ocasiones, pero una madre siempre ama a sus hijos, y la severidad que se deriva de ser madre es siempre desde un punto de vista protector y amoroso. Además, se la representa como una poderosa mujer divina que dirige sus energías creativas y nutritivas hacia sus hijos o hacia ella misma. Morrigan es representada como la que puede dar la vida o quitarla también.

Asociación con las masas de agua

Además de la asociación entre Morrigan y la tierra, también se la relaciona con las masas de agua, como los ríos y el mar. Muchas figuras maternas celtas tienen vínculos con el agua, y muchas de las diosas de la cultura celta están relacionadas con los ríos. Danu es lo mismo. La diosa madre encarna las cualidades del agua, fluyendo con profundidad y propósito. Esta conexión con el agua se extrapola aún más para desarrollar una fuerte conexión con la curación y la fertilidad. El agua da lugar a un nuevo crecimiento, convirtiendo la tierra seca en una nueva vida.

Dagda y Morrigan eran compañeros. ¿Y dónde se unieron? En un río, por supuesto. Cuando Dagda estaba en batalla, tenía que cruzar un río. Morrigan tomó la forma de una anguila y ofreció su amor a Dagda. Es solo apropiado que se unieran en el agua que fluye, y este tema continuó a lo largo de la vida de Morrigan: invocó una lluvia mágica parecida a la sangre para luchar contra sus enemigos, convirtió a un enemigo en un charco de agua e interactuó con el agua de muchas otras maneras para ayudar y repeler.

Asociación con el ganado

Otro indicio de la condición de Morrigan como diosa de la tierra se debe a las representaciones de ella como ganado en la mitología. Como hemos mencionado antes, Morrigan también aparecía como loba y como vaca. De hecho, una vaca es una forma que adoptó con bastante frecuencia. También se la asocia con el ganado y, por tanto, tiene un fuerte vínculo con la fertilidad y la tierra también. Históricamente, el ganado solía estar vinculado con diferentes diosas de los ríos, ya que su leche era similar a las aguas que enriquecían la vida y fertilizaban las tierras. Como ya se ha dicho, el estatus y la riqueza de la sociedad celta se medía, sin duda, por la cantidad de ovejas, ganado y otras cabezas de ganado, ya que eran fuertes indicadores de riqueza y no se consideraban simplemente una fuente de alimento.

Morrigan también estaba vinculada a los caballos, por lo que, una vez más, se establece su conexión con los conceptos de fertilidad y tierra. Esto se debe a que los caballos también eran un indicador de riqueza y abundancia, siendo tan valiosos como el resto del ganado, ya que se utilizaban para los viajes, la agricultura e incluso durante las guerras. Además, como los caballos son animales solares, están fuertemente asociados a la fertilidad.

Conexión con Morrigan como diosa de la fertilidad

La diosa Morrigan es una deidad poderosa y puede ser invocada para obtener apoyo y bendiciones en momentos difíciles. El propósito principal puede ser cualquier cosa, desde la superación de una batalla en la vida real hasta la fertilidad o la abundancia en la vida. Una de las mejores y más sencillas formas de conectar con la diosa Morrigan es adquirir conocimientos mitológicos y simbólicos sobre ella. Hay varios rituales e invocaciones que puede realizar para desarrollar una conexión más profunda con la Morrigan (solo compartiremos los hechizos brevemente porque se discutirán con más detalle en los próximos capítulos).

A continuación, presentamos una de las invocaciones a la diosa Morrigan. Con esta invocación, puede realizar un sencillo ritual que requerirá un caldero de color negro (lleno de agua). Añada una moneda de plata de gran tamaño que será una representación simbólica de la luna porque Morrigan también es venerada como la diosa de la luna. Puede colocar una imagen de la diosa Morrigan delante de usted y comenzar a invocarla.

"Madre Morrigan de la vida y la muerte

Te llamo para que me guíes y me des fuerza

Ayúdame a hablar contigo en mi aliento

Y a librar mis batallas con sabiduría

Ayúdame a comprender la situación que se presenta

Y a tomar las decisiones correctas para defender mi tierra

Concédeme sabiduría en todo lo que haga

Te invoco ahora para que me veas salir adelante"

Debe mirar atentamente el caldero una vez que haya terminado de recitar la invocación con plena dedicación y concentración. Concéntrese en la moneda de plata y recuerde que Morrigan es la poderosa diosa de la luna. Debe tratar de usar su tercer ojo y concentrarse en escuchar cualquier posible mensaje que la diosa Morrigan pueda tener para usted en ese momento. Una vez que haya terminado todo el ritual, no olvide conectarse a tierra y cerrar el círculo. Otra cosa útil es poner unas hojas de laurel bajo la almohada antes de irse a dormir esa noche, porque la diosa puede visitarle mientras duerme o enviarle mensajes en sus sueños. Estos sueños proféticos de adivinación se intensifican gracias a las hojas de laurel.

Capítulo 6: Construir un altar para la Morrigan

Para los seguidores de la Morrigan, tener un altar en su casa es especial e indicativo de un verdadero homenaje a la diosa celta. Y el hecho de que se haya tomado la molestia de hacerlo usted mismo e impregnarlo con su energía y emoción únicas lo hace aún más excepcional. Aunque mucha gente piensa que el propósito del altar es ser únicamente un lugar de oración y un lugar donde celebrar a Morrigan, el verdadero propósito del altar es darle un enfoque.

Para sacar el máximo partido a sus prácticas con Morrigan, necesita estar concentrado, y el altar es lo que le ayudará a desarrollar esa concentración. Por ejemplo, si quiere hacer una oración, su agudeza mental debe centrarse en la concentración estudiosa de los poderes divinos de Morrigan y en contemplar cómo puede buscar su ayuda en sus asuntos. Si está tratando de utilizar la magia para su propia mejora o para la mejora de un amigo o familiar, va a concentrarse en su energía y en la energía de Morrigan. Si está tratando de buscar orientación e iluminación, entonces su enfoque estará en tratar de conectarse con los guías espirituales, Morrigan y su ser superior para lograr este conocimiento y sabiduría.

En todas estas prácticas y en otras, el objetivo de todo el proceso es desarrollar de alguna manera un enfoque específico en la tarea que se está llevando a cabo. Puede utilizar una serie de instrumentos para hacerlo, pero el altar es fácilmente la mejor opción.

Cuando esté tratando de alcanzar estos objetivos, recuerde que todos funcionamos de diferentes maneras y a diferentes ritmos. Para algunas personas estar en un espacio cerrado es la mejor manera de concentrar su mente, mientras que para otras es más eficaz estar al aire libre en un espacio abierto y más cerca de la naturaleza. Algunos prefieren las primeras horas de la mañana para su meditación, mientras que otros prefieren meditar a última hora de la noche. Todos tenemos nuestras propias preferencias, y a cada persona le funcionan cosas diferentes. El altar está pensado para ofrecerle un lugar en el que pueda potenciar sus habilidades en lo que sea que esté haciendo, así que tiene sentido personalizarlo y modificarlo según lo que funcione para usted. Además, no hay ninguna regla rígida sobre lo que puede o no puede incluir un altar, y realmente depende de usted decidir lo que quiere hacer con él.

Hay algunas cuestiones que hay que tener en cuenta a la hora de construir su altar. La Morrigan tiene rasgos y características distintivas que la hacen ser quien es. Ciertas cosas son más propicias para la Morrigan, y su uso funciona mejor a la hora de conectar con su espíritu, llamar su atención y atraer su energía. Por ejemplo, puede utilizar cualquier tipo de tela para su altar en cualquier color, pero el negro y el rojo tradicionales funcionan mejor porque son colores simbólicos para ella y serán más efectivos. Algunas personas pueden encontrar que el azul funciona bien para sus intenciones, ya que ella también está conectada al agua junto con sus otras influencias. Cuando se está empezando, es mejor atenerse a la tradición y tratar de encontrar su lugar dentro de ella. Si no le gusta el negro, puede elegir el rojo, ya que ambos colores son excelentes para un altar de la Morrigan.

Este enfoque le facilitará mucho la elaboración de un altar en cuanto a la obtención de los recursos adecuados y le ayudará a crear algo que tenga un buen aspecto y sirva bien a su propósito.

En su forma más básica, un altar puede ser simplemente un cuadro en la pared o una mesa limpia en un espacio donde no haya distracciones. Los altares pueden ser grandes y elaboradas construcciones de objetos difíciles de encontrar y obras de arte de la forma más compleja. El altar doméstico medio será algo intermedio entre estos dos extremos. Además, será un altar que servirá para una variedad de propósitos, a menos que quiera construir altares especializados para diferentes actividades.

Ubicación

¿Dónde colocará su altar?

Para la mayoría de las personas, el mejor lugar es su dormitorio. Es un espacio cerrado e íntimo en el que pueden acceder al altar siempre que lo deseen sin preocuparse de tener distracciones cerca o de molestar a los demás mientras lo utilizan. Si vive en un alojamiento compartido y no quiere incomodar a los demás o si simplemente no tiene espacio en ninguna otra parte de la casa, su habitación es un buen lugar para empezar. Si está haciendo un altar para toda la familia o algo que le gustaría compartir con todos los demás en su alojamiento, considere la posibilidad de colocarlo en el salón o en cualquier zona común donde todos tengan fácil acceso a él.

Es importante tener en cuenta que un altar creado específicamente para que usted lo utilice será ligeramente diferente de un altar destinado a ser compartido. Así que, aunque tenga un altar familiar en el salón, sigue siendo una buena idea tener uno personal en su habitación o en algún lugar privado donde pueda centrarse en sí mismo.

Una vez decidida la habitación, lo siguiente a considerar es dónde colocar su altar. Por lo general, la gente no tiene mucho espacio libre en sus habitaciones, así que el altar va donde pueda colocarse cómodamente. Si está construyendo la habitación desde cero o está dispuesto a hacer grandes reajustes para acomodar un altar, debería mirar la geomancia para conseguir el mejor lugar en su habitación. La geomancia es un método de adivinación basado en la posición de los objetos. Hay algunos principios fundamentales de la geomancia que debería tener en cuenta si tiene la suerte de construir su habitación y su altar desde cero.

- El Norte es la dirección de la sabiduría.
- El Este es la dirección de la creatividad y los nuevos comienzos.
- El Sur es la dirección de la acción.
- El Oeste es la dirección de la emoción y de la mente subconsciente.
- Todo lo que está a su derecha se considera "arriba" y está conectado con Dios, la materia y la manifestación en sentido físico.
- Todo lo que está a su izquierda se considera "abajo" y está conectado con la diosa, con el espíritu y con la limpieza.

Con estos principios en mente, puede elegir un lugar para la habitación en función de lo que quiera trabajar y de lo que quiera manifestar en su vida. Para los principiantes, se aconseja empezar por el norte, ya que el conocimiento y la sabiduría son la base de todo lo demás. Además, el norte también incorpora aspectos de todas las demás direcciones en proporciones saludables. Ir hacia cualquier otra dirección desde el principio puede hacer que obtenga resultados que se inclinen demasiado hacia esa área en particular y creen desequilibrios en otras áreas.

La otra cosa que hay que saber es que el propio altar también puede interpretarse según las reglas de la geomancia.

Algunas de las reglas más importantes a tener en cuenta son:

- El lado derecho del altar se considera la parte "caliente". Se asocia con Dios, el sol, la energía física y los elementos del aire y el fuego.
- El lado izquierdo es la parte "fría". Se asocia con la diosa, la luna y las estrellas, la energía espiritual y la magia, y los elementos físicos del agua y la tierra.
- El centro del altar se asocia con el espíritu, que forma parte tanto del dios como de la diosa.

Preparar el espacio

Con su ubicación decidida, necesita preparar el área antes de instalar su altar. Dado que el altar tiene que ver con su energía, le ayuda a gestionar su energía y a concentrarla, quiere que el espacio esté limpio de cualquier tipo de energía negativa. La energía interactúa constantemente con las cosas tangibles e intangibles que la rodean, por lo que es muy sensible a las cosas que hay en ese espacio. La mejor estrategia para empezar a construir su altar es hacer una limpieza energética del espacio y luego pasar directamente a la construcción. Tenga preparados de antemano sus accesorios, herramientas y materiales necesarios. En cuanto haya terminado la limpieza, empiece a construir el altar y complételo de una sola vez.

Mesa de altar

La mesa de altar es cualquier superficie sobre la que se hace el altar. No tiene por qué ser una mesa. Puede ser cualquier tipo de superficie plana en la que pueda colocar todos los accesorios de su altar. Históricamente, los altares se hacían fuera de la casa, en el jardín o en un lugar central del barrio del pueblo, para que toda la comunidad pudiera tener acceso a él cada vez que necesitara utilizarlo. En este caso, el altar se hacía en el suelo o sobre un tronco, o una gran roca. El objetivo era mantener el altar lo más cerca posible del suelo y, por tanto, conectado a la Madre Tierra.

Con los altares de interior, esto puede ser difícil de hacer, por lo que es mejor utilizar una mesa. Como el objetivo es conectar con la madre tierra, es preferible utilizar una mesa de material natural como la madera o el mármol. Como mínimo, debería tener una mesa con materiales naturales para el tablero, como la madera, y otros materiales como el acero o materiales artificiales para las patas.

Si tiene poco espacio, puede hacer un altar improvisado en un mueble existente. Puede hacer un altar en una pequeña parte de su mesa de trabajo, o puede utilizar una estantería vacía como mesa o incluso tenerlo en su tocador. Algunas personas incluso añaden un frasco de tierra a la mesa del altar en un esfuerzo por reavivar la conexión con la madre naturaleza, aunque esta es una práctica menos común.

Mantel

El mantel del altar es el elemento central de su altar y debe ser cuidadosamente elegido o elaborado. En la antigüedad todas las telas se hacían a mano y se consideraba un lujo poseerlas. Colocarlo en el altar era una forma de respeto al espacio. Hoy en día, la tela se ha vuelto mucho más asequible. Aun así, se recomienda utilizar un tipo de tela natural en lugar de un material sintético moderno.

Hay varias formas de adaptar la tela y personalizarla. Por ejemplo, puede conseguir un trozo de tela sencillo y hacer un bordado en él usted misma. Otra idea que podría utilizar si la costura no es su punto fuerte es pintarla con signos y símbolos que resuenen con su filosofía. Incluso podría cortar y diseñar especialmente la tela para que se ajuste a sus gustos y necesidades específicas.

Si tiene un tipo de tela extraordinaria, quizá una reliquia o algo que le resulte muy cercano, utilícela. El propósito de la personalización es crear una conexión entre usted y los objetos del altar, en este caso, la tela. Trabajar con el material durante la fase de personalización o utilizar algo cercano a usted ayuda a crear un vínculo único con su altar.

Velas

Las velas son siempre una parte crucial de un altar y, en este caso, representan el elemento del fuego. Algunas personas prefieren las velas de cera, mientras que otras eligen las lámparas de aceite, pero la idea es tener alguna forma de fuego y luz en el altar. También puede combinar esto con el elemento aire teniendo una vela perfumada. De este modo, no necesitará tener incienso por separado.

Las velas en sí mismas tienen su propia energía, y cuando enciende velas en un altar, aumenta el nivel de energía general. También crea energía en la forma de la llama, que añade energía a la zona y a otros elementos que utilice. No hay límite en el número de velas que puede tener. Consígalas en los colores que más le gusten, con las fragancias con las que se sienta cómodo. Las velas perfumadas pueden tener un aroma bastante fuerte, así que utilice primero un par y luego siga a partir de ahí.

Colores

El altar está decorado con muchos objetos, pero a menudo notará que todos tienen un color similar, o que hay un tema de color dominante en todas las decoraciones. Hay una gama de colores que se pueden utilizar para el altar de Morrigan, y depende de los colores que le gusten a la diosa y de lo que funcione para usted. El color favorito de Morrigan y el más destacado en los altares que se le dedican es el rojo.

Ya sea el color de la tela que utilice o el de las velas que encienda, encontrará el rojo en muchos altares de Morrigan. Otros colores que puede utilizar son el negro, el marrón, el azul oscuro, el morado, el verde y el blanco.

Si utiliza piedras para decorar su altar, busque también piedras de estos colores, preferiblemente naturales, para mantener la conexión con la tierra. Algunas piedras pueden llegar a ser extremadamente caras, como las esmeraldas azules, por lo que no está de más utilizar alternativas mucho más baratas que tengan el mismo color, pero no el precio.

Gemas y cristales

Hablando de piedras, varias piedras se asocian con Morrigan y pueden utilizarse en su altar. Las más comunes son el azabache, la amatista, la obsidiana, el granate, el cuarzo transparente y la esmeralda.

Algunas de estas piedras también se pueden encontrar en diferentes colores. Por ejemplo, si no puede encontrar cuarzo claro, consiga cuarzo rosa, ya que funcionará. Todas estas piedras tienen rasgos y propiedades que se les atribuyen. Por ejemplo, el cuarzo transparente es una piedra preferida porque engloba la energía de todas las demás piedras, cubre todos los aspectos de Morrigan y es una piedra que puede ayudar a amplificar su propia energía también. Por sí sola, es una piedra con energía neutra, y funciona bien con otras piedras.

Luego hay piedras que sirven para un propósito muy específico. Por ejemplo, la obsidiana es una piedra semipreciosa que se utiliza exclusivamente para la protección y la eliminación de la energía negativa. Es una piedra estupenda para protegerse tanto en el ámbito físico como en el espiritual, y su profunda conexión con la tierra ayuda a enraizar su altar mejor de lo que podría hacerlo cualquier otro objeto. Esta es la única piedra que deben elegir las personas que necesitan ayuda para conectarse a tierra. Otras piedras, como el cuarzo transparente, pueden sustituirse por otro tipo de piedra, pero ninguna tiene el mismo poder que la obsidiana.

Incienso

El incienso es igualmente importante de tener en su altar porque representa el elemento aire. Se puede utilizar cualquier tipo de incienso, ya sea aceite, varilla, polvo o cualquier otra forma. Es posible que tenga que sostener el incienso para algunos rituales, por lo que es mejor conseguir un tipo de incienso que pueda sostenerse fácilmente en las manos.

Algunos inciensos pueden ser únicos, pero tienen sus dificultades. Por ejemplo, el incienso en polvo está pensado para ser quemado sobre carbón. Aunque es un gran complemento para el altar, no será la mejor solución para un altar de interior, especialmente uno en una habitación cerrada. Las varillas y los aceites funcionan mejor para su uso en interiores.

También puede utilizar palos de sahumerio. Estos son esencialmente solo hierbas secas que han sido atadas para crear un manojo que usted puede quemar. Son estupendas para limpiar espacios, pero pueden ser difíciles de manejar, ya que a menudo producen chispas y dejan un rastro de ceniza al caminar con ellas, así que tenga cuidado con ellas.

También hay varios tipos de incienso incombustibles que puede utilizar si es especialmente sensible al humo o en un entorno en el que no es posible tener una llama abierta. Existen máquinas de incienso eléctricas que funcionan con cápsulas de aroma reemplazables.

Puede utilizar una hierba o planta para el incienso en situaciones extremas. Si consigue una rosa fresca, un poco de lavanda o un poco de salvia, son apropiados por su valor decorativo y su fragancia. El simple hecho de calentar estas plantas sobre una vela o colocarlas cerca de una chimenea intensificará su aroma y alegrará todo el espacio.

Cuando coloque su incienso, manténgalo a la derecha de su altar.

Hierbas, plantas y frutas

Diferentes hierbas, plantas y frutas se utilizan como decoración y ofrenda en el altar. Algunas de las mejores cosas que se pueden utilizar en este sentido son

Avena tradicional: puede utilizarla cruda y colocarla en un cuenco sobre el altar. Asegúrese de no utilizar avena instantánea; la avena a la antigua es la que hay que conseguir.

Manzanas: un tentempié favorito de la diosa y una fruta que era extremadamente popular en la cultura pagana. Las manzanas son un signo de vitalidad y vida y un regalo maravilloso para la diosa.

Bayas de enebro: antes de que estas bayas se hicieran populares por el alcohol que se hace con ellas, eran conocidas como parte integral de la cultura pagana, especialmente cuando se trataba de la Morrigan. Estas bayas se asociaban con la protección y las habilidades psíquicas. Ayudan al usuario a alcanzar estados superiores de conciencia durante la adivinación y son una parte importante de algunos rituales de protección.

Artemisa: esta planta común puede utilizarse en su forma vegetal como adorno, o se puede hacer un té de artemisa con la versión seca de la planta y utilizarlo como ofrenda en el altar. Se asocia con la fertilidad y funciona muy bien en el altar de Morrigan.

Roble: es uno de los árboles más significativos en la cultura pagana y se asocia con el conocimiento, la sabiduría, la magia y el bienestar. La práctica más común es utilizar la bellota del roble. Tradicionalmente, la gente escribía o dibujaba una imagen de lo que deseaba en la bellota y la colocaba en el altar. Es una forma de mostrar a la diosa lo que se desea y darle la responsabilidad de hacerlo realidad en su vida.

Capítulo 7: Badb - Aprender el arte de la adivinación y la profecía

Como sabe, la Morrigan adopta numerosos papeles y se manifiesta de diferentes formas. La gente elige conectarse con la diosa por muchas razones. Por ejemplo, algunas personas pueden estar buscando orientación con respecto a sus batallas personales, mientras que otras pueden necesitar reunir la fuerza para romper ciclos y dejar ir las cosas que ya no les sirven. Sin embargo, en este capítulo, el enfoque principal será conectar con la Morrigan en la forma de Badb, o la diosa de la profecía.

Además de sus habilidades para cambiar de forma, la Morrigan es más conocida por sus actividades de adivinación y profecía. Como podrá recordar, la mayor parte de su mitología, si no toda, incorpora presagios y profecías. Su profecía más renombrada fue la que hizo después de la Segunda Batalla de Moyturra, prediciendo resultados tanto positivos como negativos de la batalla. En una de sus varias manifestaciones, particularmente como Macha, visualizó el derramamiento de sangre y la destrucción que tendría lugar como resultado del robo del toro de Cooley. El Badb incluso apareció en uno de los sueños de la reina Medb como un fantasma para advertirle de la muerte de su hijo. También se le apareció a Cú Chulainn como una mujer que lavaba la sangre de una armadura antes de que él fuera a la batalla, señalando que su fin estaba cerca. Hay un vínculo muy fuerte entre las habilidades proféticas y el habla y la Morrigan.

Conectar con la Badb como diosa de la profecía es algo que a mucha gente le cuesta hacer. Lo que no necesariamente se dan cuenta es que no hay pasos claros sobre cómo hacerlo. La forma en que una persona conecta con su deidad, independientemente de su papel, depende de cada individuo, así como del nivel de conexión que desee. Construir una relación con la Morrigan no es un tema que deba tomarse a la ligera o frívolamente.

Forjar este tipo de conexión con una deidad tiene infinitos beneficios. Sin embargo, este empeño conlleva increíbles responsabilidades. Para construir este tipo de relación, tiene que remodelar algunos aspectos de su vida y hacer un esfuerzo y un espacio para satisfacer sus demandas. Aunque este cambio puede ser muy desafiante, la Morrigan también sacará a relucir cualidades que no sabía que tenía. Trabajar con la Morrigan le da fuerza y aumenta sus capacidades intuitivas. Cuando esté en su vida, la protegerá a usted y a sus hijos como si fueran suyos.

Para entablar una relación con la Morrigan, necesita hacer un espacio para ella tanto en sus prácticas devocionales como en su vida. Necesita entregarse a actividades que faciliten sus interacciones con ella y le permitan escucharla. Al principio, puede sentirse incómodo con los cambios que está haciendo. Sin embargo, cuando encuentre una práctica espiritual con la que se sienta cómoda trabajando, se beneficiará de la experiencia a un nivel más íntimo. Su práctica debe ser personal y estar adaptada a sus necesidades. Debe significar su deseo de trabajar con la diosa. Cuanto más constante y persistente sea, más comprometida estará.

Cuando intente trabajar con una deidad, el lugar más obvio para comenzar su viaje es investigar y estudiar a su deidad tanto como pueda. Afortunadamente, después de leer los capítulos anteriores, ya conoce las diferentes apariencias y facetas de la diosa. También conoce sus funciones en la mitología y los cuentos celtas, lo que le permite conocer su carácter y comportamiento. Después de aprender todo sobre la deidad con la que desea trabajar, es importante que le construya un altar que la represente a ella y a su herencia, lo que hemos tratado en el último capítulo. Después de esto, tiene que adentrarse en prácticas que le acerquen a la deidad, faciliten su conexión con ella, que participen en rituales y que proporcionen ofrendas a su deidad (más adelante se hablará de ello).

Este capítulo trata de las diversas prácticas de adivinación que apelan al poder de guía, asistencia y previsión de la Morrigan. Después de todo, no hay mejor manera de trabajar con Badb, la deidad de la profecía y la adivinación, que aprendiendo todo lo que pueda sobre ella. En este capítulo aprenderá todo sobre las runas celtas, los espejos negros y las técnicas de visualización. También aprenderá a utilizar un oráculo o las cartas del tarot para trabajar con la Morrigan.

Runas celtas

Las explicaciones y los significados de las runas celtas pueden variar según la fuente que se utilice. Sin embargo, fundamentalmente, los alemanes de la época medieval utilizaban las runas, que son un tipo de letra, para escribir escrituras en las piedras. La idea detrás de la runa es transmitir información mística u oculta. La palabra *runa* deriva de un término nórdico que significa *secreto* o *algo oculto*. Por ello, solo unos pocos conocían el significado de los signos utilizados, y esto se mantenía en secreto para las masas. Aunque eran muy exclusivas en honor a la magia y a las prácticas místicas, con el tiempo las runas se tradujeron del alemán al inglés moderno, lo que las hizo más difundidas y accesibles.

La gente empezó a utilizar las runas cada vez menos tras la introducción y la accesibilidad del alfabeto romano. Aunque su uso ha disminuido considerablemente, siguen siendo muy populares debido al misterio que las rodea y a la energía divina y mística que poseen.

Existe mucha controversia e inexactitud respecto al origen de las runas celtas. Sin embargo, un hecho del que estamos seguros es que las runas estaban esencialmente vinculadas a la divinidad y a los poderes superiores. Los estudiosos han encontrado runas celtas en varios objetos, como lanzas, barcos vikingos, copas y piedras. Lo más común es encontrarlas talladas en guijarros.

Dado que las runas celtas son muy poderosas, todavía se utilizan comúnmente entre los paganos. Además de utilizarse con fines predictivos, razón por la que recomendamos incorporarlas a sus prácticas devocionales de Badb, también tienen mucha influencia positiva que ofrecer. Por ejemplo, muchas personas utilizan las runas celtas para revitalizar su esperanza, reforzar su poder y atraer la abundancia y la buena fortuna a sus vidas.

Las runas celtas también son especialmente poderosas cuando se trata de protección. Puede grabarlas en un anillo o en el colgante de un collar y llevarlo siempre consigo. Esto puede ayudarle a protegerse de las fuerzas malignas y atraer diferentes bendiciones a su vida. A muchas personas también les gusta utilizar las Runas para tomar el control de su futuro. Con la guía que reciben de las Runas, son capaces de hacer lo que quieran de su futuro. Las lecturas rúnicas pueden realizarse centrándose en sus caracteres. El objetivo principal es permitir que las runas guíen a su subconsciente hacia sus predicciones. Para completar la lectura, el lector debe extender todas las runas al azar frente a él. Si lo desea, puede formular preguntas específicas para las que puede recibir orientación y respuestas a través de las runas. Puede buscar consejo sobre cualquier asunto que desee. A su vez, recibirán numerosas lecturas y predicciones. Las runas celtas encierran un misterio, sobre todo porque sus respuestas pueden adoptar diversas formas. Sin embargo, una vez que comprenda sus poderes, podrá utilizarlas para enriquecer su experiencia vital y trabajar con el Badb.

Espejos negros

La adivinación o predicción del futuro mediante un espejo negro tiene algunas reglas y estipulaciones que deben cumplirse antes de iniciarse en este arte. Para empezar, necesita tener un espejo de forma ovalada o redonda. Debe evitar utilizar los de forma cuadrada. Mucha gente cree que los espejos vintage o artesanales son los que mejores resultados dan por la energía tan personal que encierran. Crear un espejo negro es un proceso muy fácil y barato. Todo lo que necesita es un marco de fotos que ya no quiera y un bote de spray negro. La pintura debe ser mate y no brillante. Asegúrese de limpiar muy bien ambos lados del cristal y de que estén completamente secos. Utilice el bote para rociar ligeramente un lado del cristal, asegurándose de mantener el spray a unos 50 cm del cristal. Añada unas cuantas capas más, dejando que la pintura se seque entre ellas. Cuando la pintura se haya secado por completo y no se vea nada a través del cristal, vuelva a colocarlo en el marco. El lado sin pintar debe estar orientado hacia usted. El cristal debe estar limpio y sin manchas para evitar distracciones durante el proceso de escrutinio. El espejo debe estar dedicado estrictamente a los fines del escrutinio. Nadie debe mirarse en el espejo a menos que tenga la intención de participar en el ritual de prestidigitación.

A continuación, se presenta una guía paso a paso para demostrar cómo puede utilizar un espejo negro para la adivinación:

1. Coloque el espejo en una dirección o en un ángulo que no refleje casi nada. Esto no siempre es fácil de hacer, pero debe dar lo mejor de sí mismo. Si lo desea, puede colocarlo en su altar.
2. **Opcional:** puede saltarse este paso si lo desea. Sin embargo, puede proyectar un círculo justo delante de su espejo, lo que le permitirá ver el espejo claramente desde su centro. Realice un ritual de protección e invocaciones si desea incorporarlas como parte de su práctica.
3. Encienda dos velas, colocando cada una de ellas a ambos lados de su espejo. Sus velas pueden ser del color que desee, siempre que no distraigan. Por eso sería inteligente optar por velas de colores apagados o incluso velas de té. Lo más importante es que las coloque correctamente, asegurándose de que el espejo quede totalmente iluminado sin que se reflejen las velas.
4. **Opcional:** muchas personas consideran que quemar incienso delante del espejo negro es especialmente beneficioso. Utilice uno de combustión lenta sobre un trozo de carbón que permita que el humo aclare el espejo. Puede repetir este proceso tantas veces como quiera a lo largo del ritual. También se sabe que el incienso ayuda a limpiar el espacio y a elevar las vibraciones y la intuición.
5. Medite durante el tiempo que le sea necesario para entrar en un estado muy relajado y mantenerlo. Si no puede mantenerse profundamente relajado, le recomendamos que trabaje en sus habilidades de meditación antes de intentar adivinar.

A continuación, le explicamos cómo puede utilizar un espejo negro para adivinar:

1. Mire al espejo con un *enfoque suave*. Esto significa que debe trabajar para enfocar su visión ligeramente detrás del espejo. Su visión del espejo debe estar desenfocada y borrosa. Todo el espejo debe estar a la vista, pero sus pupilas deben estar enfocadas en algún lugar a unos 3 o 6 centímetros del espejo.
2. Mantenga esta visión durante unos minutos. No es necesario que mire fijamente, puede parpadear normalmente.
3. Cuanto más tiempo mantenga esta vista, más brumoso, grisáceo o nublado se volverá su espejo. En este punto, su experiencia de prestidigitación ha comenzado. Este estado no siempre es fácil de alcanzar. Si tiene problemas, puede que tenga que trabajar para ver las cosas con un enfoque suave antes de volver a su ritual de prestidigitación.
4. Siga manteniendo esta visión de enfoque suave incluso cuando el espejo se empañe por completo. Mantenga una mente abierta y clara. Los pensamientos y visiones pueden flotar en su mente. Permita que se desarrollen a su propio ritmo y acepte la experiencia. Estas son las respuestas o los resultados que está buscando.

Es posible que este ritual no le funcione en su primer intento. Sin embargo, cuanto más lo practique, más útiles serán sus pensamientos y visiones. Su éxito a la hora de adivinar utilizando un espejo negro depende de la sintonía que tenga con su subconsciente, algo que los siguientes métodos también pueden ayudar a conseguir.

Visualización

La visualización es una herramienta inestimable cuando se trata de potenciar la propia intuición. El proceso pone los sentidos, la mente y la imaginación a pleno rendimiento, permitiendo que la mente formule imágenes propias para ayudar en la adivinación. Ya visualizamos cosas todo el tiempo. Sin embargo, mejorar su capacidad de visualización para permitirle ver las cosas de forma más vívida es importante cuando se trata de la profecía y la adivinación.

He aquí algunos métodos con los que puede experimentar:

1. Cierre los ojos y piense en cualquier color. Observe todos los pensamientos que le llegan. ¿Qué es lo primero que le viene a la mente? ¿Es un pensamiento sobre la propia palabra o algo que asocia con el color? Escriba sus notas y repita el proceso con diferentes colores. A continuación, visualice las palabras de los colores (en sus colores). Piense en todos los objetos que pueda que sean de ese color. Debería utilizar este método antes de realizar rituales o hechizos.
2. Cierre los ojos y piense en todos los artículos que pueda encontrar en su despensa. Fíjese en los detalles de cada alimento que le venga a la mente. Después de practicar este método unas cuantas veces, fíjese si hay algo diferente en la forma de visualizar estos artículos. Tal vez, en lugar de limitarse a visualizar una manzana, ahora visualice que muerde esa manzana e incluso que escucha el sonido que produce.
3. Trabajar la imaginación también puede ayudar a potenciar su visualización. Puede utilizar un generador de palabras aleatorias en línea para generar tres palabras. Escriba los resultados en un papel e intente idear una frase que incorpore las tres palabras. También puede utilizar un generador de palabras aleatorias para animales. Visualice el animal que le salga. Piense en cómo es, qué hace, dónde vive, etc. Intente imaginarlo con colores extraños o con accesorios raros. Continúe haciendo la imagen del animal tan tonta como pueda.

Oráculo y cartas de tarot

Las cartas del tarot son herramientas de adivinación muy perspicaces y útiles. Lo mejor de las cartas de oráculo y tarot es que pueden ser aprendidas y utilizadas por cualquiera. Es posible que quiera empezar con las barajas de oráculo si es un principiante, ya que son mucho más fáciles de leer.

Además de estar entre las herramientas de adivinación más populares, las cartas del oráculo y del tarot pueden utilizarse para ayudarle a trabajar con las deidades. El paso más importante para incorporarlos a su práctica de adoración es seleccionar las cartas que representan a la deidad con la que desea trabajar.

La Morrigan se representa típicamente a través de las siguientes cartas:

- **La Muerte - Arcanos Mayores**
- **El Carro - Arcanos Mayores**
- **Nueve de Pentáculos - Arcanos Menores**
- **La Reina de Espadas - Carta de la Corte**

Para incorporarlas a su práctica, puede:

1. Utilizarlas como decoración del altar.

Puede enmarcarlas y colocarlas en el altar.

2. Utilizarlas para la meditación y el viaje.

El uso de las cartas puede resultar útil cuando se trata de entrar en un estado de meditación. Para ello, debe colocar la carta elegida contra el espejo a la altura de los ojos. Puede poner música si lo desea (lo ideal es que esté asociada a su deidad. Por ejemplo, puede buscar música de Samhain para la Morrigan). Coloque dos velas en su altar, una a cada lado de su carta. Sus colores deben representar a su deidad (rojo, blanco o negro para la Morrigan). Apague las luces y siéntese frente a su carta. Debe estar cómodo y preparado para meditar. Cierre los ojos y respire profundamente tres veces. Abra los ojos y concéntrese en la carta. Incluso puede intentar imaginarse a sí mismo viajando dentro de la carta. Relájese completamente e interactúe con su deidad. Pregunte lo que quiera. Puede recibir sus respuestas verbalmente o en forma de símbolos. Cuando se sienta preparado, vuelva al momento presente y agradezca a la Morrigan. Encienda las luces y apague las velas. No olvide anotar todos los detalles de su experiencia.

Nota: tenga en cuenta que no debe encender las velas durante las prácticas de meditación o visualización si no va a estar muy alerta. Dado que la mayoría de las prácticas requieren el uso de velas, puede pedir a alguien de confianza que se quede cerca por si ocurre algo.

Capítulo 8: Macha - Hechizos de protección y soberanía

La Morrigan está estrechamente asociada con el destino y la guerra. Es conocida por predecir la muerte, la perdición o la victoria en una batalla. La diosa también anima a los guerreros a ser intrépidos y valientes, y puede infundir miedo al enemigo. Sin embargo, esto también puede ser posible mediante la realización de hechizos de protección y soberanía. Este capítulo trata de los rituales que puede realizar para llamar a Macha en busca de guía y protección. Mientras se utilizan varios hechizos, usted puede realizar sus rituales y asegurarse de tener un altar apropiado.

Macha: la diosa del sol

Macha es la diosa del sol. Cuando pensamos en el sol, tenemos pensamientos de verano, nueva vida, felicidad, amor y poder. Aunque el sol es la luz, también es un destructor y puede engullirlo todo a su paso. Macha es a la vez una protectora y una portadora de destrucción.

Espacio del altar

Lo primero y más importante es que prepare un espacio apropiado para la Morrigan antes de realizar cualquier hechizo y ritual de protección y soberanía. Asegúrese de que su espacio sagrado refleje la herencia celta irlandesa y decórelo con elementos como imágenes de cuervos, sus plumas, una imagen de la Morrigan, un cuenco de agua, velas y otros elementos. A continuación, tras haber investigado bastante, lo primero que debe hacer es investigar las leyendas y los mitos que rodean a la deidad. Debe estar preparado y ser capaz de hacer esto, para saber más sobre cómo realizar sus rituales.

Aunque hay varios rituales que puede realizar, debe entender los puntos fuertes y débiles de cada uno. Macha, la diosa, cree y espera que usted deba mostrar reverencia arrodillándose o inclinándose ante el altar cuando realice su trabajo ritual. Probablemente se haya encontrado con historias y detalles contradictorios y confusos sobre los dioses celtas. Existen detalles contradictorios sobre los dioses y diosas celtas, pero esto no debe influir en usted cuando realice sus rituales. Esta es un área en la que las instrucciones de la mitología y la investigación están de acuerdo para que usted pueda continuar sin miedo.

Ya debería haber montado el altar para la Morrigan, y este puede ser decorado, como se ha indicado en los capítulos anteriores. Coloque una simple pluma en su tocador. La forma de diseñar su altar es una cuestión de preferencia personal. Lo importante es reservar un lugar sagrado donde pueda comunicarse con la diosa y alimentar su relación con ella. Las diosas y los dioses están en todas partes, así que puede colocar su altar en cualquier lugar. Si su dormitorio es conveniente, puede tener allí su altar sagrado.

Esencialmente, su altar será el lugar donde realice todas las actividades que le conecten con su deidad. Es un espacio sagrado e imperturbable que se dedica a la meditación, la comunicación, el ritual y la espiritualidad, independientemente de lo que esté haciendo: pedir ayuda, hacer preguntas o hacer una ofrenda de agradecimiento. Puede dedicar tiempo a realizar rituales en su altar. Puede utilizar este espacio para la meditación y la comunicación con la diosa, mientras que otros realizan ofrendas a sus dioses. Cuando quiera realizar un ritual destinado a curarle o protegerle, es vital utilizar el altar para comunicarse con la deidad. La meditación es un ingrediente clave para todos sus rituales y es una forma eficaz de comunicar su intención a la diosa. Cuando medita, puede fundamentar sus intenciones y decir lo que quiera a la diosa. Debe respirar profundamente cuando medite y expresar libremente sus deseos. Es importante terminar cada sesión expresando su gratitud a la diosa.

Ritual con velas para la protección

Para llevar a cabo un ritual de protección, necesita una vela roja, ya que este es el color que se asocia principalmente con la diosa, y también refleja poder. Este ritual es una forma fácil de trabajar con la Morrigan para pedirle protección y la eliminación de obstáculos. No hay necesidad de formalidad cuando realice este ritual en particular, aunque puede ser formal si lo desea. La diosa sabe lo que usted quiere, por lo que debe pedirle ayuda y agradecerle siempre su asistencia.

El ritual de las velas para la protección es muy conocido, dado que es fácil de realizar. La diosa irlandesa Morrigan es una entidad triple, y Macha es la mayor, madre de la muerte y gran diosa de los fantasmas. Ella puede aparecer en diferentes formas, pero esto no debería sorprenderle. Este hechizo es magia sencilla, pero también es eficaz. Es un hechizo que puede hacer en cualquier momento que le convenga y es un hechizo universal. Puede elegir el mejor momento que se adapte a sus necesidades para realizar este ritual.

También es un hechizo que se puede aprovechar. La energía de la luna es potente y no se debe abusar de ella. Utilice este hechizo para repeler la energía negativa, pero no caiga en la tentación de utilizarlo negativamente usted mismo.

Necesitará:

- Una vela roja
- Aceite de almendras
- Ruda fresca o seca picada
- Sal marina gruesa sin refinar
- Un plato plano

- Un trozo de papel de aluminio

Una vez que tenga los ingredientes, coja la vela roja y báñela con aceite de almendras, comenzando por la base y subiendo hacia la mecha. Esparza la sal en el plato y haga rodar la vela aceitada en la sal. Cuando esté empapada en la mezcla, retire la vela y lave el plato. Después, utilice el papel de aluminio para forrar el plato y coloque la vela en el centro del mismo. Encienda la vela con cerillas y asegúrese de que está apoyada dejando caer un poco de cera húmeda sobre el papel de aluminio y colocando la vela en él para asegurar la vela en su sitio.

Asegúrese de que la llama es fuerte antes de invocar el hechizo de Morrigan.

"Diosa de la fuerza y la lucha,

Tú eres el muro que me defiende del mal y de la magia de mi enemigo.

Sobre todo, haz que sea imposible que .... me alcance. (Diga el nombre de la persona que quiere atacarle).

Y contra este muro, el mal que se envía a atacar se rompe y se aleja de mí

Permanezco bajo tu protección, mi diosa

Al mismo tiempo, esta vela se consume,

los símbolos de todos los males se consumen".

Cuando esté conjurando su hechizo, puede añadir sus propias invocaciones. Este es un ritual de protección, así que añada cualquier cosa que tenga que ver con la protección en su vida. Utilice cualquier mensaje u oración que desee para su diosa, y ella responderá adecuadamente.

Asegúrese de permanecer en meditación y de concentrarse en su deseo de protección. Puede repetir el hechizo hasta que la vela se consuma por completo. Cuando termine el ritual, utilice el papel de aluminio para envolver los restos de cera, y llévelo al exterior para alejar toda la energía negativa de usted. Entierre el papel de aluminio que contiene los restos en el jardín. Esto simboliza la eliminación de la energía negativa de usted. Puede repetir el hechizo siempre que quiera, y no hay límite para hacerlo.

Rituales de cambio de forma

Morrigan es conocida por animar y motivar a los guerreros heroicos a conseguir grandes victorias en la batalla y a los héroes hacia la victoria en una batalla. Participa en el conflicto mediante el uso de la hechicería y el cambio de forma. La diosa también aterroriza al enemigo. Es capaz de dar fortaleza a su pueblo y de proporcionarle información estratégica para ayudarle a ganar. La Morrigan es capaz de cambiar de forma, y tiene un número de animales y criaturas diferentes en las que puede transformarse. Cuando realice este ritual, se transformará en diferentes objetos y el enemigo no podrá identificarla fácilmente. Puede probar los rituales de tambores chamánicos o la meditación de cambio de forma para conectar con ella.

Algunas personas pueden cambiar de forma de manera natural, mientras que otras pueden requerir algún tipo de entrenamiento. Con este ritual, la diosa puede ayudarle a cambiar a diferentes formas, incluyendo cornejas, vacas, cuervos, lobos y anguilas. También puede desempeñar funciones cruciales relacionadas con la profecía y la poesía. En la hora de la necesidad, la diosa hará pronunciamientos proféticos de fatalidad o de victoria, especialmente en la víspera de grandes batallas. También puede hacer grandes cosas después de la batalla. Se cree que la diosa tiene poder sobre la vida y la muerte, y que puede resucitar a todos los héroes caídos en la batalla.

Cuando se realiza el ritual de cambio de forma antes de una batalla, significa que no se morirá. Este tipo de ritual puede ser muy útil para proteger a los guerreros en diferentes batallas. Es esencial investigar un poco sobre este hechizo para conocer los elementos necesarios. Como cualquier otro ritual, debe saber que no hay una única forma de hacer el encantamiento de cambio de forma. Es necesario que se comunique con la diosa para que le guíe en todo lo que haga.

Hechizos de cuervos

La Morrigan está vinculada al cuervo, que se considera uno de los animales sagrados. Se la identifica como el cuervo, y también puede utilizarlo para realizar sus rituales de protección y soberanía. Puede conseguirlo reuniendo algunas plumas de cuervo, que puede utilizar como ofrenda a la diosa. También puede realizar un sencillo ritual en el que invite a las cornejas a su jardín. Aliméntelos para crear una relación mutua de protección eterna. La presencia de cuervos en su jardín significa que está protegido contra las fuerzas del mal.

Para tener éxito en este ritual, es esencial estudiar el comportamiento de los cuervos para poder imitar sus gestos. Puede invocar al espíritu del cuervo para que le guíe cuando realice un ritual o un hechizo. Siéntase libre de realizar este tipo de hechizo de la forma que desee. Recuerde que sus intenciones determinarán lo que pedirá a la diosa.

Hechizos de sombra

Aunque los hechizos de sombra pueden ser dolorosos, pueden ayudarle en su viaje hacia la creación de una nueva vida. La destrucción puede anunciar cosas nuevas en su vida, y también puede realizar un ritual en el que busque protección contra las fuerzas negativas. Pero los hechizos de sombra no tratan solo de rechazar las fuerzas negativas de su vida, sino también de *enfrentarse a ellas*. Mire en su interior y encuentre dónde está herido y qué le hace daño. La diosa celta de la guerra le ayudará a guiarle en su búsqueda de lo que le aflige emocionalmente. El hechizo es un proceso de curación al igual que se trata del rechazo de la negatividad.

Antes de emprender este hechizo en particular, intente invocar los poderes de la diosa y comuníquele sus intenciones. La diosa conoce todas las cosas que necesita en la vida y le guiará en consecuencia. Si ella considera que este hechizo no es ideal para usted, recibirá un mensaje de su voz. Además, si ella está contenta con el encanto, también le dará luz verde para proceder. Mientras se comunica con la diosa sobre su intención, también debe preguntar sobre los elementos necesarios para el trabajo del hechizo.

Utilizar las oraciones

Los celtas creían que, al emprender una batalla o una guerra, debían invocar el poder de la Morrigan para obtener protección. Estos poderes pueden ser invocados a través de un amuleto de protección. Los guerreros cantaban el siguiente amuleto de protección elemental contra el daño.

"Poder y protección a los que marchan por un mundo mejor

Poder y protección de la tierra a los pies que marchan sobre ella

Poder y protección de los vientos para llenar los pulmones del pueblo

Poder y protección del agua para limpiar el dolor de los corazones de muchos

Poder y protección de los fuegos que arden por la justicia".

Además, una oración a la Morrigan, como diosa de la soberanía, es otro método que puede considerar para honrarla y pedirle orientación. Si va a entrar en una batalla para defender su tierra y su integridad territorial, es fundamental invocar los poderes de la diosa.

"Una Morrigan

Cantando hechizos de poder, da forma a la tierra.

De la carne y el hueso de Odra, diste forma a un arroyo dormido.

Anu,

Las colinas son tus pechos

fértiles, exuberantes

Badb,

Los túmulos y los reclamos son tu vientre,

El vado del río es tu morada luctuosa

Macha

Los montículos de las hadas son tu dominio,

Emain Macha, marcado por tu mano.

Que sienta tu poder en la tierra bajo mis pies,

Que escuche tus palabras en el sonido de los ríos.

Que encuentre el descanso en tus túmulos y en tu reino sombrío".

Un aspecto que debe conocer sobre estas oraciones es que puede modificarlas para incluir cualquier cosa que desee obtener de la diosa. Puede recitar su oración antes de emprender un acontecimiento importante que pueda suponer una amenaza para su vida. Después de decir la invocación, debe terminar dando las gracias a la diosa para mostrar su agradecimiento.

Realice hechizos sexuales

La diosa Morrigan está asociada al sexo por sus características, ya que representa el renacimiento y la fertilidad. Un hechizo sexual honrará a Morrigan por sus sacrificios, conectando con su renacimiento. Con la fertilidad y la creación viene la integridad territorial o la soberanía. Puede realizar un ritual sexual y pedir a la diosa que proteja a su descendencia para defender su territorio. Comunique a la diosa su intención para hacerle saber lo que pretende conseguir. Este hechizo no debe ser complicado, pero asegúrese de que su pareja es consciente de sus intenciones. Evite hacer un hechizo en contra de los deseos de otra persona, ya que podría no lograr sus objetivos.

Ofrendas sagradas

Las ofrendas sagradas honran a las deidades. Cuando pida la protección de Morrigan, haga una ofrenda generosa. Una ofrenda a una deidad muestra su agradecimiento por lo que hace por usted. Cuando trabaje con la Diosa Macha, tratará con el lado más brillante de su energía. Por lo tanto, presentar una ofrenda es más bien alimentar a la diosa con la energía y el alimento que puede necesitar para mejorar sus intenciones.

La diosa ama, reconforta y proporciona una energía que le hace sentirse segura, protegida y cálida. Puede tener en cuenta diferentes cosas a la hora de hacer ofrendas, en función de sus preferencias e intenciones. El rojo es un color común para las ofrendas a Morrigan. La comida de color rojo y el vino tinto son fáciles de conseguir. Al igual que con otros dioses de antaño, los símbolos del pasado se utilizan con frecuencia: hidromiel, leche, miel, plumas de cuervo y alimentos tradicionales. A los dioses les gusta la poesía y las obras de arte y, por supuesto, la sangre demuestra que usted se toma en serio la ofrenda (no necesita mucha sangre, una gota es más que suficiente). Puede elegir cualquier cosa con la que resuene su intuición (y que le satisfaga) para hacer una ofrenda a la diosa.

Las ofrendas se le presentan en el altar de la Morrigan, y no hay una fórmula estricta para hacerlo. Sin embargo, debe rezar una oración o comunicarse con la diosa sobre su intención mientras realiza la ofrenda. Si se encuentra en una situación difícil y necesita protección, ella le quitará la carga. Todo lo que tiene que hacer es entregarle la carga a ella, y esto debe ir acompañado de su ofrenda. Ella le proporcionará un remedio que aliviará sus problemas. Si se está preparando para ir a una batalla, debe hacer una ofrenda apropiada a la diosa, que suele ser maestra, enfermera y madre. Si quiere aprender cosas nuevas relacionadas con las hierbas, puede invocar a Macha.

Cuando da su ofrenda preferida, demuestra que es serio y está dispuesto a sacrificar algo por Morrigan. También puede preguntar a la diosa qué quiere antes de presentar su ofrenda. De nuevo, no hay una única forma de comunicarse con ella, ya que puede hacer cualquier cosa que le parezca intuitivamente correcta. Si quiere hacer una ofrenda única, debe considerar si hay algo que tenga un significado importante para usted y ofrecérselo con una intención fuertemente reverencial. Debe sentir que la deidad ha aceptado su ofrenda. Si realiza el ritual correctamente, la diosa se comunica con usted. Recuerde dar las gracias a la diosa al final de cada ritual que realice a la diosa.

La diosa Morrigan Macha es conocida por proteger a diferentes personas que buscan orientación en diversas cosas. Aunque la diosa está asociada con la muerte y la destrucción, se cree que promueve el renacimiento y la fertilidad. Hay varios hechizos de Macha para la protección y la soberanía que puede tener en cuenta, especialmente cuando va a entrar en una batalla. Es esencial investigar sobre la diosa, para saber cómo realizar los hechizos de protección.

Capítulo 9: Nemain - Rituales para encontrar su yo feroz

Aunque ocupa papeles algo similares a los de sus hermanas, Nemain es más a menudo venerada por sus cualidades positivas. Como la más feroz del trío, esta encantadora diosa irlandesa proporciona valor y fuerza a quienes la invocan. Con el sonido de su voz, guio a los guerreros celtas a la batalla y pastoreó las almas de los caídos hacia el otro mundo. Y ella puede guiarle hacia su objetivo, en cualquier camino que elija tomar en la vida. Tanto si necesita encontrar una fuerza interior para sanar del pasado y poder ser más firme en el futuro como si simplemente quiere prepararse para la batalla ante un próximo obstáculo, invocar el poder de Nemain le ayudará.

A veces, ya sentirá su necesidad de ella, por lo que la invocará y compartirá su fuerza y experiencia con usted. Otras veces, necesitará realizar un ritual para invocarla y pedir su ayuda. Tenga en cuenta que su experiencia con ella siempre será personal y diferirá de vez en cuando en función de sus necesidades espirituales actuales. En este capítulo se expondrán los rituales dirigidos a Nemain. Todos ellos deberán realizarse en su altar e incluir una ofrenda a la diosa. Y recuerde que siempre debe dar las gracias después de realizar los rituales para asegurarse de que la energía positiva sigue fluyendo a través de su conexión con ella. Y cuanto más personal haga la ceremonia, más probable será que le traiga el éxito.

Honrar la fuerza de Nemain

Este ritual tiene el propósito de ayudarle a recordar los cambios que trae el ciclo de la vida. A través de él, Nemain le otorgará el poder de encontrar su fuerza interior y aprovechar la sabiduría intuitiva que necesita. El mejor momento para realizar este ritual es por la noche, durante o cerca de la luna nueva.

Necesitará:

- 3 velas: blanca, negra y roja
- Un cuenco de agua, idealmente de una fuente natural de agua dulce
- Representaciones de la Nemain
- Una ofrenda para la diosa
- Una piedra
- Un instrumento de escritura que pueda utilizar en la piedra

Instrucciones:

1. Coloque el cuenco de agua cerca de la ventana de la habitación en la que tenga su altar. Debe permanecer en una zona oscura.
2. Escriba su intención o las palabras asociadas a ella en la piedra, y espere a que la escritura esté seca.
3. Coloque la representación de Nemain en su altar y la piedra a su lado.
4. Ponga las tres velas frente al símbolo y la piedra y apague las luces eléctricas de la habitación.

5. Párese frente a su altar asumiendo una posición de poder. Manténgase erguido, con los pies separados a la altura de los hombros para sentirse conectado a la Tierra.
6. Respire profundamente un par de veces y levante los brazos por encima de la cabeza, con las palmas de las manos enfrentadas. Debería sentir que su columna se alarga y que sus hombros se extienden hacia la espalda.
7. Ahora que se encuentra en un triángulo que simboliza a la diosa, debe centrarse en su fuerza. Intente imaginar su poderosa sangre fluyendo por sus venas.
8. Mantenga esta posición hasta que se sienta lo suficientemente fuerte como para defenderse y curarse a sí mismo o prestar sus poderes a otros si es necesario. Debe sentir que esta fuerza proviene de un lugar de amor propio y con una aceptación de los cambios de su vida.
9. Espere unos minutos para ver si la propia Nemain tiene algún mensaje para usted. Luego, tome el cuenco de agua y colóquelo en el suelo, y ponga también la piedra al lado.
10. Después de estirarse un poco, siéntese en una posición cómoda y coja una manta para envolverse.
11. Contemplando el cuenco de agua, permita que su mente se relaje para que puedan surgir pensamientos positivos. Tómese el tiempo necesario para absorber todo lo que pueda sentir, oír o percibir con sus sentidos.
12. Cuando sienta que su intuición se eleva y se sienta lo suficientemente capacitado para afrontar cualquier dificultad que pueda surgir, coja la piedra y colóquela en el cuenco de agua.
13. Espere un par de minutos hasta que la piedra absorba la energía. Lo que haya escrito en la piedra tendrá ahora un gran poder, y lo sentirá cuando tome la piedra en la mano.
14. Ahora es el momento de expresar su gratitud por la sabiduría de Nemain y la bendición que le ha concedido con el siguiente canto:

   "Oh, gran diosa Nemain,

   invoco tu fuerza

   Porque tú eres la que tantos temen,

   Pero yo honro tu poder dentro de mí.

Tú gobiernas el ciclo del nacimiento, la vida y la muerte

y creas el renacimiento de la fuerza.

Eres de los que curan y dan en los momentos de necesidad

y puedes protegerme y guiarme en mi camino de verdad.

Y sé que solo tú puedes ser tan fuerte

pues solo un verdadero guerrero muestra su fuerza cuando es más vulnerable.

Que pueda recibir tu poder ahora

para que pueda estar junto a ti y ser igual de fuerte".

15. Respire profundamente y tome un vaso de agua. Deje las ofrendas en el altar durante un par de horas antes de deshacerse de ellas.
16. Levántese y coloque la piedra en un lugar visible para que le recuerde el poder de la diosa. También puede llevarla consigo y aprovechar la fuerza de Nemain cuando la necesite.

Pedir la guía de Nemain

A veces, para encontrar la fuerza interior, no solo necesita tomar prestado el poder de la diosa guerrera. También necesitará que ella le muestre cómo utilizarlo. Con este ritual, puede pedirle poder y consejo sobre cómo actuar después de recibir su bendición. Este sencillo, pero eficaz acto de magia puede realizarse en cualquier momento que desee. Sin embargo, si aprovecha la energía de la luna creciente, será aún más eficaz.

Necesitará:

- Una vela roja
- Ruda seca o fresca picada
- Sal marina gruesa y sin refinar
- Aceite de almendras
- Papel de aluminio
- Un plato plano más grande
- Fósforos
- La ofrenda de su elección
- Una representación de Nemain

Instrucciones:

1. Rocíe o frote un poco de aceite de almendras en la vela para ungirla. Empiece por la parte inferior y suba lentamente, pero tenga cuidado de evitar la mecha.
2. Vierta la sal y la ruda en un plato y mézclelas. A continuación, pase la vela por la mezcla y deje que la sal y la ruda se adhieran al aceite.
3. Lave el plato y fórrelo con un trozo de papel de aluminio. Ponga la vela en el centro del plato y enciéndala con una cerilla de madera.
4. Si utiliza una vela más fina, espere a que la cera se derrita para que se sostenga por sí sola sobre el papel de aluminio.
5. Coloque el plato con la vela delante del símbolo de la diosa, junto con la ofrenda que haya preparado para ella.
6. Póngase cómodo adoptando una posición que le permita concentrarse en su intención. Las técnicas de meditación también serán útiles para que se ponga en el estado de ánimo adecuado.
7. En este punto, debe empezar a concentrar su mente en invocar a la diosa de la fuerza con el siguiente hechizo:

   "Diosa de la fuerza, te invoco

   pues sé que has luchado antes.

   Necesito que tu muro me defienda de los que desean hacerme daño

   y necesito que me ayudes a reconocer el espíritu malicioso.

   Por encima de todo, quiero ser imposible de alcanzar para el mal,

   así, podré rechazar su ataque en caso de que venga.

   Muéstrame cómo protegerme del daño

   que envían para quebrantarme y ponlo lejos.

   Ayúdame a encontrar la fuerza para proteger también a los que amo,

   Nemain, cuando mi vela se consuma, haz que mi poder crezca".
8. Manténgase concentrado en su intención y, si es necesario, recite el hechizo unas cuantas veces más. Puede hacerlo hasta que la vela se consuma, o hacer algunas pausas y volver a su misión tan pronto como pueda.
9. Por último, cuando la vela se haya consumido por completo, coja el papel de aluminio y recójalo lentamente, asegurándose de que la cera permanece cerrada en el centro.

10. Aléjela de su altar y entiérrela. Puede hacerlo en una maceta si no tiene un jardín.

La vela absorbe cualquier negatividad que pueda estar impidiéndole actuar de forma intuitiva. Al enterrar la cera, se está deshaciendo de ella y limpiándose de la negatividad.

Ritual de fortalecimiento

Un estado mental negativo puede afectar en gran medida a su capacidad para invocar el poder cuando se enfrenta a situaciones estresantes. Si quiere superar cualquier obstáculo en la vida, el primer paso es fortalecerse mentalmente. Este ritual dirigido a la diosa de la fuerza le ayudará a ello.

Necesitará:

- Una vela blanca, una negra y una rosa o roja
- Incienso de salvia, cedro o pino
- Incienso de rosa o ámbar
- Salvia, pino u otro aceite de desterramiento para la vela negra
- Aceite de rosas para la vela rosa o roja
- Aceite marroquí para la vela blanca
- Una piedra preciosa negra
- Un trozo de cuarzo rosa
- Fósforos
- Un bloque de carbón vegetal
- Ofrenda para la diosa

Instrucciones:

1. Coloque todo lo que tiene delante en el altar y unja sus velas con los aceites.
2. Comience el ritual encendiendo la vela blanca en el centro del altar.
3. Deje que el bloque de carbón se caliente y espolvoree sobre él las hierbas sueltas para hacer el incienso. Utilice solo salvia, pino o romero al principio.
4. Después de dejar que el humo purifique su energía, visualice su intención: trate de encontrar cualquier trauma emocional o

bloqueo mental.

5. Cuando haya identificado toda la carga emocional y los problemas que obstruyen su mente, utilice el sahumerio con el humo del incienso para desterrarlos.
6. A continuación, utilice la vela blanca para encender la negra. Coloque esta última en el lado izquierdo del altar.
7. Llame a las dos partes de la diosa: la feroz para que le ayude a desterrar su bloqueo mental y la pacífica para que despierte su intuición con esta invocación:

   "Nemain, diosa de la fuerza y la sabiduría,

   te invito a que me ayudes a ver.

   Me niego a dejar que mis malos pensamientos nublen mi juicio

   y elijo desterrarlos para siempre.

   En su lugar, te pido paz,

   para ver lo que verdaderamente está por delante.

   Ayuda a mi trabajo esta noche, oh querida Nemain".

8. Ahora, puede empezar a concentrarse en la vela negra y recordar todas las cosas que desea cambiar en su vida. Piense en todo lo que sus pensamientos negativos le impiden lograr.
9. Cuando haya identificado todos sus pensamientos y emociones negativas, reconózcalos. Esto le ayudará a ver más allá de ellos y a encontrar su verdadera fuerza.
10. Cuando los encuentre todos, apague la vela con un movimiento rápido y permita que la luz mortecina se lleve toda la negatividad de su interior. Visualice esta energía abandonando su espacio con el humo de su incienso.
11. Respire el aroma del incienso de desterramiento durante un par de minutos para asegurarse de que toda la energía negativa se ha disuelto.
12. Ahora que es una pizarra en blanco, puede empezar a llenarse de positividad. En este momento, debe encender la vela roja o rosa con la blanca y colocarla en el lado derecho del altar.
13. Espolvoree incienso de ámbar o rosa sobre el bloque de carbón y deje que llene sus sentidos mientras respira sus energías.
14. Recuerde cómo la propia diosa encontró su fuerza interior en sus momentos más vulnerables y pídale que le muestre cómo lo hizo.

15. Cuando sienta su presencia, mire la llama de la vela y deje que le ayude a concentrarse en todas las cosas positivas de su vida.
16. Continúe repitiendo pensamientos afirmativos para sí mismo hasta que se sienta saciado de ellos.
17. Tome el cuarzo rosa en sus manos y siga respirando el aroma del incienso de invocación y observando la llama de la vela. Atraiga esta fragancia a su cuerpo y a su mente.
18. Agradezca a la diosa por prestarle su sabiduría y su fuerza para que pueda encontrar su propio poder.
19. Puede dejar que la vela rosa o roja se consuma por completo o, mejor aún, apagarla y volver a encenderla más tarde unas cuantas veces y repetir las afirmaciones cada vez.
20. Una vez terminado el ritual, entierre la cera de la vela negra, junto con las cenizas del incienso.
21. Lleve el colgante de rosa con usted en todo momento dondequiera que vaya.

Visualizar que sus pensamientos negativos son enterrados con la vela y las cenizas le ayudará a mantenerlos alejados de usted en el futuro. Así podrá mantenerse fuerte y capaz de superar cualquier obstáculo en la vida. La primera parte del ritual (desterrar) solo debe repetirse si es necesario. La parte de la bendición debe realizarse durante cada luna nueva y llena, que cae en sábado.

El ritual de la memoria

A veces el bloqueo de su poder intuitivo está causado por un trauma que se encuentra tan profundo que ni siquiera usted logra recordarlo. Sin embargo, hacerlo es necesario para convertirse en una versión más empoderada de sí mismo. A través de este ritual, Nemain le ayudará a buscar esos recuerdos desde los rincones más profundos de su mente.

Necesitará:

- 2 o 3 velas amarillas
- Una representación de la diosa
- Una caja con tapa
- El incienso de su elección
- Ofrendas para Nemain

- Pintura o papel de aluminio
- Adornos para la caja
- Música - opcional

Instrucciones:

1. Pinte el interior de la caja de color negro o simplemente fórrela con papel de aluminio. Decore el exterior con símbolos que le ayuden a evocar recuerdos y añada también algunos que representen a la diosa.
2. Coloque todo lo demás en el altar, cierre la caja y encienda las velas.
3. Póngase en una posición cómoda y comience a concentrar su mente para revelar sus recuerdos ocultos.
4. Recite una declaración inicial saludando a su pasado y reconociendo su efecto en su vida actual. Luego continúe con la siguiente invocación:

   "Llamo a Nemain para que revele mi pasado

   para que mi futuro sea brillante.

   Te necesito, diosa, para salir de la oscuridad

   y me ayudes a encontrar la luz y a dejar mi huella.

   No permitas que mi pasado controle mi presente y mi futuro; no permitas que mis pensamientos y acciones sigan siendo oscuros como la noche.

   Ahora te encuentro y te recibo con los brazos abiertos

   mientras me pastoreas de vuelta a la luz".
5. En este momento, debe abrir la caja y mirar atentamente lo que encuentra en su interior.
6. Visualice sus recuerdos mirándole fijamente, listos para encontrarse y saludarle, para que pueda hacer las paces con ellos durante los siguientes momentos.
7. Acepte sus recuerdos de experiencias negativas con un estado de ánimo que no permita que le impidan alcanzar todo su potencial. Tómese todo el tiempo que necesite durante este paso.
8. Después de hacer las paces con su pasado y disminuir todos los pensamientos y emociones negativas relacionadas con el pasado, deje que su mente se despeje con una gran exhalación de aire.
9. Exprese su gratitud hacia la diosa y deje las ofrendas para ella.

10. La caja debe ser tratada según sus preferencias. Puede elegir destruirla o dejarla a la luz del sol, donde toda la negatividad de la misma es sustituida por la positividad.

Limpiar la caja y guardarla para futuros usos es una excelente opción, ya que es una buena idea repetir este ritual un par de veces al año. Puede hacerlo en cualquier momento en que se sienta abrumado por la negatividad que le impide encontrar la fuerza interior para enfrentarse a los problemas que tiene delante.

Capítulo 10: Honrar a la Morrigan a diario

Si quiere conectar con la diosa Morrigan, hay varias cosas que debe hacer para honrarla. En este último capítulo se explican algunos microrrituales diarios rápidos y sencillos que puede practicar para crear y cimentar una relación duradera con esta poderosa diosa. Algunas de estas cosas incluyen recitar una breve oración diaria, llevar un trisquel, echarse agua en la cara tres veces, pedir protección, meditar o hacer un trabajo de camino con la Morrigan. Puede elegir una o más de una de estas pequeñas actividades para honrar y adorar a su diosa.

Estudiar la Morrigan

Lo primero y más importante es estudiar a la deidad si quiere conocerla mejor. Debe leer las leyendas y el folclore sobre la diosa Morrigan y estudiar la historia de la mitología irlandesa en su intento de comprender su enrevesada composición, su hechicería y sus poderes. Cuando investigue sobre Morrigan, lleve un diario en el que anote los aspectos críticos que debe recordar. En sus estudios, debe centrarse en las áreas dedicadas a la diosa celta de la guerra. Escriba notas sobre sus experiencias y pensamientos. Hay varias fuentes de información sobre Morrigan que puede encontrar en Internet y, si lo comprueba cuidadosamente, puede conseguir estudios irlandeses gratuitos en línea.

Espacio de altar para la Reina Fantasma

El espacio es un punto de partida importante para honrar a Morrigan. Su altar debe estar en un espacio dedicado, lejos de interrupciones y distracciones. Tenga una representación de la diosa en su altar, ya sea una imagen o una estatua. El altar debe estar cubierto de tela - ya sea roja o negra - con velas del mismo color. La diosa está relacionada con el agua, así que añada también un cuenco con agua. Si tiene una representación de un cuervo o cuervos, añádala también (estatuas y no dibujos).

La imagen de un cuervo es una de las cosas más importantes que debe tener para honrar a la Diosa Morrigan. Cuando lance sus hechizos, debe intentar ganar sus batallas y derrotar a todos sus demonios internos. Una estatua en su altar es simbólica, ya que representa la presencia de la diosa en su espacio.

El número 3

El número tres es un símbolo popular para la Morrigan, y se puede utilizar para honrar a la diosa de diferentes maneras. Existen tres hermanas dentro de Morrigan, y a menudo se utilizan tres líneas para representar el trío de hermanas o las tres formas de energía que fluyen de la diosa. El número mágico se asocia a muchas deidades y figuras poderosas, y en Irlanda hay una flor que tiene tres hojas (cuatro si tiene suerte): el trébol. Utilice tres líneas o un trébol para honrar a Morrigan.

A menudo se asocia a la diosa Morrigan solo con la destrucción, pero también representa la iniciación. Morrigan es como un fénix que surge de las llamas: de su propia destrucción surge el renacimiento. El triskele es un símbolo de tres puntas que se utiliza para representar a Morrigan. La tríada proviene de las tres figuras de Macha, Badb y Nemain. Las imágenes de estas tres mujeres representan el nacimiento, el crecimiento y la muerte. La palabra " trisqueles" es una palabra griega que significa "tres piernas". El triskelion es un símbolo que se encuentra en la entrada de Newgrange, en Irlanda. Ganó popularidad en la cultura celta desde el año 500 a. C., y sigue utilizándose como símbolo para honrar a la diosa.

Puede llevar el símbolo del trisquel, ya que se cree que representa el movimiento. Los tres brazos están creados para que parezca que se mueve desde el centro, y se cree que este tipo de movimiento significa energías. El trisquel abarca numerosas trilogías en nuestra vida cotidiana: los tres componentes de una familia (madre, padre e hijo), el ciclo vital (vida, muerte y renacimiento), nuestra línea de tiempo (pasado, presente y futuro) y muchas más.

Se cree que el trisquel celta indica un movimiento hacia delante, que se mueve para llegar finalmente a un entendimiento. El significado es diverso y también tiene muchas posibilidades. La triple luna también muestra diferentes secciones del ciclo lunar. Cuando la luna está llena, tenemos a la Madre. Cuando está creciente, tenemos a la Doncella. Y la luna menguante nos trae a la Anciana. Se entiende que la Morrigan es una diosa triple. Por lo tanto, el símbolo trisquel puede simbolizar su esencia.

Siguiendo con el número tres, el otro ritual sencillo que puede hacer para honrar a la diosa es echarse agua en la cara tres veces cada mañana por cada una de las diosas del trío. Puede hacerlo mientras llama a la diosa para que la proteja y salpicar el agua tres veces por la noche para darles las gracias. Este hechizo es fácil y no requiere ninguna herramienta complicada. Puede hacerlo al levantarse y antes de acostarse.

Meditación de Morrigan

En sus rituales diarios para honrar a la diosa Morrigan, podría incluir la meditación por sus muchos efectos positivos sobre la mente, el cuerpo y el alma. Puede erigir un altar o santuario temporal, pero se recomienda tener uno permanente si va a honrar a Morrigan de forma regular. Decore el altar o santuario con telas rojas o negras, plumas de corneja (o cuervo), agua, velas, sangre, miel y otros alimentos tradicionales irlandeses. Su ritual debe ser sencillo, ya que debe meditar sobre todo lo que simboliza a la Morrigan.

Cuando visite su altar, busque un lugar tranquilo para sentarse, o si no se siente cómodo sentado, puede meditar de pie. Asegúrese de que dispone de los objetos adecuados para ello. Diga su intención en voz alta a la diosa mientras medita. Si tiene intención de pedir protección, asegúrese de comunicarlo con claridad. Es posible que desee ofrecer a la diosa algo valioso cuando sienta su presencia en su vida. Puede ser cualquier objeto que la simbolice. Por ejemplo, puede meditar sobre la llama de una vela y una pluma de cuervo. Cuando ofrezca algo a la diosa, sentirá de repente su presencia en su cuerpo, lo que indica que su oferta ha sido aceptada.

Meditar o trabajar en el camino a una hora específica cada día es otra forma de honrar a la diosa. Cambiar de forma puede ayudarle a conectar con Morrigan y a honrarla. Esto puede resultar natural para algunas personas, pero no es algo que todo el mundo pueda hacer. El ritual implica una meditación profunda para liberarse de su cuerpo y viajar a otro. Asegúrese de hacer algo que satisfaga sus necesidades y algo que complazca a la diosa.

Magia de la corneja

La Morrigan está estrechamente relacionada con la corneja. Es un ave sagrada común que simboliza a la diosa. Ella puede transformarse en corneja. Por lo tanto, una forma de honrarla es intentar hacer muchos amigos con las cornejas de su zona. Puede hacerlo alimentándolas o invitándolas a su jardín o patio. Las cornejas en su jardín simbolizan la presencia de la diosa Morrigan. Si ve cornejas con frecuencia, estúdielas. Puede invocar el espíritu de la corneja en sus meditaciones y rituales, y la Morrigan siempre está cerca cuando hay cornejas.

La Morrigan elige al cuervo o a la corneja como símbolo principal de la guerra, el conflicto y la muerte. La corneja es conocida por su sabiduría y su astucia. También se le considera una protectora de los registros sagrados. También la representa en los campos de batalla. Asimismo, puede elegir una corneja como guía espiritual o tótem. Le avisa si hay un peligro inminente y le guía en su camino. Además, le permite superar ciertos miedos que pueda tener, permitiéndole aprovechar las oportunidades en su vida. Para asegurarse de que aprovecha al máximo todos estos beneficios, debería llevar imágenes de cuervos o joyas con piedra de sangre. A Morrigan le encanta esta piedra, por lo que llevar estas joyas demuestra su devoción por ella.

Honrar a la Morrigan con cánticos

A medida que desarrolle su relación con la diosa Morrigan, debería tener un ritual diario dedicado a ella. Puede honrarla con cantos que deben estar dedicados a su vida y a su origen. La razón principal para honrarla es permitirle que se ponga en contacto con usted si tiene algún deseo que cumplir. Fortalecerá su relación con la diosa cuando la invoque por su nombre. Esencialmente, un fuerte vínculo con ella significa que le guiará y protegerá en las diferentes cosas que haga. El siguiente es un canto común que puede invocar a la Morrigan.

"¡Alabado sea Morrigu, gran reina!

¡Saludo a Morrigan, reina de los fantasmas!

¡Llamo a Morrigan, diosa del destino!

Te llamo, señora de la batalla - ¡Ven, Morrigan!".

Además de utilizar los cánticos, también puede pedirle a la diosa que le guíe mediante el uso de herramientas de adivinación. Puede pedirle orientación utilizando herramientas como las cartas del tarot, péndulos, runas y otras cosas. Es una diosa de la profecía, y puede ayudarle a obtener una visión de los acontecimientos que probablemente ocurrirán en el futuro, para que pueda hacer sus planes con confianza.

El trabajo de la sombra

Una cosa importante que hay que saber sobre la diosa Morrigan es que está asociada con la destrucción. Sin embargo, no es necesariamente algo malo porque la nueva vida es capaz de crecer a partir de la destrucción. El trabajo de sombras le lleva al interior de usted mismo para descubrir lo que le preocupa. Cuando realiza el trabajo de sombras, Morrigan le guía, mostrándole dónde residen las energías negativas y qué las está causando. Puede que vea su lado oscuro en su interior, pero la diosa está ahí con usted en cada paso del camino.

Este tipo de trabajo puede ser difícil de realizar, especialmente cuando se enfrenta a problemas enterrados, pero piense en ello como el túnel que recorre para llegar a la luz. La vida no siempre puede ser tranquila, ya que es probable que se encuentre con cosas negativas que pueden afectarle de diferentes maneras. Sin embargo, Morrigan conoce muy bien las cosas que deseamos y puede sacarnos de los momentos difíciles. Asimismo, la diosa se preocupa de enseñarnos que hay luz al final del túnel. Incluso si está pasando por momentos difíciles, debería invocar a la diosa para que le guíe en todo lo que haga para alcanzar sus objetivos deseados.

Magia sexual

El sexo no es algo que deba rehuirse. Morrigan mantiene relaciones sexuales con Dagda. La diosa simboliza la nueva vida y la fertilidad, que puede lograrse a través del sexo. Si lo desea, puede probar la magia sexual para honrar a la Morrigan. Esta es una forma noble de honrarla, ya que representa el renacimiento, la fertilidad y la creación. Es esencial dar a conocer su intención a la diosa porque si practica el sexo sagrado por fe y respeto a la diosa, ella le bendecirá con mucha descendencia. Traer nueva vida a la tierra es algo que apacigua a la diosa.

Ofrendas sagradas a la diosa Morrigan

Debería tener la rutina de dejar ofrendas a la diosa Morrigan en su altar cuando realice su ritual. Su altar es un espacio sagrado donde realiza sus ritos e intenta comunicarse con el poder supremo. Las ofrendas a la deidad son fundamentales, ya que muestran su agradecimiento por el buen trabajo que ella realiza para usted y a su alrededor. Cuando presente una ofrenda, estará alimentando a la diosa con la energía que pueda necesitar para ayudarle en sus intenciones.

Puede utilizar alimentos de color rojo o vino tinto, ofrendas de alimentos y bebidas tradicionales como el hidromiel y la miel, arte como la poesía o las pinturas, agua, sangre, cuchillas y plumas. Estos alimentos se consideran ofrendas aceptables por su conexión con la diosa. Los artículos también comparten algunas similitudes de carácter con la energía de la deidad. Coloque sus ofrendas en el altar y centre su atención en su espíritu. La Morrigan le prestará su servicio en agradecimiento a su ofrenda.

Utilizar las oraciones

Una forma eficaz de conectar con la diosa Morrigan es a través de la oración. Hay muchas formas de rezar a la diosa, así que intente elegir cualquier cosa a la que le lleve su intuición. Puede recitar la siguiente oración en honor a la diosa.

"Gran Reina, la Morrigan

Escúchame; soy tu sacerdote y tu guerrero,

Protégeme del daño, ya sea por intención o por ignorancia,

ante las pruebas y las alegrías de la vida,

Que sea siempre firme: tranquilo en mente, cuerpo y emoción,

Que esté centrado, presente, encarnado,

Mi mente como el agua; sin aferrarse a nada y sin problemas,

Que actúe con decisión, con la verdad y la sabiduría como guías,

Que mis acciones y palabras se muevan desde un lugar de honor, sabiduría, compasión y amor,

Que sepa cuándo hay que cortar y cuándo hay que ser cortado

Revísteme de astucia y picardía;

Que pueda moverme con flexibilidad y resistencia entre los mundos".

Cuando rece, debe sentirse libre de incluir todo lo que desea que la diosa haga por usted. Ella es proveedora y se compromete a satisfacer las necesidades de sus seguidores. Es vital que escuche la voz de la diosa y se asegure de hacer lo que se le indique. En su próximo ritual de oración, debe agradecerle todo lo que ha hecho por usted. Ella seguirá dándole más bendiciones.

Invocaciones a la Morrigan

Cuando realice un ritual, invoque a la Morrigan y sentirá su presencia. Cuando desarrolle una fuerte relación con la diosa, ella acudirá a su rescate siempre que su relación con ella sea fuerte y respetuosa. Debes llamarla cuando necesites que te acompañe a una batalla. Morrigan protege a todo el mundo, pero a menudo se centra en aquellos que más lo necesitan, los que no pueden valerse por sí mismos. Cuando se la llama, ella ayudará en la curación y la protección. La siguiente es una invocación para Morrigan cuando se desea ayuda para diferentes cosas.

"Te invoco
Hija de Ernmas,
hermana de la batalla y la soberanía,
te llamo a ti
Diosa del arte de la guerra
la victoria y la muerte
Te llamo Gran Reina
Morrigu, señora de los fantasmas
Acompáñame ahora".

Otro método para invocar a la diosa Morrigan es encender una vela roja que representa el color del poder. Como en la mayoría de las oraciones a las deidades, no pide simplemente lo que necesita, sino un camino más fácil para llegar a él. Pida a Morrigan que le acompañe en su viaje y elimine los obstáculos para que pueda trazar un camino hacia su futuro. Cuando invoque a la diosa, tenga claro qué es lo que realmente necesita: la vaguedad no le conseguirá lo que quiere. La diosa sabe lo que quiere, así que debe pedirle ayuda y darle las gracias. Esto es algo que puede hacer a su manera, ya que no existe una fórmula universal. Lo único que tiene que hacer es asegurarse de que el método que elija para honrar a la diosa sea aceptable.

Los rituales espirituales son únicos, y su devoción a la diosa Morrigan debería ayudarle a conectar con ella. Para honrar a Morrigan a diario, se recomienda que se familiarice con su historia. Puede conseguirlo leyendo libros relacionados con esta diosa. Además, también puede honrarla con la oración, los cantos o la meditación, pero asegúrese de que el motivo de su contacto o intención es conocido. Debe ser honesto, veraz y mostrar respeto a Morrigan para que ella responda. Una vez que permita que su interior reciba su llamada, escuchará su voz. Esto le ayudará a crear una relación respetuosa con la diosa, y podrá honrarla diariamente utilizando esta línea de comunicación.

Conclusión

Este libro cuenta la complicada, enrevesada y a menudo confusa historia de la diosa Morrigan, o la Morrigan, vista por los ojos de los celtas. Dondequiera que vivieran los celtas en todo el mundo, Morrigan aparecía en una de sus muchas formas, trayendo una advertencia de muerte o una bendición de fertilidad. Existen coloridos relatos sobre sus proezas y habilidades mágicas. La mayoría de ellos se refieren a ella como una metamórfica asociada a la guerra, la muerte y la profecía. Sin embargo, sus poderes de adivinación van mucho más allá de anunciar la muerte.

También puede revelar un destino superior o la suerte en una vida diferente. Es una protectora y una guía para lograr la fertilidad en el trabajo, el arte o la vida personal. Estos controvertidos papeles de la Morrigan se describen mejor en sus disfraces de Reina Fantasma y Reina de las Hadas. La primera es conocida por aparecer de la nada y anunciar la muerte o advertir sobre el derramamiento de sangre que seguirá después de una batalla. De la segunda se dice que dirige la corte de hadas por los reinos para proteger a los humanos, los animales y las cosechas de los espíritus maliciosos.

La mitología irlandesa la menciona a veces como un solo ser, trabajando junto a sus hermanas Macha y Neiman. Juntas, influirían en el resultado de muchas guerras. Morrigan predecía la inminente masacre y advertía a las partes enfrentadas. Neiman provocaba el pánico entre los guerreros para disuadirlos del combate, y Macha les ofrecía protección y consuelo en el campo de batalla. Otras fuentes afirman que estas tres son manifestaciones de una única diosa. Ella adoptaba un papel para advertir a los guerreros sobre su inevitable muerte y otro para pastorear las almas de los difuntos hacia el otro mundo. La mayoría de las veces, se ocupaba de estas tareas apareciendo como una corneja, un pájaro sabio asociado a las profecías y a la muerte. También podía aparecer como una vieja bruja o incluso como una terrorífica banshee si realmente quería disuadir a los guerreros de luchar.

Sin embargo, la Morrigan no solo evitaba que las partes lucharan. A veces les inspiraría a luchar aún más, en el campo de batalla o por sus objetivos en la vida. Este aspecto suyo es el que muchos practicantes paganos y neopaganos utilizan para darse poder. A pesar de la creencia popular, Morrigan no es una diosa malvada, aunque le advierta de las cosas malas que se avecinan. Verla como la representación de la reencarnación y el renacimiento da a sus seguidores la esperanza de que vendrán tiempos mejores después de cada obstáculo en la vida.

Superar los obstáculos le hará más sabio, y el conocimiento que adquiera no podrá ser desterrado. Ella puede ayudarle a sanar, para que pueda asistir a otros en el mismo proceso. Morrigan puede guiarle hacia el camino en el que encontrará el balance entre la oscuridad y la luz, que reside en todos nosotros y que tratamos de mantener en equilibrio. Si se la honra con regularidad, esta poderosa diosa le ayudará a encontrar su yo feroz incluso cuando se sienta más vulnerable. Todo lo que tiene que hacer es construir un altar donde pueda honrar a la Morrigan, recitar los hechizos y realizar los pequeños rituales dedicados a esta versátil diosa. También puede utilizar la meditación, escribir sus propios cánticos o personalizar los de este libro según sus propias creencias.

Cuarta Parte: Brígida

Desvelando la magia de la diosa celta de la adivinación, la sabiduría y la curación

Introducción

La diosa celta irlandesa Brígida es una de las figuras paganas más conocidas y significativas de la historia. La deidad consiguió prosperar y evolucionar, incluso con el auge del cristianismo. Entre otras pocas deidades paganas, resistió de algún modo la estricta y obstinada erradicación de las "viejas costumbres". La razón de la resistencia de Brígida proviene de su popularidad y del gran amor que la gente siente por ella.

Además de los interminables papeles que asumió la diosa Brígida, pasó milagrosamente de ser una diosa celta a tomar el título de santa católica. Desde entonces, también se convirtió en una figura católica muy destacada. Esta deidad forjó un maravilloso puente entre dos sistemas de creencias muy diferentes y opuestos. Este libro abarca todo lo que hay que saber sobre este increíble arquetipo. El libro incluye información extensa pero fácil de entender, por lo que es perfecto tanto para principiantes como para personas con más conocimientos sobre el tema

Al leer el libro, descubrirá quién es exactamente Brígida. En primer lugar, la exploramos en el mundo pagano gaélico y proporcionamos descripciones detalladas de ella, según piezas de la tradición y los cuentos. Aprenderá todo sobre sus nombres, sus equivalentes en el panteón y en otras culturas, y cómo se la veneraba en la antigüedad. A continuación, el libro recorre su transformación en santa católica. Descubrirá las diferencias entre su papel de diosa y el de santa en términos de apariencia y obligaciones. El primer capítulo explora a Brígida desde un aspecto diferente, el de una triple diosa de la llama.

Entenderá qué es una diosa triple y por qué Brígida corresponde a esa descripción. A continuación, descubrirá cómo se sincretizó en la loa maman Brigitte, que es la última forma de transformación de Brígida. Aquí descubrirá su papel como maman Brigitte, su asociación con el barón Samedi, las ofrendas que prefiere y cómo es su temperamento

Un capítulo posterior aborda la relación de Brígida con los animales y los símbolos asociados a ella. Enumera las criaturas que se asocian con la diosa, junto con algunos cuentos que aclaran la conexión. Este capítulo incluye instrucciones prácticas sobre cómo hacer el símbolo más importante, que es la cruz de Brígida.

A medida que vaya leyendo el libro, descubrirá qué es la rueda celta del año, en qué lugar de ella cae el imbolc y por qué esta fiesta está estrechamente asociada a Brígida. Aprenderá a construir un altar para dedicar a la diosa, así como uno adecuado para celebrar el imbolc. Al leer este libro, descubrirá qué colores, hierbas, flores, cristales, aromas y artesanías debe incorporar a su altar. Entenderá cómo cuidar el altar y para qué debe usarlo.

Los últimos capítulos le guiarán a través del proceso de trabajo con Brígida. No solo descubrirá cómo puede honrarla a diario, sino que también encontrará oraciones, cantos y afirmaciones dedicadas a Brígida que puede recitar en su honor. Este libro ofrece numerosos rituales de curación y hechizos y le proporciona qué métodos de adivinación funcionan con Brígida.

Capítulo 1: ¿Quién es Brígida?

Brígida, también conocida como Brigid, que en celta significa alta, era la antigua diosa celta de la poesía, la profecía, la artesanía y la adivinación, entre otras muchas cosas que se explicarán más adelante. En Irlanda, esta diosa era una de las otras tres diosas que compartían el mismo nombre. Eran las hijas del Dagda, el gran dios de Irlanda. Las otras dos Brígidas estaban asociadas principalmente a la curación y a los oficios de herrero. Los filí, una clase poética bastante sagrada, rendían culto a Brígida. Los filí eran consideradas poetas profesionales y se esperaba que conocieran y mantuvieran las historias y los linajes, así como que escribieran poemas que recogieran las distinciones pasadas y presentes de las clases dirigentes. Muchos sugieren que Brígida es el equivalente irlandés de la diosa griega Atenea y de Minerva, la diosa romana. Brígida es una de las deidades más populares del paganismo moderno.

Posteriormente, Brígida fue adoptada por el cristianismo, reapareciendo como santa Brígida. Sin embargo, la diosa seguía conservando sus destacados vínculos sacerdotales. Los celtas celebraban una fiesta en honor de Brígida el 1 de febrero (más información sobre la relevancia de esta fecha en el capítulo 2). El día de Santa Brígida cae en la misma fecha que el imbolc, que es una fiesta pagana cuyo significado es el comienzo de la primavera. Al ser la diosa de la primavera, los nuevos comienzos y el crecimiento, no hace falta decir que se la honra en este día. Se dice que el monumento de santa Brígida, situado en Kildare (Irlanda), se construyó sobre un santuario pagano. El fuego sagrado de Brígida en ese lugar ardía eternamente. Su fuego era atendido por 19 monjas, y la propia santa también atendía su propio fuego cada 20 días. La diosa sigue siendo una figura importante en la tradición popular escocesa moderna. Según los escoceses celtas, Brígida fue la partera de la virgen María. Le dedicaron varios pozos sagrados.

Brígida es considerada la filántropa de la curación, la herrería y la poesía, que son las tres principales habilidades celtas. Por esta razón, se la considera una diosa triple, tema que exploramos en profundidad en el capítulo 3. Además, Brígida es la diosa de dos elementos muy contradictorios pero complementarios, que son el fuego y el agua. También se la asocia con la partería, la elaboración de cerveza, el teñido y el tejido. Al ser hija de la Morrigan y del Dagda, que es el gran dios, Brígida está relacionada con Tuatha Dé Danann. También fue la esposa de Bres.

Tuatha Dé Danann significa en celta *pueblo de la diosa Danu.* En la mitología, los Tuatha Dé Danann eran una raza que vivía en Irlanda antes de la llegada de los milesianos, que son los antepasados de los actuales irlandeses. Se cree que este pueblo era muy hábil con la magia. La primera referencia a los Tuatha Dé Danann explica que descendieron del cielo a Irlanda en una nube de niebla, ya que fueron desterrados por sus conocimientos místicos.

Brígida tenía una gran familia. Tuvo dos hermanos conocidos, Midir y Aengus, junto con otros muchos hermanos que no se nombran. Su padre era Dagda y su madre probablemente Dana, una poderosa diosa del río. Dana se convirtió en la diosa madre de los Tuatha Dé Danann (los hijos de Dana), o la madre de sus propios hijos, para ser más concisos.

Brígida se casó con el alto rey de los Tuatha Dé Danann, Bres, y tuvieron un hijo, Ruadán (las relaciones y los nombres eran más complicados en aquella época). El matrimonio de Bres y Brígida pretendía servir de alianza entre dos familias que estaban en guerra; ella, de los Dana, y él, de los Fomorianos. Tenían la esperanza de que este matrimonio fuera una alianza que evitara cualquier posible guerra. Los Dana habían revelado a Ruadán las habilidades de herrería de Goibhniu (el herrero guerrero de los Tuatha Dé Danann), explicando que nada de lo fabricado por Goibhniu podría matarlo. Trágicamente, Ruadán desafió este conocimiento en contra de los deseos de Dana y decidió atacar a su herrero, que era un cargo increíblemente sagrado para la tribu. Sin embargo, el herrero, ahora herido, consiguió matar a Ruadán antes de que él mismo muriera. Brígida se afligió no solo por la muerte de su hijo, sino por el odio y la guerra que existía entre ambas partes de su familia. Este incidente marcó el principio del fin de los "viejos caminos". Actuar contra la familia materna se identificó entonces como un pecado, marcando la maternidad como una posición sagrada.

Otro relato, sin embargo, describe a Brígida como la esposa de Tuireann. En esta historia, ella dio a luz a tres hijos: Brian, Irchaba y Luchar. Ellos fueron los responsables de la muerte de Lug, que podía transformarse en cerdo.

Muchos consideran a Brígida como la guardiana de los niños, especialmente de los recién nacidos. Por eso se convirtió en costumbre tejer la cruz de Brígida sobre las cunas de los bebés. También era la deidad de la fertilidad animal. Tenía una fuerte relación con los gansos, las vacas, los cisnes, las abejas, los cuervos, los búhos, los corderos, las serpientes y víboras. Los colores dorado, blanco, verde, amarillo, azul y rojo suelen asociarse a Brígida. También se recomienda honrarla los domingos. Brígida era una diosa tanto del fuego como del agua, lo que significa que estaba relacionada con el sol y la luna.

En este capítulo, profundizamos en quién era Brígida y cómo era. Descubrirá cuáles eran sus otros nombres y títulos, así como los distintos papeles que desempeñaba como diosa. Aquí también se mencionan las deidades equivalentes a Brígida de otras culturas y se explica cómo se la veneraba.

¿Cómo era ella?

Brígida presenta las características de muchas otras diosas, y algunos estudiosos postulan que fue creada amalgamando los arquetipos de múltiples deidades. El nombre de Brígida se asocia fuertemente con el concepto de amanecer. Su nombre tiene la misma raíz que la palabra "brillante" y en un principio significaba "alto" o "creciente".

Brígida tenía el pelo rojo brillante y se la representa con una túnica hecha con el sol. Esto, a su vez, reforzó su vínculo con el sol y la luz que emite. Esencialmente, se convirtió en la diosa del momento del año en el que el sol brillaba más. Brígida también era muy popular por su manto verde. Se decía que cualquiera que buscara refugio bajo el manto estaría protegido.

Brígida era considerada la diosa de la primavera. Esto no significa que no estuviera presente en otras épocas del año. Aunque era más importante en primavera, siempre estaba presente. Si nos fijamos en la mitología y el folclore escoceses, vemos que seguía siendo dominante durante el verano y que solo era rechazada cuando aparecía la reina del invierno.

En la historia celta, las estaciones no se fijaban por fechas. En cambio, consideraban que la primavera terminaba cuando el tiempo empezaba a ser muy frío. Por ello, algunos celtas celebraban a Brígida en distintas épocas del año. Cuando empezaba a hacer frío, la primavera y el verano se acababan, y se hacía la última celebración de Brígida. Otros celebraban el final de la primavera en una fecha concreta, y se conmemoraba a Brígida en esa fecha. Se cree que Brígida vino a la Tierra para visitar al pueblo irlandés y ofrecerle bendiciones en el imbolc.

Brígida estaba asociada a muchos ciclos, siendo el más importante el de la vida y la muerte. Aunque era principalmente la diosa de la fertilidad, su tradición y sus cuentos también incorporaban la pérdida. Una de las leyendas irlandesas más populares sugiere que la diosa de la luz dejó un gran impacto en los rituales de muerte que se llevaban a cabo.

El *Cath Maige Tuired,* que se traduce como la batalla de Magh Tuireadh y es el nombre de los textos del ciclo mitológico de la mitología irlandesa, cuenta que los Tuatha Dé Danann llegaron a gobernar Irlanda. Derrotaron a los linajes gobernantes anteriores, los Fir Bolg y los Fomorianos, durante dos grandes batallas.

Aunque Brígida no luchó en la segunda batalla, numerosos miembros de su familia sí lo hicieron. Dagda, su padre, junto con su hijo, encontraron su fin en esta batalla. Su hijo, Ruadán, se alió con su padre durante la guerra, lo que le enfrentó a su madre y a su pueblo. Esto dividió las lealtades de Brígida, con algunos de sus familiares luchando en un bando y otros en el otro.

La muerte de Giobnui, el dios herrero, se produjo poco antes de la muerte del hijo de Brígida. Ella se dirigió a Ruadán en el campo de batalla para estar con él al final, soltando unos lamentos que se podían escuchar en casi todo el país. Dicen que sus gritos y su llanto fueron la primera vez que se escucharon estos sonidos en las tierras de Irlanda.

Según el *Cath Maige Tuired,* los lamentos de Brígida fueron los que dieron lugar a la tradición irlandesa de los lamentos, una tradición en la que una mujer gritaba de luto en los funerales y velatorios para honrar y llorar a los muertos. Esta tradición ya no es tan eminente como antes. Sin embargo, los músicos irlandeses siguen tocando ese mismo estilo de música en la actualidad. Cuando alguien fallece, los que le rodean (especialmente los familiares cercanos que están de luto) buscan el consuelo de Brígida. Lo mismo ocurre con los músicos en los funerales, que quieren transmitir el luto a través de su música, y a menudo intentan imitar los lamentos.

El silbato se atribuye a Brígida, un invento suyo que le servía para crear música y sonido mientras viajaba, especialmente de noche. Comenzó como una herramienta útil para ser transportada y pronto se convirtió en un entretenimiento musical. Los irlandeses creían que la música era una gran forma de transmitir conocimientos. Recitaban sus poemas al ritmo de la música y transmitían sus leyendas, su historia y sus cuentos mediante actuaciones.

El inicio de la tradición del luto no convirtió a Brígida en la diosa de la muerte o del luto. Estos arquetipos están más bien vinculados a Morrigan, que se considera su polo opuesto en varios aspectos. Sin embargo, era la diosa de la agricultura.

La pérdida de Brígida la convirtió en la protectora de las madres y los niños, tanto de los humanos como de los animales. Los celtas siempre han criado animales de granja, principalmente vacas y ovejas. Son una fuente de leche, pueden matarse para obtener carne cuando se acercan al final de su vida y son lo suficientemente fuertes como para ayudar a tirar de un arado. Cuando han fallecido, siguen dando con pieles y cueros, por no hablar de las herramientas y otros instrumentos elaborados con huesos y tendones.

Había muchas peleas por estos animales, con intentos de robo frecuentes en la antigüedad. A menudo se rezaba a Brígida para que protegiera a los rebaños. Y, cuando llegaba la época de apareamiento, se le rezaba por la fertilidad.

Los festivales asociados a Brígida son indicadores de su importancia en el mundo de la agricultura. Beltane, que es la fiesta celta de primavera de mayo, e imbolc no solo se basaban en los ciclos del sol. Sin embargo, también estaban fuertemente ligados a las estaciones agrícolas.

El imbolc es la gran fiesta de Brígida, que se celebra a principios de febrero. En esta época nacen corderos y terneros, lo que va acompañado de un aumento de las oraciones a Brígida por la seguridad de los recién nacidos cuando el tiempo es todavía frío.

Beltane celebra la mitad de la primavera, cuando el ganado y las ovejas salen a pastar. De nuevo, esto iba acompañado de más oraciones a Brígida por la seguridad del ganado. La relación entre Brígida y los animales se analiza ampliamente en el capítulo 5.

Los distintos papeles de Brígida

Brígida se consideraba una diosa muy personal, y la gente la adoraba por innumerables razones. Como ya se ha dicho, era la diosa de la fertilidad, del amanecer y de la primavera. También era la protectora de las madres y sus hijos, quizá porque no podía proteger a su propio hijo. El fuego del hogar y el calor y las emociones asociadas a los hogares familiares son símbolos de Brígida. De alguna manera, también es famosa por ser una *diosa guerrera.*

A mucha gente le cuesta entender que esta misma deidad es la diosa de los guerreros. Este atributo puede parecer poco razonable si se compara con el resto de sus rasgos y asociaciones. Sin embargo, si se piensa un poco, Brígida es despiadada y feroz cuando se trata de la seguridad de sus hijos. Algunos creen que Brígida fue probablemente mal llamada diosa guerrera por su apasionada e intensa capacidad de protección. Es probable que este ardiente instinto maternal se malinterpretara en una época enferma de dominación, despiadada y violenta. A pesar de su arquetipo de luchadora, se creía que Brígida tenía propiedades curativas.

El vínculo de Brígida con la agricultura se debe a que esta diosa protegía a los animales de pastoreo, como las ovejas y el ganado. También era una fuente de inspiración para los artesanos y trabajadores del metal, especialmente los herreros. Esto le valió el calificativo de diosa del fuego. Por otra parte, también se le atribuyen fuertes asociaciones con los ríos y los pozos. Por ejemplo, el pozo de Brígida en Kildare, uno de los lugares más famosos de Irlanda, sigue llevando su nombre. También se la consideraba la diosa de la música y era increíblemente popular entre los poetas. Al haber inspirado canciones, sabiduría, artesanía y poesía, Brígida pasó a ser conocida como la diosa del conocimiento.

No es de extrañar que fuera una figura increíblemente popular y querida. Fue admirada hasta el punto de no desaparecer con el paso del tiempo como la mayoría de las demás figuras paganas, incluso después de que el cristianismo se convirtiera en la religión oficial del país. Brígida fue rehabilitada como santa católica y consiguió cosechar veneración mucho más allá de las costas y fronteras de Irlanda. Fue una de las figuras de la mitología celta más impactantes y duraderas que han existido.

Como se ha explicado anteriormente, a Brígida se la conoce como la *triple diosa* debido a sus numerosas funciones. El concepto de diosa triple es frecuente en la mitología irlandesa y celta. Morrigan, que se cree que aparece como una diosa o como tres entidades, es el ejemplo irlandés más conocido. Sin embargo, el hecho de que Brígida tuviera dos hermanas que también llevaban el mismo nombre deja lugar a dudas. Como ya sabemos que una hermana era curandera y la otra herrera, existe la posibilidad de que las tres se confundan entre sí.

Aunque se dice que es una diosa triple con tres facetas, todavía se la representaba y se refería a ella como una sola diosa. Tampoco tenía siempre la misma edad en las historias. A veces se la menciona como una madre sabia y a veces como una joven doncella.

Una diosa paradójica

Brígida, como ya sabemos, era la diosa de las aguas y los pozos y la diosa del fuego. Era una diosa inspiradora, pero también era la diosa de la acción. Brígida era la diosa del Sol y de la Luna y la diosa de la curación y de la guerra. Era una diosa con infinitas contradicciones. Dominaba la maternidad, la curación y la fertilidad, pero era ardiente e intensamente apasionada. Estaba muy involucrada en una amplia gama de asuntos personales, lo que refleja su importancia y poder como deidad.

Una diosa wiccana

Al ser una diosa pagana, los wiccanos consideran a Brígida un tema de gran importancia. Al igual que los celtas irlandeses, los wiccanos buscan en Brígida inspiración, sabiduría profunda y ayuda para la expresión creativa. La buscan en todo lo relacionado con la adivinación, la curación y la abundancia. Creen que trabajar con Brígida les permitirá alcanzar la paz y la armonía con el planeta para mantener la vida en sí misma.

Brígida viene con el poder de la profecía, la magia, los sueños y la música, que son elementos fundamentales en la Wicca. Al ser la personificación de la compasión, la protección, el amor y, por supuesto, el poder femenino, esta diosa engloba los valores que más importan a los wiccanos.

Brígida se considera una personificación de lo divino femenino. Es la gran diosa madre, que es el equivalente celta irlandés de la gran diosa wiccana, un elemento central de la religión wiccana. El concepto de la triple diosa también es frecuente en la wicca. Los wiccanos, sin embargo, utilizan el título para describir la tríada de la doncella, la madre y la arpía.

Sus contrapartes

Sus historias y tradiciones incluyen fragmentos de otras diosas que provienen de diferentes mundos antiguos. Se pensaba que se parecía mucho a Minerva, la diosa romana. Algunos de los símbolos de Brígida son también muy similares a los de Isis, la antigua diosa egipcia. Las herramientas de bordado de Brígida, que también se asemejan a algunos de los símbolos de Minerva, se conservan en la capilla de Glastonbury. Su bolsa y su campana, que simbolizan la curación, también se conservan allí. Los colores rojo, blanco y negro son también los de Kali, que es la diosa hindú del tiempo, la muerte y el fin del mundo. Se sugiere que existe un antiguo vínculo entre estas figuras.

La gente empezó a sospechar que Brígida era el equivalente de Minerva después de que los romanos conquistaran Gran Bretaña y la Galia. Belisama y Sulis, que eran otras diosas celtas, también eran posibles homólogas y los estudiosos las llaman *Minervas celtas*. Como la conquista romana nunca llegó a Irlanda, nunca hubo una asociación directa entre Minerva y Brígida. De todos modos, los académicos todavía la incluyen a veces en la familia de las Minervas celtas. Las otras diosas de dicha familia suelen reflejar muchas cualidades, como la justicia, la conexión con la poesía, el fuego, las estrellas, el agua, la luna, la fertilidad, la curación, la sabiduría y el sol.

Hay otras diosas que manifiestan algunos de los atributos de Brígida, pero que no forman parte de la familia de las Minervas celtas. Entre ellas se encuentran:

- La diosa galesa Ceridwen
- La diosa griega Atenea
- Las diosas egipcias Hathor e Isis
- La diosa fenicia Astarté
- La diosa babilónica y asiria Ishtar
- La diosa hindú Sarasvati

Cómo se veneraba a Brígida

Imbolc, otro término para referirse al día de santa Brígida, llega a principios de febrero y es una época en la que se celebra a Brígida, que es también el comienzo del año irlandés. En esta época se hacen ofrendas a Brígida, sobre todo a las masas de agua. El dinero es una ofrenda tradicional, y a menudo se arrojan monedas a los pozos o a los ríos y arroyos. Cuando se honra a Brígida, la persona que la honra pide buena salud, curación, inspiración, etc., pero no lo hace solo para sí misma. Si usted le pide algo a Brígida en esta época del año, debería pedir lo mismo para su familia y amigos.

Brígida es una diosa del agua, y hay poder en las masas de agua. Muchos pozos y ríos han recibido el nombre de Brígida a lo largo de los años:

- ***Pozo de Brígida (Kildare)*** **-** Irlanda tiene muchos lugares populares, y el Pozo de Brígida está entre ellos. Situado en Kildare, se dice que el pozo tiene propiedades curativas, y la gente suele ir allí específicamente para curarse, bebiendo el agua del pozo. Los que no necesitan curarse suelen ir allí para honrar a la diosa y rezar por otras bendiciones.
- ***Pozo de Brígida (condado de Clare)*** **-** El pozo se encuentra en el condado de Clare, y fue construido como parte de un cementerio en una iglesia. Las espectaculares vistas se suman a las visitas, y un viaje al pozo nunca tiene desperdicio.

También hay un símbolo prehistórico muy destacado que se asocia con Brígida, y es la cruz de Brígida. La gente suele hacerla con hierba o junco, y todavía se utiliza hoy en día en toda Irlanda. Suele colgarse en las puertas de las empresas y los hogares. El símbolo es especialmente popular en la época de imbolc.

La tradición y la mitología irlandesas contaban con numerosas diosas; sin embargo, Brígida sigue siendo una de las más conocidas hasta hoy. La diosa de las artes poéticas, la profecía, el conocimiento, la artesanía, la agricultura, la partería, la adivinación y, *básicamente*, de todo, fue una de las pocas figuras celtas que siguieron siendo importantes incluso después del auge del cristianismo. Esto demuestra lo increíble que fue como arquetipo y lo popular y admirada que llegó a ser. Los paganos reconocen a Brígida como la gran diosa madre de Irlanda; los cristianos, en cambio, se refieren a ella como santa Brígida o Brígida de Kildare. Su existencia en la tradición y la mitología ha creado un increíble puente, que de otro modo no habría existido, entre prácticas y creencias espirituales totalmente opuestas. En una época de creciente brutalidad y violencia, las dos facciones fueron capaces de encontrar un compromiso.

La energía que ella aporta nos recuerda nuestra unidad y unicidad. También sirve como un recordatorio continuo de la esencia eterna de la divinidad femenina. La diosa actúa como un símbolo de vida, compasión y amor para los neopaganos y wiccanos. Por eso, hasta el día de hoy, muchas personas buscan sus bendiciones cuando esperan encontrar felicidad, confort, protección y amor en sus vidas.

Ahora ya sabe quién era Brígida y el impacto que sigue teniendo para sus seguidores. No hay duda de que la abundante información anterior es bastante para asimilar. Hay mucho más en esta diosa irlandesa de lo que parece. Sin embargo, en este capítulo solo se han abordado algunos de los aspectos que conforman esta renombrada deidad. Continúe leyendo para saber más sobre el segundo y muy significativo papel de Brígida como santa. También podrá comprender mejor el concepto de la triple diosa en mayor profundidad, así como su profunda conexión con los animales.

Capítulo 2: Brígida la santa

Entre los paganos, Brígida es conocida como la diosa más influyente del panteón celta; en la religión cristiana, es santa Brígida, la patrona de Irlanda. Hay muchos que sostienen que la historia de las dos mujeres no está relacionada, mientras que otros afirman que existe una clara conexión entre ellas. Al igual que con el resto de la cultura celta, hay muy pocos registros escritos para examinar si alguien quiere profundizar en este tema. Por lo tanto, nos basamos en las tradiciones orales de ambas culturas, que, al menos en lo que respecta a Brígida, tienen algunos hechos en común. Los artefactos históricos también muestran que la santa probablemente tuvo los mismos orígenes que la diosa pagana y que solo asumió sus funciones y lugares de culto por necesidad.

¿Cómo una diosa pagana se convirtió en santa?

A medida que el cristianismo se impuso en la Irlanda pagana, la representación de Brígida como icono femenino también empezó a cambiar. Aunque la nueva religión infundió miedo en la vida de los paganos celtas, es evidente que no estaban dispuestos a perder sus modelos tradicionales. Así que, en lugar de desterrar a Brígida de sus vidas después de alrededor del 453 d. C., simplemente la sincretizaron con un papel cristiano más aceptable como santa.

Afortunadamente, Brígida era una gobernante suprema y también un espíritu bondadoso. Por lo tanto, convertirla en un buen modelo de conducta en la nueva religión ha resultado ser bastante fácil. Los que antes eran druidas, y ahora monjes y sacerdotes, y honraban a Brígida conocían muy bien las tácticas utilizadas con fines similares: solo necesitaban difundir rumores sobre una santa cuya historia de fondo contenía elementos similares a la vida de la diosa pagana. Al describir a una mujer que conectaba las dos religiones, han conseguido mostrar a Brígida bajo una nueva luz y, al mismo tiempo, mantenerse fieles a su esencia principal.

Al principio, las tradiciones paganas en torno a su culto se continuaron en los conventos de forma no demasiado disimulada. Al querer imponerse como religión dominante, la Iglesia cristiana construyó sus monasterios y conventos en lugares sagrados de los celtas. Esto facilitó a los paganos celtas la transmisión de su cultura y el empoderamiento de la nueva generación con sus antiguos conocimientos a través de rituales paganos sagrados.

Más tarde, durante la Edad Media, esta práctica se redujo considerablemente, pero sin embargo se mantuvo viva incluso en estos tiempos oscuros. A pesar de que las guerras diezmaban las filas de los hombres, las mujeres encontraron la forma de abrazar una nueva religión y mantener vivas también sus propias tradiciones. Al fin y al cabo, ambas culturas habían perdido innumerables vidas a causa de las ideologías políticas y religiosas, dejando atrás a muchos que necesitaban la ayuda de Brígida, o como se la conocía entonces, María de Irlanda.

Tras convertirse en la patrona de Irlanda, Brígida fue ampliamente venerada por su generosidad en toda Irlanda, y también en las Tierras Altas de Escocia. Hasta principios del siglo XX existía una devoción casi de culto hacia ella, cuando el ocultismo volvió a ser un tema aceptable y nacieron muchas nuevas tradiciones neopaganas. Hoy en día, su evolución sirve de puente entre estos dos mundos tan diferentes, ya que el culto a la diosa pagana es muy frecuente en las culturas paganas modernas, más que la *veneración de santa Brígida* entre los cristianos.

La historia de Santa Brígida

Nacida en el año 450 d. C. en Faughart (Irlanda), Brígida vivía en la propiedad de su padre, Dubhthach, que era un jefe pagano. Según la leyenda, su padre, un druida celta, le dio a Brígida el nombre de la diosa pagana del fuego. Su madre, Broicsech, era una cristiana capturada en Portugal, que educó a su hija en su propia fe. Brígida y su madre eran esclavas encargadas del duro trabajo de pastorear ganado y ovejas y de atender otras obligaciones como cocinar, limpiar y alimentar a los animales. A pesar de su destino, Brígida se hizo famosa por su generosidad desde muy joven. Compartía la mantequilla que batía con los pobres y luego reponía milagrosamente la porción que le faltaba. Creía que Dios existía en cualquiera que creyera en él, y le resultaba difícil negarle su propio alimento.

Aparte de su extraordinaria compasión por los demás, Santa Brígida era también conocida por su profunda espiritualidad. Brígida se inspiró en un caritativo contemporáneo, San Patricio, a quien escuchó predicar sobre las necesidades de los pobres y enfermos en Irlanda. A través de esto, sintió una llamada aún más fuerte a Dios. Deseosa de dedicar su vida a las obras de caridad y a la iluminación espiritual, pidió permiso a su padre para ingresar en un convento, consagrándose a Dios.

Al principio, queriendo que se casara con otro jefe distinguido, su padre le negó su petición. En un intento desesperado por disuadir a su padre de encontrarle un marido, Brígida rezó a Dios, pidiéndole que le quitara su belleza, para que nadie quisiera casarse con ella. Afortunadamente, Dios le concedió sus deseos, haciendo desaparecer su belleza. Al ver esto, y que su hija estaba dispuesta a renunciar a todas sus posesiones, el padre de Brígida decidió permitirle permanecer soltera y vivir su vida como quisiera. Finalmente, cuando Brígida cumplió los dieciocho años, ella y su madre fueron liberadas, y ella pudo continuar con su obra de caridad.

En ese momento, entró en el convento de San Macaille e hizo sus votos para servir a Dios. Después de esto, se dice que la belleza de santa Brígida se restauró repentinamente, haciéndola brillar con pureza y amor hacia los demás. Cuando su historia se dio a conocer en toda Irlanda, otras jóvenes se dedicaron a la vida religiosa, deseando seguir su ejemplo. Pronto el primer convento se quedó pequeño para acoger a todas, por lo que Brígida se unió a otro monasterio, donde fue nombrada abadesa y dirigió con el poder de la sabiduría. Santa Brígida murió el 1 de febrero de 525 en su monasterio de Kildare. Se la celebra en el aniversario de su muerte.

Acciones, veneración y representaciones de santa Brígida

Hoy en día, el patronazgo de Santa Brígida se extiende desde Irlanda a monjas y comadronas hasta artistas y marineros, e incluso a agricultores. También se dice que protege a todos los bebés, especialmente a los nacidos fuera del matrimonio. Al quedar libre para dedicarse por completo a Dios, Brígida decidió fundar un convento, un lugar sagrado donde las mujeres pudieran ser educadas para reconocer las necesidades de los pobres y capacitadas para atenderlas. Quería que todo el mundo recordara que Dios manda que cada uno comparta lo que tiene con los demás. Un verdadero ejemplo de cómo se puede llevar la ternura y el amor a la vida de los demás, que sigue inspirando a muchos a llevar a cabo un trabajo similar incluso en los tiempos modernos.

El monasterio que fundó en Kildare se convirtió en el primero de su clase, albergando a monjes y monjas que dedicaron su vida a la oración y a Dios. Gracias a su labor caritativa y a su contribución a la educación de los mismos, la Iglesia cristiana de Irlanda se convirtió en una de las más influyentes de las islas británicas. Más adelante en su vida, Brígida también fundó una escuela de arte que produjo excepcionales manuscritos evangélicos y contribuyó a la supervivencia de la cultura celta. Aunque solo con sus piezas incorporadas a la religión cristiana, el paganismo ha logrado sobrevivir gracias a la influencia de personas desinteresadas y devotas como la propia Brígida. Reconociendo esto, los poetas y bardos de ambas culturas honran a santa Brígida como su patrona.

Una práctica que ayudó a unir a las dos religiones en tiempos difíciles fue la *acogida*. Las familias que acogían a niños huérfanos a una edad temprana eran bastante comunes entre los celtas, especialmente después de las batallas. Según la leyenda, la propia Brígida actuó una vez como madre adoptiva de Jesús, acogiéndolo para salvarlo de una muerte inminente cuando Herodes ordenó la matanza de todos los niños varones. Se dice que, con un tocado hecho de velas, llevó al niño a un lugar seguro, introduciendo un nuevo tipo de práctica caritativa en la vida de los cristianos. A menudo se la representa en el arte con Jesús en brazos, una ilustración que se ha hecho popular entre las mujeres que dominan el arte de tejer mantos y decoraciones domésticas similares.

Por todas sus acciones, santa Brígida se ha convertido en una de las patronas más veneradas de Irlanda, junto con san Patricio y san Columbano. Los cristianos conmemoran la muerte de santa Brígida el 1 de febrero, fecha que está relacionada con la que se celebra en el paganismo el imbolc, la inminente desaparición del invierno y el creciente poder del Sol. Los cristianos con fuertes raíces celtas suelen honrar en este día tanto a la santa como a la diosa.

A lo largo de los siglos, Santa Brígida ha inspirado a muchos artistas, permitiéndonos ver su imagen antes y después de su transformación de diosa pagana a santa. Como santa, se la suele representar como abadesa, con el atuendo tradicional de una monja del siglo V. A veces se la muestra de pie junto a una vaca, representando su trabajo como humilde esclava en la granja de su padre. Otras veces, solo se la representa con la cruz en la mano, para ilustrar su amor a Dios.

Más leyendas e historias relacionadas con santa Brígida

La historia de la cruz de Brígida

Uno de los símbolos más asociados a Brígida es su cruz. De hecho, a menudo se la representa con ella en obras de arte, junto con un manuscrito que representa su infinita sabiduría. La leyenda cuenta que la primera cruz la hizo la propia Brígida tras visitar a un jefe pagano moribundo. Al recibir una herida mortal, el jefe pidió a Santa Brígida que lo visitara en su lecho de muerte. Al ver al hombre desesperado, Brígida comenzó a hablarle de su fe mientras cogía unos juncos y los entrelazaba para formar una cruz. Entonces, él le preguntó qué estaba haciendo, y Brígida le habló del sacrificio de cristo en la cruz.

Conmovido por la historia, el jefe pidió ser bautizado antes de su muerte, para poder morir como cristiano. Cuando empezaron a difundirse historias similares sobre santa Brígida en toda Irlanda, la gente empezó a hacer sus propias cruces. Las colgaban sobre las puertas de sus casas para que ella les ayudara a alejar el fuego y el mal.

La leyenda del manto de santa Brígida

Otra leyenda común asociada a Brígida es la historia de su manto verde y el papel que desempeñó en la adquisición de tierras suficientes para construir un monasterio en Kildare. La leyenda también se refiere al primer milagro realizado por Brígida. Tras haber vivido la mayor parte de su vida dedicada a Dios, hacia el año 470 de la era cristiana, decidió formar su propia institución sagrada. Buscó un lugar ideal para un monasterio y finalmente dio con la tierra de Kildare. Rodeada de bosques para hacer fuego, un lago de agua dulce y una tierra fértil en la que podían crecer cultivos sanos, supo que había encontrado el lugar adecuado.

Sin embargo, como la tierra pertenecía al rey de Leinster, Brígida tuvo que pedir permiso para utilizarla. Desgraciadamente, su primera petición fue denegada, aunque se hizo tras una serie de oraciones para ablandar el corazón del rey. Entonces, Brígida decidió probar una táctica diferente. Cuando pidió la tierra por segunda vez, solo pidió lo que cubría su capa. Al ver que su manto apenas alcanzaba para cubrirla, el rey le concedió su petición, sin saber que Brígida también había pedido la ayuda de Dios en el asunto. Sus cuatro hermanas tomaron las cuatro esquinas del manto y empezaron a tirar de él en los cuatro puntos cardinales. Al ver cómo Brígida conseguía adquirir suficiente tierra para construir su monasterio, el rey se dio cuenta de que estaba bendecida por Dios y se ofreció a convertirse en patrón de su institución. Le envió dinero, comida y todo lo que ella y sus hermanas necesitaban y, más tarde, él mismo se convirtió al cristianismo.

Las oraciones de los 12 años

Estas oraciones fueron reveladas por Santa Brígida y honran las siete veces que Jesús derramó su sangre por la humanidad.

- **Oración de apertura**

  "Oh Jesús, ahora deseo rezar el padre nuestro siete veces en unidad con el amor con el que tú santificaste esta oración en tu corazón. Llévala de mis labios a tu divino corazón. Mejórala y complétala tanto que traiga tanto honor y alegría a la trinidad como tú la concediste en la tierra con esta oración. Que estas se derramen sobre tu santa humanidad en glorificación a tus dolorosas heridas y

a la preciosa sangre que de ellas derramaste".

- **Primera oración: La circuncisión**

  Rece 1 padre nuestro, 1 ave María, y luego:

  "Padre eterno, por las manos inmaculadas de María y el divino corazón de Jesús, te ofrezco las primeras heridas, los primeros dolores y el primer derramamiento de sangre como expiación por mis pecados de juventud y los de toda la humanidad, como protección contra el primer pecado mortal, especialmente entre mis familiares. Amén".

- **Segunda oración: El sufrimiento en el monte de los Olivos**

  Rece 1 padre nuestro, 1 ave María, y luego:

  "Padre eterno, por las manos inmaculadas de María y el divino Corazón de Jesús, te ofrezco el aterrador sufrimiento del corazón de Jesús en el Monte de los Olivos y cada gota de su sudor sangriento como expiación por mis pecados del corazón y los de toda la humanidad, como protección contra tales pecados y para la difusión del amor divino y fraterno. Amén".

- **Tercera oración: La flagelación**

  Rece 1 padre nuestro, 1 ave María, y luego:

  "Padre eterno, por las manos inmaculadas de María y el divino corazón de Jesús, te ofrezco las miles de heridas, los dolores horripilantes y la preciosa sangre de la flagelación como expiación por mis pecados de la carne y los de toda la humanidad, como protección contra esos pecados y la preservación de la inocencia, especialmente entre mis familiares. Amén".

- **Cuarta oración: La coronación de espinas**

  Rece 1 padre nuestro, 1 ave María, y luego:

  "Padre eterno, por las manos inmaculadas de María y el divino corazón de Jesús, te ofrezco las llagas, los dolores y la preciosa sangre de la santa cabeza de Jesús de la coronación de espinas como expiación de mis pecados y los de toda la humanidad del espíritu, como protección contra tales pecados y la difusión del reino de cristo aquí en la tierra. Amén".

- **Quinta oración: El transporte de la cruz**

  Rece 1 padre nuestro, 1 ave María, y luego:

  "Padre eterno, por las manos inmaculadas de María y el divino corazón de Jesús, te ofrezco los sufrimientos en el camino de la cruz, especialmente su santa herida en el hombro y su preciosa sangre como expiación por mi rebelión y la de toda la humanidad contra la cruz, toda murmuración contra tus santos arreglos y todos los demás pecados de la lengua, como protección contra tales pecados y por el verdadero amor a la cruz. Amén".

- **Sexta oración: La crucifixión**

  Rece 1 padre nuestro, 1 ave María, y luego:

  "Padre eterno, por las manos inmaculadas de María y el divino corazón de Jesús, te ofrezco a tu hijo en la cruz, su clavado y elevación, sus heridas en las manos y en los pies y los tres chorros de su preciosa sangre que se derramaron de estas por nosotros, su extrema tortura del cuerpo y del alma, su preciosa muerte y su renovación no sangrante en todas las santas misas de la tierra como expiación por todas las heridas contra los votos y reglamentos dentro de las órdenes, como reparación por mis pecados y los de todo el mundo, por los enfermos y los moribundos, por todos los santos sacerdotes y laicos, por las intenciones del santo padre hacia la restauración de las familias cristianas, por el fortalecimiento de la fe, por nuestra patria y la unidad entre todas las naciones en cristo y su iglesia, así como por la diáspora. Amén".

- **Séptima oración: La perforación del costado de Jesús**

  Rece 1 padre nuestro, 1 ave María, y luego:

  "Padre eterno, acepta como digna, para las necesidades de la santa iglesia y como expiación de los pecados de toda la humanidad, la preciosa sangre, y el agua que brotó de la herida del divino corazón de Jesús. Ten piedad y misericordia de nosotros.

  Sangre de cristo, último contenido precioso de su santo corazón, lávame de todos mis pecados y los de los demás.

Agua del costado de cristo, lávame de todas las penas por el pecado y apaga las llamas del purgatorio para mí y para todas las almas pobres. Amén".

Las oraciones ofrecen las siguientes promesas:

- Alivio del purgatorio
- Aceptación de mártires como si ellos mismos hubieran derramado su sangre
- La posibilidad de elegir a otros tres que permanecerán agraciados y se convertirán en santos
- Salvación de las almas de sus cuatro generaciones sucesivas
- Conciencia de la propia muerte con un mes de antelación

Diferencias entre santa Brígida y la diosa pagana Brígida

Aunque la historia de las dos Brígidas muestra claramente algunas similitudes, hay definitivamente algunas diferencias entre ellas. Para empezar, se dice que Santa Brígida era hija de un druida, un miembro de la clase celta con formación espiritual, y de una esclava, ambos mortales. La leyenda de la diosa, en cambio, la retrata como miembro del primer clan celta de Irlanda, siendo su padre un líder y un guerrero. También se la veneraba como diosa de la herrería, la poesía y la fertilidad, mientras que santa Brígida era y sigue siendo un icono de la espiritualidad femenina y una de las santas irlandesas más influyentes junto a san Patricio. Esta es una visión mucho más institucional de sus funciones que la visión de espíritu libre que los paganos han representado.

Debido a su extraña asociación con el fuego y los herreros, los celtas también creen que Brígida nació con poderes sobrenaturales. Santa Brígida dedicó su vida a Dios y nunca se casó, mientras que la Brígida pagana estaba casada e incluso tenía hijos. Incluso el aspecto de los dos iconos femeninos presenta algunas diferencias. Aunque se describe a ambas mujeres con el pelo castaño rojizo y la piel pálida, se dice que la patrona de Irlanda llevaba una larga túnica blanca, como era habitual en quienes servían a Dios, y un manto verde. A la diosa pagana se la describe con ropas modestas, típicas de los clanes de la Irlanda del siglo V. A pesar de todas estas diferencias, ambas mujeres han inspirado y siguen inspirando la vida de sus seguidores. Algunos incluso celebran a ambas Brígidas el 1 de febrero con una fiesta tradicional.

Capítulo 3: Brígida como diosa triple

Este capítulo examina a Brígida desde un punto de vista diferente, arrojando algo de luz sobre sus funciones como diosa triple, ya que fue venerada durante mucho tiempo entre los celtas de la Irlanda precristiana. También mostrará por qué Brígida es vista a menudo como la guardiana de la llama sagrada y cómo puede iluminar su interior. Honrarla en los pozos sagrados y curativos de Irlanda no es la única forma de invocarla en su vida. También es posible invocarla en cualquier momento y lugar en que necesite su ayuda: solo es cuestión de reconocer sus señales a su alrededor.

Brígida y la llama sagrada

Hoy en día, la conexión de Brígida con el fuego sagrado de Kildare se asocia sobre todo con su papel de santa. Sin embargo, las leyendas sobre el fuego se remontan a tiempos muy anteriores a la llegada del cristianismo a Irlanda. De hecho, para los celtas, Brígida era la diosa del Sol, la fuente de la llama más antigua de todas. Según su antigua tradición, Brígida nació cuando el Sol acababa de salir en la época de Faughart. Al notar su luz, ascendió al cielo para acercarse lo más posible al Sol. Los rayos envolvieron su cabeza en una luz brillante y crearon una torre de llamas alrededor de su hogar, dando poder a todos y a todo lo que había en su interior.

A partir de ese momento se asoció con el Sol, la conciencia, la iluminación y el calor interior. Incluso su celebración en la época en que el calor de la primavera empieza a superar al invierno habla de su asociación con la llama. Ella anima al Sol a permanecer más tiempo fuera, trayendo la promesa de la primavera e iluminando nuestras vidas después de los oscuros y fríos meses de invierno. También trae esperanza y entusiasmo renovado hacia la vida y una perspectiva positiva hacia un nuevo comienzo.

En el pozo sagrado de Brígida, en Kildare, la llama sagrada sigue siendo atendida por sus seguidores. Según la tradición, hay 19 sacerdotisas encargadas de cuidar la llama, cada una de las cuales la alimenta con un trozo de leña obtenido del espino sagrado durante 19 días. Esta práctica se inició en tiempos precristianos para celebrar el nuevo ciclo del gran año celta, que se produce cada 19 años. Este es el tiempo que tarda la luna nueva en volver a caer en el mismo día del solsticio de invierno. Se sugiere que, además de invocar a Brígida para que proporcione una cosecha abundante, el fuego también debía limpiar y proteger a los rebaños de los espíritus malignos.

La leyenda cuenta que el día 20, cuando nadie cuidaba la llama, la propia Brígida la mantenía viva para honrar su luz y a quienes la alimentaban el resto de los días. Aunque originalmente solo se permitía a las sacerdotisas acercarse a la llama, ahora cualquiera que desee honrar a Brígida en su pozo sagrado puede visitar el lugar. Aquí es donde Brígida trajo una luz brillante a las oscuras vidas de sus seguidores muchas veces durante la historia y sigue proporcionando iluminación y curación a quienes lo necesitan.

La triple diosa de la llama

Hay varias interpretaciones del término "diosa triple". Según algunos, Brígida es representada como tres madres con diferentes características individuales. Sin embargo, en la mayoría de las leyendas celtas, el papel de Brígida como diosa triple se asemeja a sus tres aspectos: diosa de la curación y las hierbas, de la herrería y la construcción, y de la partería y la fertilidad. Otras fuentes pueden referirse a estos papeles como aspectos de madre, doncella y arpía. La mayoría de las fuentes coinciden en que todos estos aspectos son, en realidad, tres hermanas con tres funciones distintas, que se multiplican por las innumerables responsabilidades de Brígida. Los relatos también coinciden en que estos papeles eran a menudo autoimpuestos debido a la naturaleza caritativa de Brígida, que poseía desde una edad temprana.

Su conexión con la llama sagrada también le otorgó la capacidad de cumplir con estos deberes. Podía utilizar la llama para encender lo siguiente:

- **El fuego del hogar**: calentar el hogar y la casa.
- **Fuego de la fragua:** calentar la fragua.
- **El fuego de la inspiración:** inspirar a través de la obra de arte.

El aspecto de la diosa triple puede parecer muy sencillo, pero a la vez complejo. Gobernar la batalla y la curación, y al mismo tiempo asegurar la fertilidad, puede parecer una tarea imposible. Sin embargo, era capaz de hacer mucho más que eso. No obstante, el número de sus aspectos tampoco es una coincidencia. El número tres estaba presente a menudo en la cultura celta, más aún en las tradiciones que utilizaban para honrar a sus deidades. Aunque Brígida no era la única deidad celta representada con un aspecto triple, es uno de los mejores ejemplos del significado de este número para los celtas. Para ellos, este número representa las tres partes del ciclo vital: la vida, la muerte y el renacimiento.

La diosa de la curación

Como curandera, Brígida es representada a menudo en obras de arte llevando una bolsa de hierbas y flores curativas. Su papel de curandera también se asocia con los animales y el agua, que a menudo se ven alrededor de manantiales naturales y pozos curativos. Como sabemos que los curanderos tenían una sabiduría sagrada incluso antes de que los celtas llegaran a Irlanda, es fácil entender por qué se venera su capacidad de curar de esa manera.

Y no solo eso... sino que los conocimientos que manejaba como sanadora también están relacionados con la filosofía, inspirando a los eruditos a profundizar en la historia y la poesía para revelar los secretos de sus antepasados. También se dice que Brígida podía proporcionar una visión de las profecías y los sueños a través de su sabiduría, explicando estas visiones y utilizándolas como inspiración, guía y mucho más.

Se cuenta que Brígida enseñaba a los irlandeses las propiedades curativas de las hierbas y sus aplicaciones en humanos y animales. Daba la mayoría de sus lecciones bajo un roble cerca de su pozo en Kildare. Aunque el árbol hace tiempo que desapareció, su pozo se sigue asociando con la curación y la adivinación y se utiliza a menudo para obtener orientación y conocimientos útiles. Además del de Kildare, hay otros pozos en Irlanda dedicados a la diosa, todos con aguas bendecidas con su gracia curativa. Aquí, combina el calor del Sol con la pureza del agua, curando todo, desde el cuerpo hasta el alma.

También existe una leyenda sobre Brígida que muestra su generosidad y su sentido de la justicia al mismo tiempo. Según la historia, dos leprosos fueron a visitar a Brígida en Kildare en un intento desesperado de encontrar una cura para su enfermedad. La diosa accedió a ayudarles y les dirigió al pozo, pidiéndoles que se bañaran en el agua. Siguiendo sus instrucciones, un hombre lavó al otro hasta que este se curó. Sin embargo, cuando llegó el turno de que el hombre curado bañara al otro, este se negó. Viendo la injusticia en la falta de voluntad del hombre para asistir a la persona que le ayudó a curarse, Brígida hizo que la enfermedad del hombre volviera a aparecer. Entonces tomó al otro hombre bajo su manto y permitió que su poder curara al hombre instantáneamente.

Hay pocas pruebas de cómo Brígida llegó a poseer estos poderes. Según una fuente, aprendió a curar heridas cuando los miembros de su propia familia resultaron heridos en una de las muchas batallas que libraron contra otros clanes celtas. Otras fuentes afirman que heredó sus poderes de sus antepasados. Se dice que muchos otros miembros del clan Tuatha Dé Danann poseían poderes sobrenaturales, aunque no todos estos dones eran tan poderosos como el suyo.

La diosa de la herrería

Al haber participado en muchas batallas, Brígida adquirió una habilidad excepcional para la forja de metales. Según la tradición celta, su habilidad para la forja era tan grande que podía crear un silbato capaz de transportar a alguien a otro lugar. Se dice que se lo dio a los guerreros para que lo utilizaran por la noche y se transportaran uno a uno al territorio enemigo. También les enseñó a forjar herramientas de hierro y herrería más eficaces. Su capacidad de moldear y transformar no se limitaba solo a las armas y otros objetos metálicos. Trascendió a todo lo demás en el mundo que podía ser remodelado y, con ello, *renacer.*

Pero incluso después de su vida, siguió siendo la patrona de los guerreros, proporcionándoles armas, ayudándoles a través de preguntas, y ayudándoles a llevar la justicia a las tierras. Por este aspecto, Brígida sigue siendo venerada como la supervisora de la ley, el orden y, en última instancia, la paz. Esto último es probablemente el resultado de su engaño en las guerras después de que su hijo muriera en una batalla.

La leyenda cuenta que Brígida tuvo tres hijos que eran feroces guerreros. Uno de ellos, Ruadán, sufrió una herida mortal y, tras su muerte, las partes enfrentadas abandonaron el campo de batalla para honrar el dolor de su diosa. A partir de entonces, Brígida alentó a las partes enfrentadas a forjar la paz en lugar de las armas, y así se convirtió en el símbolo de la unidad. Y en lugar de ser la patrona de la guerra, se convirtió en una guía para los trabajadores del metal y los artistas.

La diosa de la fertilidad

Como diosa de la fertilidad, Brígida se asocia a menudo con los partos, el ganado y las cosechas. A menudo se la invoca en los partos para que proporcione protección a las comadronas, a los niños y a su madre, pero también puede proteger a los bebés después inclinándose sobre su cuna y envolviéndolos con su manto. El fuego en el hogar también proporcionaba a los niños un ambiente cálido para mantenerlos sanos y felices.

Aunque se dice que su conexión con la domesticidad va aún más allá, se cree que su poder residía en cada objeto de limpieza, tejido y bordado que decoraba el hogar. Además, su apoyo también se extendía al proceso de nacimiento de la creatividad de las personas en el trabajo y el arte. Al mantener el fuego del hogar encendido de forma constante, también proporcionaba calor transformador, lo que permitía a la gente canalizar la energía positiva en las tareas que tenían que hacer.

Brígida ayudaba a los animales en el parto y prestaba su gracia curativa a los animales enfermos. Mostraba a la gente cómo mantener sanos al ganado y prevenir las enfermedades. Brígida también compartió sus conocimientos para hacer fértiles los terrenos con un grupo de mujeres, que pasaron a cuidar las tierras de la diosa. A pesar de ello, ella misma traía la prosperidad a través de la abundancia de la tierra. De hecho, su manto verde se asociaba a la protección y a la fertilidad de la tierra. Los celtas creían que, cada primavera, Brígida tendía su manto y cubría la tierra con un verdor exuberante. Con este acto, traía nueva vida al mundo, asegurando nuestro bienestar y permitiéndonos recordar nuestra propia capacidad de crecer y prosperar en la vida.

Aspectos unidos

Aparte de los tres principales, Brígida encarnaba muchos aspectos, lo que le permitía participar en cualquier parte del proceso natural de encarnación. Y lo que es más importante, estos tres aspectos rara vez pueden separarse unos de otros, lo que demuestra que todos ellos son esencias hermanas de una sola persona. Cuando la diosa de la fertilidad introduce cambios en cualquier aspecto de nuestra vida, el proceso de renacimiento es ayudado por la diosa de la forja, y ella es la responsable de esta transformación. A su vez, la diosa de la curación bendecirá todas nuestras creaciones nacidas por la diosa de la forja. También podría curar las heridas de aquellos a los que la otra hermana no pudiera proteger, mientras que la diosa de la fertilidad que lleva dentro les proporcionaría ideas fértiles para mantenerlos a salvo.

Todos sus aspectos muestran un lado creativo, por lo que podemos utilizarlos todos juntos. Supongamos que desea utilizar los poderes de la diosa triple para iluminar su camino en un proceso creativo o al enfrentarse a un reto. En ese caso, ella también le envolverá en un abrazo protector, escudándole durante su viaje. Esto garantiza que cualquiera pueda disfrutar de los grandes beneficios de todo el proceso, a pesar de lo diferentes que puedan parecer sus polaridades. Dado que los seres humanos también tienen sus propias polaridades, reconocerlas es la única manera de lograr el equilibrio que buscamos.

Brígida en las creencias paganas modernas

En estos tiempos modernos, a veces no hay nada que necesitemos más que una fuente de inspiración. Trayendo consigo la llama sagrada, Brígida puede iluminar su camino mostrándole quién es usted en su propio estado natural. Ella puede aparecer en sus sueños y aspiraciones y convertirse en su musa si le falta algo que ayude a fluir sus energías creativas. Todo lo que haga en la vida está potenciado por alguna fuerza invisible inspirada para crear algo. Esta energía proviene de usted, y le ayuda a realizar sus deseos innatos y a establecer una conexión con una fuente infinita de sabiduría espiritual. Sin embargo, hay momentos en los que puede necesitar ayuda para aprovechar este conocimiento, y es exactamente cuando Brígida puede venir en su ayuda. Ella le mostrará ese trozo de la fama sagrada que cada uno de nosotros lleva dentro. Al hacerlo, ella le revelará esa fuente divina de inspiración que estaba buscando, incluso si aún no es consciente de ella.

La diosa Brígida puede darle poder en cualquier aspecto de su vida. Tanto si desea encontrar su propósito, liberar o trascender sus miedos, sanar o desterrar comportamientos autolimitantes, ella le mostrará cómo hacerlo. A veces, solo necesitará que ella le muestre la verdad, para que pueda liberarse de su pasado o dejar de preocuparse por su futuro. En las sociedades modernas, puede ser difícil comunicar los verdaderos deseos de uno, especialmente si van en contra de los deseos de nuestros seres queridos. Brígida le concederá su apoyo al expresar sus verdaderos deseos a los que le rodean.

Además de fomentar la expresión creativa, puede darle una voz que utilizar cuando sienta que no puede encontrar las palabras adecuadas para comunicarse. Brígida tiene la capacidad de asegurarse de que las palabras que usted dice están en total consonancia con sus pensamientos más íntimos. Si necesita ayuda para salir de su voz pasiva y encontrar un lenguaje afirmativo para defender algo en lo que cree, Brígida es la guía adecuada a la que recurrir. Esto es válido para todos los aspectos de la comunicación, por lo que puede ayudar incluso en esta época. Tanto si se trata de comunicación verbal, como de poesía o de un mensaje que tenga que enviar por teléfono, la diosa le ayudará a canalizar la magia en sus palabras. De este modo, usted podrá expresar lo que desea crear o experimentar sin que el miedo a ser juzgado se interponga en su camino. Brígida le recordará que el verdadero poder reside en usted y en sus deseos y no en seguir a otros.

Brígida le animará a decir su verdad, lo que puede ser un poderoso regalo en sí mismo. Tanto si está manifestando un objetivo que tiene en mente como si está expresando sus opiniones sinceras, cuando sienta la pureza de sus pensamientos resonando en su voz, se sentirá más equilibrado en su interior. La expresión de uno mismo viene acompañada de un sentimiento tan bendito que potenciará aún más su crecimiento interior. Se cree que usted está elevando su energía espiritual al permitir que Brígida ilumine su verdad con su llama sagrada. Aunque tiene muchas caras (y no todas pacíficas), Brígida puede traer armonía a su vida simplemente resaltando la verdad esencial. A través de esto, ella aumentará su confianza, que es algo con lo que a menudo luchamos en estos tiempos modernos. Pero al estar respaldado por una diosa influyente, como Brígida, es mucho más fácil abrazarse a sí mismo con confianza. Por fin podrá experimentar la paz definitiva en su interior y también en sus relaciones con los demás. No solo eso, sino que ella puede guiarlo en un camino para que pueda ayudar a otros a experimentar la misma dicha también. Todo lo que ella puede hacer para ayudarle, usted puede hacerlo para otros con su ayuda.

¿Cuáles son los signos de la diosa que llama a alguien?

Como la mayoría de los guías espirituales, Brígida puede acudir a usted cuando es convocada o llamarla si necesita que haga algo por ella o por usted mismo. No hay una forma predeterminada de saber que lo está llamando. Sin embargo, puede que de repente se dé cuenta de que está haciendo algo que ella haría, así que puede buscar su guía para asegurarse de que obtiene los mejores resultados. También es posible que sienta una presencia en su vida que le impulsa a escuchar más a su ser interior. Si esto ocurre, es buena idea contemplar si Brígida es la que evoca estos sentimientos. Si usted se da cuenta de que su trabajo podría influir positivamente en la vida de otra persona, es muy posible que sea la forma en que la diosa le dice que está en el camino correcto.

Brígida también puede venir a usted en sus sueños o visiones si practica el viaje o ejercicios espirituales similares. Ella puede venir en forma de una figura humana, un animal o un símbolo con un significado específico. De cualquier manera, sentirá algo diferente en ellos, aunque sean un poco evasivos sobre quiénes son. Se recomienda investigar un poco para ver si las señales apuntan hacia Brígida. Sin embargo, si ella realmente quiere guiarle en la dirección correcta, será bastante persistente. Ella le enviará una serie de mensajes, de naturaleza simbólica.

Brígida suele llamar a las personas de forma que puedan interpretar lo que dice en función de su religión, cultura, género o experiencias en la vida. Ella es todo espiritualidad, por lo que tratará de contactar con usted a través de los medios con los que se sienta más cómodo espiritualmente. También es cariñosa y nutritiva, por lo que será lo más suave posible si es la primera vez que se pone en contacto con usted. En este caso, los signos de que ella está ahí pueden no ser obvios al principio, así que usted puede querer explorar la conexión dando el primer paso.

Si desea asegurarse de que es ella la que le respalda, puede montar un altar y hacer ofrendas, como leche y mantequilla. También puede profundizar en su conexión con ella a través de la meditación, las oraciones y la búsqueda de su tradición. En los siguientes capítulos se hablará más sobre el trabajo con Brígida.

Capítulo 4: Brígida como Maman Brigitte

La diosa celta y la santa son solo las caras de Brígida, más conocidas en Europa. Sin embargo, su papel de protectora se conoce en todo el mundo, aunque de forma un poco diferente. Para los practicantes del vudú haitiano, se la conoce como Maman Brigitte, Grann Brigitte, Manman o Manman Brijit. Es una loa que desempeña un papel paradójico en esta religión dispersa, ya que es el espíritu de la muerte y de la fertilidad al mismo tiempo. Estos dos papeles pueden parecer mundos aparte, pero tienen mucho más en común de lo que uno puede pensar. Obviamente, Brígida no es una diosa común, y tampoco es una loa común. Su sincretización en este papel surgió de la necesidad provocada por la esclavitud y la salvación que podía proporcionar a los que sufrían este destino. Aunque la esclavitud ha sido abolida en gran parte de nuestro mundo en los tiempos modernos, sigue teniendo un significado que no podemos ignorar. Los modelos y guías como Maman Brigitte nos recuerdan que siempre hay algo que esperar, incluso en los tiempos más oscuros. Y si una persona necesita cambiar para poder hacerlo, debe hacerlo mientras pueda disfrutar de los frutos de su trabajo.

¿Qué es un vudú loa?

Al igual que muchas otras religiones, el vudú también se basa en la espiritualidad natural, pero son los espíritus (en lugar de las deidades) los que guían a sus seguidores. Reconocen a un dios (llamado Bondye) que puede ayudar a los vivos, pero normalmente lo hace a través de los loa. Estos son los espíritus más influyentes en el vudú y también se conocen como lwa. La leyenda cuenta que la religión se formó a partir de los esclavos africanos traídos a Haití hace muchos años. Los loa representan las almas de estos ancestros esclavos. Supervisan los espíritus de los que viven en el mundo visible y los guían cuando es necesario. Además, estos espíritus ayudan a esta nación a expresar una visión del mundo única, a practicar su medicina tradicional y a establecer la justicia a su manera.

Como loa, maman Brigitte suele ser invocada en una práctica común del vudú, en la que la persona que quiere comunicarse con un espíritu le permite entrar en su cuerpo. Suele realizarse en una elaborada ceremonia que incluye cánticos, tambores, bailes y el uso de símbolos tradicionales del vudú, llamados velos. Al dejar que su espíritu se instale temporalmente en su cuerpo, los adeptos pueden comunicarse mucho más libremente con Brígida.

Cómo Brígida se convirtió en loa

A diferencia de los demás loa que viven en Vilokan, la morada de los espíritus, maman Brigitte es de piel clara, lo que indica que sus orígenes no son africanos. Se cree que nació en Irlanda, en la época en la que muchos habitantes de las islas británicas fueron obligados a convertirse en sirvientes. Se cree que Brígida fue transportada a Haití para hacer de sirvienta, pero recibió un trato similar al de muchos esclavos africanos, lo que hizo que acabara con el mismo destino que ellos y se convirtiera en loa. Aunque algunos discuten la veracidad de este relato, las similitudes entre maman, la diosa celta, y la santa irlandesa son innegables. Su aspecto, su nombre y sus funciones similares indican la conexión entre estos iconos femeninos. Incluso el lugar de enterramiento de maman, la tumba de la primera mujer enterrada en un cementerio haitiano, está marcado con una cruz muy similar a la de santa Brígida.

En su papel de loa, Brígida fue vista primero como patrona de los esclavos. Hasta que se abolió esta práctica a finales del siglo XVIII, los esclavos, especialmente las mujeres, confiaban en su protección, y a menudo llevaban consigo muñecas que simbolizaban la presencia de la maman en sus vidas. El hecho de que se convirtiera en una loa despreocupada era un recordatorio de que cualquiera puede transformar su vida, aunque, para ellos, este cambio solo llegara después de la muerte. Al ser liberados, los antiguos esclavos estaban preparados para iniciar sus propias búsquedas, pero seguían contando con la guía de maman Brigitte en sus viajes. De hecho, muchos vudúes siguen pidiéndole ayuda cuando desean decir su verdad o encontrar su propósito en la vida. Al fin y al cabo, nadie puede decirle en qué debe creer, y loa Brigitte es el mejor ejemplo de ello.

Las funciones de Brígida como loa

Al igual que su homóloga celta, maman Brigitte poseía una capacidad curativa increíblemente poderosa. Si alguien sufre una enfermedad prolongada, puede acudir a maman Brigitte para que le ayude a recuperarse. También puede curar lesiones menores, como huesos rotos, y a menudo se la llama para que ayude con enfermedades que otros se niegan a atender, como las de transmisión sexual. Sus poderes no se limitan a la curación de enfermedades físicas. Puede ayudar en situaciones en las que alguien solo necesita un nuevo comienzo mental para evitar la llamada “muerte espiritual”.

Sin embargo, a diferencia de la deidad femenina, una loa también ayuda a las almas que no puede salvar a llegar a la otra vida de forma pacífica. Al observar el estado del alma de la persona, decidirá si puede intervenir y curarla o si simplemente debe aliviar su sufrimiento y dejarla pasar al más allá. Y si la muerte de la persona es ya inminente, los familiares pueden llamar a Brigitte para que vele por la pobre alma durante las últimas horas de su vida. Ella observará cómo la persona exhala su último aliento y luego comenzará a preparar su alma para la otra vida. Al igual que su marido, también puede actuar como protectora de tumbas y cementerios. A cambio de una pequeña ofrenda, se situaría sobre una lápida, salvaguardando el alma del difunto. Para que pueda proteger o bendecir una lápida, esta debe estar marcada con una cruz.

Además de la curación, se puede recurrir a ella para otros asuntos. Por ejemplo, puede ayudar a proteger a las mujeres en el parto o en una relación insana en la que haya violencia doméstica. También puede orientar en cuestiones de pareja, como la gestión de la infidelidad.

Por todas estas funciones mencionadas, es venerada principalmente por las mujeres. Sin embargo, también se ocupa de cuestiones que pueden afectar a ambos sexos. Por ejemplo, supongamos que alguien comete un crimen u otra acción malvada. En ese caso, sentirán la fuerza de maman Brigitte sobre ellos al recibir el castigo. Ella se encargará de que todos reciban la justicia divina, independientemente de la magnitud de su crimen. Es una de las pocas loas a las que los vudúes prefieren llamar cuando sienten que han sufrido un daño injusto y desean buscar retribución por sus daños.

Del mismo modo, los vudúes creen que Dios delega sus deberes en los loa. Estos espíritus también compartirán parte de sus responsabilidades con los mortales. Además de promover la compasión hacia los demás, esto también enseña a los humanos responsabilidades que no pueden evitar. Maman Brigitte anima a la gente a aceptar la muerte en lugar de temerla. La leyenda cuenta que a menudo daba lecciones bastante animadas sobre la importancia de respetar a los muertos y recordar su papel en nuestras vidas. Además de cuidar de los muertos ella misma, también quiere que los vivos ayuden a los difuntos a pasar al más allá. Si es necesario, los familiares del difunto pueden hacer guardia en la tumba, ayudando a Brígida y a su marido a salvaguardar el alma del difunto. El propósito de esto es también hacer que la gente se enfrente a su mortalidad y se dé cuenta de que si quiere ser tratada con respeto cuando muera, debe hacer lo mismo con los demás. Si alguien la desobedece y no atiende a sus difuntos, se enfrentará al castigo de Maman.

Una de las razones por las que Maman Brigitte es considerada una loa tan poderosa es por su capacidad para dictar el veredicto sobre si alguien recibirá un castigo o una ayuda. Para invocarla hay que tener en cuenta todos los factores que pueden influir en su decisión. El hecho de que alguien la llame en busca de ayuda, alegando que alguien le ha hecho daño, no significa que se le considere automáticamente como la parte inocente. Maman también observará sus acciones y solo concederá una sentencia a su favor si han hecho una reclamación con intenciones puras. Si lo hicieron con mala intención, es muy posible que sean castigados por sus acciones. Por lo tanto, si uno no quiere recibir una de sus maldiciones, o incluso un sermón con un lenguaje duro, debe apaciguarla. A veces puede ser bastante salvaje, y una vez que se pone de buen humor, puede pasar algún tiempo hasta que se apacigüe lo suficiente. Esto es especialmente cierto si se enfrenta a un comportamiento tonto, ya que no tiene paciencia para ello.

Además de todas sus funciones, también se la asocia con la fertilidad en varios aspectos de la vida (al igual que otras variantes de Brígida). El ron y la fiesta no son las únicas cosas que le gustan. También se dice que le interesan las artes y la poesía, y que anima a todos los que quieren seguir estas carreras. Al potenciar su espiritualidad, puede ayudar a cualquiera a expresar su lado creativo y dar vida a nuevas ideas y proyectos. Al fin y al cabo, la vida es demasiado corta para quedarse estancada en la misma posición sin posibilidad de crecer. Maman Brigitte lo entiende y por ello promueve la fertilidad, permitiendo a las personas convertirse en una mejor versión de sí mismas.

Cómo se representa a Maman Brigitte

Maman Brigitte suele aparecer con ropas sencillas pero femeninas y sensuales, sobre todo si ha sido convocada para curar. Otras veces, cuando está dispuesta a salir de fiesta con su marido, opta por un atuendo más revelador y peligroso. Tiene el pelo claro y castaño rojizo, y los ojos verde esmeralda. Sus colores favoritos son el negro y el púrpura, como se muestra en varias ilustraciones. Cuando no está ocupada curando o siguiendo a las almas al más allá, Brigitte es vista bebiendo ron con pimientos picantes. Se dice que esta bebida es demasiado picante para los mortales. Ella, en cambio, a veces comía estos pimientos o masticaba un cigarro que había robado a su marido. También hay varias representaciones de ella con un gallo negro.

Acepta la mayoría de estos objetos como ofrenda por sus servicios, aunque sus favoritos son las velas negras y el ron con pimienta, cuanto más caliente, mejor. Sin embargo, si alguien solo tiene un trozo de ropa negra y una oración que ofrecer, no negará su ayuda siempre que la persona sea honesta con sus intenciones. Porque no hay nada que le guste más que hablar con el corazón, aunque eso signifique utilizar un lenguaje soez. Y espera lo mismo de los seguidores, sin importarle que también digan obscenidades.

Aunque es conocida por sus travesuras, anima a los demás a decir la verdad. Sabe cuándo es el momento de la fiesta y cuándo es el momento de volver a su papel de loa. Por ello, puede ser protectora, cariñosa, respetuosa o salvaje y alborotadora si es necesario. Sabe reconocer si alguien requiere un amor duro, pero también sabe cuándo se necesitan palabras más suaves y compasivas. La forma en que se presenta depende de lo que el alma necesitada requiera.

Maman Brigitte y el Barón Samedi

Antiguo esclavo, el Barón Samedi es un loa famoso por su libertinaje, su comportamiento obsceno y varios vicios mortales. Al igual que Maman Brigitte, también disfruta de una buena fiesta, especialmente si hay mucho baile y ron de por medio. Siendo ambos loas influyentes de la muerte, la pareja lideró la familia Ghede. Esencialmente, él es su contraparte masculina, y ambos comparten muchos roles. Y aunque ambos son conocidos por confraternizar con los mortales, a menudo se les representa como marido y mujer. Por escandaloso que parezca, este comportamiento no carece de propósito. A través de él, la pareja muestra que las reglas de los vivos ya no los restringen y que están libres de todas las cargas que estaban destinados a llevar durante sus vidas como esclavos. El segundo propósito de su despreocupación es mostrar a los vivos que deben disfrutar de los beneficios de estar vivos mientras puedan. La muerte es inminente y llegará para todos, así que más vale que hagan todo lo posible durante su vida para morir sin remordimientos.

El Barón suele ser representado como un hombre negro, alto y delgado, que lleva un atuendo elegante, como un esmoquin, un sombrero de copa e incluso un bastón. Su aspecto contrasta con la tez clara y el estilo sencillo de Brigitte, pero también ella era única entre los loa. Tanto el marido como la mujer son capaces de ver el reino espiritual y el mundo de los vivos al mismo tiempo. Sin embargo, mientras Brigitte suele ascender entre los vivos, el barón prefiere pasar su tiempo en su forma espiritual. La pareja gobierna sobre los muertos y los cementerios, pero tienen papeles diferentes, aunque algo complementarios.

El Barón Samedi se reunirá con las almas que esperan entre el mundo de los muertos y el de los vivos y dará la bienvenida a vilokan a quienes estén destinados a morir. Sin embargo, no todos los que se encuentran con él acaban muriendo, solo aquellos cuya tumba ya ha sido cavada por el Barón. En algunos casos, puede evitar que una persona muera; en otros, la aceptará en el reino de los muertos. Si cree que una persona puede salvarse, se negará a cavar una tumba para ella y dejará que Maman Brigitte le salve la vida. Mientras que su marido puede decidir si alguien puede salvarse o no, Maman Brigitte es la que decide si una persona merece ser curada. Si no, la persona morirá y su alma quedará al cuidado del barón. O, si alguien no lo merece, ella misma lo escoltará personalmente al vilokan para asegurarse de que siga muerto.

Al evitar que una persona muera, juntos demuestran que vale la pena salvarla. A veces, todo lo que necesitan para salvar a alguien es levantar una poderosa maldición que ha sido lanzada sobre la persona. Otras veces, es necesario aplicar los extraordinarios poderes curativos de ambos para curar a alguien de una dolencia. Actuando como guardianes del cementerio, la pareja se asegurará de que cada persona sea enterrada correctamente y permanezca en la tierra sin ser molestada. Según la leyenda, lo hacen para evitar que las almas de los fallecidos vuelvan a los cuerpos, levantándolos de la tumba. Naturalmente, esperan algún tipo de pago por sus servicios, aunque sea en forma de una simple ofrenda de puros, ron y café negro. También agradecerán que los seguidores les honren vistiendo ropas moradas, blancas o negras.

Se dice que Brigitte se contenta con esto último, mientras que el barón suele exigir una ceremonia más elaborada, con bailes e incluso sacrificios de animales. Sin un buen incentivo, no se molestará en cruzar los reinos. Debido a esto, Maman Brigitte tiene muchas más funciones en el mundo de los vivos que su marido, pero siempre trabajarán juntos para ayudar a un alma, de una forma u otra.

Además de trabajar juntos, la pareja también tiene una relación lúdica. Al ser la loa del dinero, Brigitte se encarga de que la gente respete las transacciones monetarias y se asegura de que paguen su deuda cuando sea necesario. Al mismo tiempo, no le importa mucho el dinero ni las pertenencias personales, ni las suyas ni las de los demás. Incluso disfruta robando el sombrero de copa y el bastón del barón y observando cómo este busca los objetos.

La víspera de Maman Brigitte

Un veve es un símbolo utilizado para atraer al loa, y suele diseñarse teniendo en cuenta las características del espíritu específico. Aunque algunas vetas pueden compartir algunos elementos comunes, su diseño y uso dependen del loa. Por ejemplo, al igual que maman Brigitte prefiere ciertos colores, cantos y ritmos de tambor, también se caracteriza por un conjunto único de ilustraciones que se unen en su veve. Así, cuando se desea su presencia, se dibuja su veve en el suelo con algún tipo de polvo natural, y entonces ella notará que la ceremonia es para ella. El veve se suele borrar al concluir el ritual, lo que libera de nuevo al espíritu.

El veve de Maman Brigitte suele incluir un triángulo y un corazón opuestos, que representan el ciclo de la vida y la fertilidad, respectivamente. Entre y sobre estas formas hay varias cruces, que simbolizan las encrucijadas y la crucifixión de Jesucristo. A veces también se añade un gallo negro, que representa el renacimiento y el amanecer de una nueva vida. Durante un ritual, se utiliza un veve para hacer descender su espíritu al mundo de los vivos. Aparte de las ceremonias específicas en las que se pide la guía de Maman Brigitte, su veve se exhibe el Día de las Almas, que es el 2 de noviembre. Los vudúes también pueden honrar su espíritu con su símbolo el 1 de febrero. Casualmente, este es también el día en que se venera a Santa Brígida y a la triple diosa. En este día sagrado, el veve se utiliza para infundir en los objetos su poder curativo, potenciando la práctica de los seguidores.

Una canción asociada a Maman Brigitte

Las canciones y los cantos atraen a cada loa de forma diferente, ya que cada espíritu tiene sus propias preferencias.

He aquí una canción que maman Brigitte prefiere en las ceremonias de vudú:

Originalmente cantada en criollo haitiano

"Mesye la kwa avanse pou l we yo!
Maman Brigitte malad, li kouche sou do,
Pawol anpil pa leve le mo (les morts, Fr.)
Mare tet ou, mare vant ou, mare ren ou,
Yo prale we ki jan yap met a jenou".

Traducción al español

"Señores de la cruz, por favor, avancen para que ella los vea.
Maman Brigitte está enferma, así que se acuesta de espaldas,
Mucho hablar no resucitará a los muertos,
Atad la cabeza, atad el vientre, atad los riñones,
Verán cómo se pondrán de rodillas".

Esta canción se suele cantar cuando se prepara a alguien para recibir un castigo por un delito que ha cometido. Ilustra la relación de los vudúes con maman Brigitte, incluyendo una inusual elección de palabras para dirigirse a un espíritu ancestral. Como sabemos, este icono femenino no tiene pelos en la lengua y espera lo mismo de sus seguidores.

Capítulo 5: animales y símbolos sagrados

Cada deidad de cada mitología tiene un determinado conjunto de símbolos ligados a ella. Sus seguidores o las personas que buscan sus bendiciones incorporan estos símbolos en sus prácticas de culto. Los símbolos pueden utilizarse para enriquecer la conexión entre los individuos y sus deidades de muchas maneras. Por ejemplo, pueden colocarlos en sus altares, llevarlos como joyas e incluso decorar sus casas con ellos. Para honrar a la deidad, estos símbolos suelen presentarse como una ofrenda en busca de bendiciones, protección o ciertos regalos de la deidad.

Brígida tiene numerosos símbolos, muchos de los cuales proceden de la tradición y las leyendas que rodean a la diosa y a otros personajes de sus cuentos. Algunos símbolos también proceden de los rituales que los antiguos celtas utilizaban en los ritos de culto a Brígida. La diosa suele estar representada por una amplia gama de símbolos, especialmente los asociados a los animales de granja, la agricultura y la luz. Le sorprenderá saber que hay numerosas cosas que asociamos con la inspiración, el amor y la compasión que originalmente eran símbolos de la antigua diosa Brígida.

Este capítulo se centra principalmente en dos temas: los animales y los símbolos de la diosa Brígida. Se explora la profunda conexión y el vínculo que la diosa tenía con los animales, así como las diversas criaturas que a menudo se asocian con ella. En cuanto a los símbolos, aprenderá los orígenes y el significado detrás del símbolo más importante: La cruz de Brígida. Se incluye un manual de instrucciones paso a paso para crear una junto con los demás símbolos asociados a Brígida.

Animales sagrados

El dominio de Brígida sobre la maternidad y la fertilidad no solo incluía a los seres humanos y a las deidades, sino que también se extendía a los animales. Su deber como protectora de los animales es eminente a través de los animales que tenía, que son los siguientes:

- Dos bueyes llamados Fe y Men. Un campo llamado Mag Femen, que se encuentra en el condado de Kildare, recibió su nombre
- El *rey de los jabalíes* se llamaba Torc Triath, hizo su aparición en la leyenda artúrica
- Un fuerte carnero llamado Cirb, también conocido como el *rey de las ovejas*

Como se ha mencionado en los capítulos anteriores, Brígida era calificada como la diosa de la agricultura debido a su fuerte asociación con el Sol. En particular, era la protectora de los animales. Como se sabe, el afán de Brígida por velar por las madres y sus crías, ya sean humanos, deidades o animales, se debe a que perdió a su hijo en una batalla.

Como el ganado era una parte muy importante de la vida irlandesa, los pastores se esforzaban por obtener las bendiciones de Brígida para que vigilara y protegiera a sus animales. La diosa los hacía fértiles y garantizaba su bienestar y el nacimiento seguro de las crías.

Hay muchas religiones en las que las deidades no son inmortales, y las religiones celtas están entre ellas. Hay muchas historias de deidades que mueren en batalla, por vejez o de otras maneras, y cuando esto sucede, otra deidad suele ocupar su lugar. Cuando el dios de la herrería murió, Brígida ocupó su lugar y se convirtió en la diosa de la herrería. Muchas leyendas sugieren que Brígida era hija de Dana. Dana era la diosa madre de los Tuatha De Danann, cuyo lugar pareció ocupar Brígida cuando se convirtió en la madre principal del panteón.

No se sabe mucho sobre Dana. Sin embargo, hay algunas cosas que podemos recoger de los textos antiguos y de las historias transmitidas. Al igual que Brígida, estaba relacionada con el agua y la tierra, actuando como madre del mundo. El río Danubio podría llevar su nombre, aunque la similitud del nombre también podría ser una coincidencia. Brígida ha ocupado su lugar como arquetipo protector de la maternidad, que se asociaba especialmente con el planeta Tierra.

Brígida se diferenciaba de las demás diosas "maternas" en el sentido de que no tenía tantos hijos como ellas. Sin embargo, se creía que cuidaba excepcionalmente de los niños, o de los jóvenes, en general. Sin embargo, estaba asociada a las prácticas agrícolas fundamentales de su localidad, como muchas otras diosas madres de la Tierra.

Irlanda y Escocia no tienen climas tropicales, y gran parte de la tierra es montañosa o está surcada por ríos y lagos. Era difícil encontrar un buen lugar para cultivar, y aunque tradicionalmente se cultivaban muchas hortalizas de raíz, era el ganado el que tenía prioridad. Los animales no solo proporcionaban carne, sino que también daban ropa, herramientas y recipientes. Y los ingeniosos celtas siempre encontraban formas de utilizar el animal entero, como en la creación del haggis. Brígida, la diosa de la agricultura, también contribuyó en gran medida a ello.

Algunas cuestiones se agravaban durante los meses más fríos del año. Los irlandeses se preguntaban si habría suficiente comida para mantenerlos a ellos y a su ganado. También vivían con el temor de que las enfermedades afectaran a sus tribus, especialmente a los niños, las madres lactantes y los ancianos. Siempre se preocupaban por identificar a los animales que eran vitales para la vida de los humanos. Sin embargo, las cuestiones más acuciantes giraban en torno a las ovejas y vacas preñadas, ya que la leche, el queso y la cuajada se consideraban aspectos esenciales de la vida.

Los animales solían dar a luz a sus crías y producir leche para el imbolc. Como la leche se consideraba un alimento sagrado, las vacas eran también un símbolo de la maternidad y su carácter sagrado. La leche se consideraba muy pura y nutritiva, y pensaban que la leche de una madre tenía poderes curativos. Los celtas consideraban a las vacas como madres protectoras que se preocupaban por el bienestar de sus crías, más que como una vaca que simplemente producía leche.

Además de la vaca y la oveja, que eran los animales totémicos de Brígida, la diosa también estaba vinculada al gallo y a la serpiente, que era un símbolo de regeneración. Por eso se la relacionaba con las diosas de la fertilidad, que solían ser representadas sosteniendo serpientes. Brígida también era similar a Minerva, ya que compartían símbolos como la lanza, el escudo y la corona de serpiente. Las serpientes eran un tema destacado en la joyería celta (nótese el vínculo con la herrería y la artesanía). Muchas torcas lucían este símbolo de divinidad y poder.

Además de las vacas, las ovejas y las serpientes, los búhos, las abejas, los corderos y los animales que hibernan estaban muy asociados a Brígida.

Símbolos y animales

Las siguientes criaturas actúan como símbolos destacados de la diosa Brígida:

- **Aves:** El halcón y el cuervo están muy relacionados con Brígida, así como con el imbolc. Esto se debe a que las aves son símbolos del final del invierno y de la renovación de la primavera. Alrededor de la fiesta, los cuervos empiezan a construir sus nidos. Los nidos son un símbolo de fertilidad, renacimiento y nueva vida.
- **Serpientes:** Las serpientes son uno de los emblemas más populares de Brígida. Representan la generación y la renovación y también se asocian a la llegada de la primavera. Los celtas también creían que las serpientes eran símbolos del dominio de Brígida y del poder divino, en general.

Brígida también estaba vinculada a los cisnes. En la mitología celta, los cisnes estaban relacionados con la fertilidad, la curación y el crecimiento. Los druidas creían que los cisnes representaban el alma y pensaban que ayudaban a viajar al otro mundo. En la Irlanda actual, todavía se cree que matar a un cisne provoca la muerte o la desgracia.

Brígida, la diosa de las abejas

Muchos afirman que los celtas solo llegaron a Gran Bretaña por la abeja negra y la miel. Los galeses llamaron al país *isla de la miel* por la gran cantidad de abejas que volaban hacia y desde Gran Bretaña.

Según el mito celta, se creía que las abejas poseían mucha sabiduría. Se decía que estas criaturas servían de mensajeras entre ambos reinos. Viajaban al otro mundo llevando mensajes de los dioses. Los escoceses creían que las abejas consolidaban el conocimiento de los druidas. Esta creencia condujo a la creación de la tradición que sugería que las abejas tenían un tipo de conocimiento secreto. Los habitantes de las tierras altas pensaban que cuando una persona se dormía, las abejas que habían encarnado su alma abandonaban su cuerpo.

Esta ideología en torno a las abejas llegó hasta el surgimiento del cristianismo. Los cuentos populares escoceses e ingleses sugerían que en la medianoche del día de Navidad, las abejas zumbaban muy fuerte en honor al nacimiento del salvador. La tradición de que las abejas viajaban de un reino a otro se modificó para afirmar que las abejas llegaron a la Tierra directamente desde el paraíso. Los cuentos y tradiciones celtas sobre el trato de las abejas eran numerosos y llegaban a afirmar que debían ser informadas de los acontecimientos familiares.

El hidromiel y la miel, productos de las abejas, se utilizaban con fines místicos, mágicos y medicinales. Los escoceses hacían pócimas con nata, whisky y miel de brezo, en porciones iguales, para curar dolencias y enfermedades. Era costumbre alimentar a los niños con leche de avellana y miel, de donde procede la tradición moderna de alimentar a los bebés con leche y miel. Finn mac Cumhaill, un mítico cazador y guerrero irlandés, fue engañado para casarse porque le dieron una copa de hidromiel que pretendía enturbiar sus sentidos. También se puede conseguir la bendición de las divinidades exaltadas en beltane ofreciéndoles pasteles de miel. La receta suele consistir en vino blanco y miel. El hidromiel también es un ingrediente aceptable.

Para Brígida, las abejas eran criaturas sagradas. Se creía que sus colmenas transportaban el néctar místico del huerto de manzanas de Brígida del otro reino. En su tradición, los ríos que llegaban al otro mundo estaban hechos de carne. Se creía que santa Brígida protegía a su pueblo con abejas. Las utilizaba para ahuyentar a los ladrones de ganado y usaba la miel para curar a las víctimas de la peste. La cerda de Dadweir Dallpenn, Henwen, dejó tres granos de trigo y tres abejas en Gwen. Es un pensamiento popular que esto dio lugar a la producción del mejor trigo y miel de la Tierra hasta la fecha.

Santa Brígida y el lobo

Hace siglos, Santa Brígida construyó una pequeña cabaña, que se encontraba bajo un enorme roble en un lugar que hoy conocemos como Kildare. La zona rural era muy tranquila y silenciosa cuando ella se instaló por primera vez. Había muchos animales salvajes, un prado de dientes de león y un bosque, todo lo cual le gustaba mucho a Santa Brígida. Poco después, cada vez más gente empezó a conocer los poderes curativos y la gran bondad de Santa Brígida, por lo que muchos peregrinos llegaron a Kildare para conocerla. Muchos de ellos decidieron quedarse, haciendo crecer un pueblo alrededor de la pequeña cabaña de Brígida. Incluso el rey fue a visitarla y construyó un pabellón de caza en el bosque.

Los lobos eran uno de los animales salvajes más comunes que rondaban por los vastos bosques de Kildare e Irlanda, lo que provocaba el miedo de los aldeanos. Con el rey y sus hombres cazando tantos ciervos, los lobos no tuvieron más remedio que comer más corderos, lo que molestó a los aldeanos. El rey, sin embargo, también empezó a notar que los ciervos disminuían en número, y también culpó a los lobos. Queriendo castigarlos, el rey ofreció una moneda de oro a quienes mataran un lobo y se lo llevaran.

Entre las personas que le habían entregado lobos muertos, un cazador trajo un cachorro junto con el lobo (su madre) que había matado. El rey adiestró al cachorro y se sintió orgulloso de su lobo obediente. Incluso lo llevaba consigo cuando iba a Kildare de vez en cuando. Trágicamente, el lobo se soltó en el pueblo en una ocasión. Un leñador se encontró con el lobo, sin saber a quién pertenecía, y le disparó una flecha. Lo llevó al rey, esperando su recompensa. El rey, sin embargo, reconoció inmediatamente a su mascota por sus marcas. En un arrebato de ira, pidió a los guardias que encerraran al leñador en el calabozo.

Los aldeanos se enteraron de lo sucedido al leñador cuando el rey ordenó que el carpintero local construyera una horca. Por ello, acudieron a Brígida en busca de su ayuda. Brígida se entristeció mucho al enterarse de la muerte del lobo y de la inminente muerte del leñador y partió a visitar al rey después de tomar prestado el caballo y el carro de un aldeano.

De camino al albergue, Brígida vio una sombra blanca que se movía entre los árboles. El caballo empezó a asustarse de inmediato. Sin embargo, la santa consiguió calmarlo con sus palabras. La sombra empezó a moverse más rápido antes de saltar y aterrizar en el regazo de Brígida. Resultó ser un gran lobo blanco y amistoso.

Fueron recibidos en los aposentos del rey, que miró con avidez a la hermosa loba. Los lobos blancos eran muy raros, y por eso el rey deseaba tanto poseer uno. Brígida construyó un trato con el rey en el que este aceptaría el lobo blanco a cambio de la libertad del leñador. El rey aceptó, sin duda, y Brígida le susurró al lobo que sería recompensado con increíbles cortes de carne durante toda su vida mientras siguiera siendo un buen servidor del rey. El lobo recostó su cabeza en el regazo del rey mientras este le acariciaba la oreja.

Brígida se llevó al leñador de vuelta e insistió en que sería mejor dejar que dos bestias malvadas vagaran libremente que castigar a una inocente. Se dice que no se volvió a matar a ningún otro lobo en esa zona de Irlanda mientras Brígida viviera.

Símbolos

Además del cisne, la serpiente y el pájaro mencionados anteriormente, hay muchos otros símbolos asociados a Brígida, que incluyen:

- **Flores:** Las flores y las hierbas son símbolos muy populares de Brígida. Los símbolos más comunes son el serbal, la campanilla de invierno, la albahaca, el brezo y la angélica. Es costumbre tener ramos de flores y plantas durante la fiesta de imbolc. Las hierbas representan los poderes renovadores y curativos de Brígida, mientras que las flores se relacionan con la fertilidad y la llegada de la primavera.
- **Madera:** Ambos papeles de Brígida, la diosa y la santa, están muy asociados a varitas de sauce o abedul blanco. Los bosques de robles también eran un símbolo de la diosa Brígida, según los druidas. Creían que estos árboles eran sagrados para ella. Los cristianos también conservaron esta tradición y construyeron una iglesia en un robledal en honor a santa Brígida.
- **Leche:** Al ser la diosa de la agricultura y la patrona y protectora de los animales domésticos, se cree que la leche es un símbolo destacado que representa a Santa Brígida. Como hemos

explicado anteriormente, la leche era de gran importancia para los celtas. Sobre todo durante el invierno, cuando los alimentos y las cosechas escaseaban. Brígida puede verse con un ciervo en muchas obras de arte y pinturas. La leche también representa la divinidad y la pureza de la diosa.

- **La llama eterna:** La diosa tenía un pelo rojo llameante similar al de una hoguera, por lo que se la suele representar con una llama. Además, se cree que Brígida es una diosa del fuego, por lo que quienes la veneran utilizan este símbolo en su honor. Los antiguos celtas también quemaban una llama sagrada en Kildare para rendir homenaje a la diosa. Las sacerdotisas se reunían en la colina para atender el fuego y la invocaban para que protegiera a los animales y proporcionara fertilidad y abundantes cosechas.
- **Pozos:** Como recordará, Brígida, la diosa del agua, controlaba los pozos y los ríos. Tenía dos pozos, uno en Kildare y otro en el condado de Clare, ambos a su nombre.
- **Capas y mantos:** Brígida llevaba un manto curativo que protegía a quien buscaba refugio bajo él. La diosa una vez colgó el manto en un rayo de Sol.
- **Vela blanca:** se cree que la santa bendice las velas en la fiesta de la novia, la candelaria o la fiesta de Brígida. Por eso, tener una vela dedicada especialmente a Brígida en su altar es un gran símbolo. Se recomienda utilizar una vela blanca con tres mechas.
- **Yunque:** Brígida es la diosa de la artesanía y la herrería. Por eso, utilizar un yunque o cualquier otra herramienta de herrería es un gran símbolo para representarla.
- **Cruz de Brígida:** la cruz de Brígida es uno de los símbolos más significativos asociados a ella. Mientras ayudaba a un jefe moribundo, Santa Brígida rezaba mientras tejía una cruz de brazos iguales con los juncos esparcidos por el suelo (como se explica ampliamente en el capítulo 2). La santa le habló al hombre de la salvación de Jesucristo cuando este le preguntó qué estaba haciendo, por lo que decidió bautizarse antes de morir. Antes del cristianismo, la cruz de Brígida era el símbolo de la diosa del Sol. La cruz puede hacerse con tres o cuatro

patas.

La gente suele colgar la cruz de Brígida sobre las puertas de sus casas y negocios para mantenerlos protegidos. La cruz también se cuelga sobre la cama de un niño o la cuna de un bebé para garantizar su seguridad y bienestar. Los celtas también colgaban la cruz de Brígida sobre el granero. La quemaban la víspera de Santa Brígida en el fuego del hogar. Luego hacían una nueva para recibir las bendiciones de la santa para el año nuevo.

Para hacer una cruz de Brígida:

Necesitará:

- Cañas/junco: 16
- Bandas elásticas pequeñas: 4
- Tijeras

Indicaciones:

1. Sostenga una caña verticalmente y doble otra por la mitad.
2. Coloque la primera caña en medio de la doblada.
3. Sujete el medio superpuesto con fuerza entre el índice y el pulgar.
4. Gire las cañas en sentido contrario a las agujas del reloj hasta 90 grados. Los extremos abiertos de la caña doblada deben apuntar hacia arriba.
5. Doble la tercera caña por la mitad sobre la otra caña doblada. Debe quedar en posición horizontal (de izquierda a derecha) contra el primer junco.
6. Asegúrese de sujetar firmemente en el centro, girando todas las piezas juntas en sentido contrario a las agujas del reloj otros 90 grados. Los extremos abiertos de la tercera caña deben apuntar hacia arriba.
7. Doble la cuarta caña por la mitad y colóquela sobre y a través de todas las cañas que apuntan hacia arriba.
8. Gire en sentido contrario a las agujas del reloj otros 90 grados y añada otra caña doblada. Siga repitiendo este proceso hasta que utilice todas las cañas.
9. Use las bandas elásticas para asegurar los brazos de la cruz.
10. Recorte los extremos de las cañas para que tengan la misma longitud. Cuelgue su cruz de Brígida para su protección.

La diosa Brígida, que desempeña numerosas funciones en el mundo celta irlandés, tiene numerosos símbolos. Está vinculada a varios símbolos representativos de su papel como diosa de la agricultura, patrona de los animales domésticos y protectora de las mujeres, los niños y los animales.

Capítulo 6: Celebrar imbolc o el día de santa Brígida

Imbolc se celebra los días 1 y 2 de febrero en el hemisferio norte y los días 1 y 2 de agosto en el hemisferio sur. Imbolc es la última de las fiestas de invierno y la primera de las de verano. En la rueda del año, se sitúa entre Yule y Ostara.

Hoy en día la celebración del imbolc no es tan popular como antes, pero sigue siendo uno de los cuatro grandes sabbats. En la época precristiana, imbolc era una de las celebraciones más destacadas porque llegaba justo después de la parte más difícil del año, que era el invierno.

Era una celebración que daba paso a la primavera y significaba que el invierno había terminado, preparando el terreno para la época más productiva del año: el verano. Los antiguos colonos europeos, al igual que muchas personas de todo el mundo, dependían de la agricultura y la caza para llegar a fin de mes. El invierno en esta región era, y sigue siendo, una época del año muy dura, con poco que cultivar y poco que hacer. El verano era la época más productiva del año, cuando la gente podía salir a cultivar, y era el momento de hacer todos los preparativos para el largo y oscuro invierno que se avecinaba. Por lo tanto, imbolc era una época que todos esperaban con ansias.

La palabra imbolc significa "en el vientre" y hace referencia a cómo las cosas en la naturaleza están en las primeras etapas de embarazo durante el final del invierno y el principio de la primavera. Todavía no ha empezado a florecer nada, pero el clima cálido que se aproxima repercute en la fertilidad de la tierra a medida que el invierno se va apagando, el entorno se prepara para producir en verano, razón por la que los agricultores plantan cultivos durante esta época. Al igual que el embarazo se asocia a un nuevo comienzo, a la pureza, al potencial oculto y al despertar, imbolc es la época del año en la que la existencia comienza de nuevo. Es la recompensa por el duro tiempo que han soportado durante el invierno, pero también es el momento de aprovechar los recursos disponibles para prepararse mejor para la próxima e inevitable temporada invernal. Por otra parte, los agricultores aprovechan el invierno para prepararse para el próximo verano, asegurándose de que estarán listos cuando llegue el momento.

El foco de Brígida en imbolc

Aunque hay muchas razones para celebrar esta fiesta, el foco principal de imbolc está en Brígida y la honra a ella y a todas sus contribuciones. En la antigüedad, la gente tenía diferentes formas de celebrar a la diosa. Una de las celebraciones más comunes era hacer una muñeca con pajas de trigo o de avena y vestirla. Esta muñeca se colocaba en un lecho de flores blancas, y las niñas llevaban la muñeca de una casa a otra en su vecindario y recibían regalos, de forma muy parecida a como los niños piden dulces hoy en día. El día de imbolc, la gente encendía grandes hogueras y celebraba una gran fiesta en la que se reunían personas de todas las edades para comer, bailar, rezar y pasar tiempo con la comunidad.

En la actualidad, estas celebraciones se siguen utilizando, pero una de las más comunes es decorar el altar con diferentes símbolos de Brígida, como flores blancas, un cuenco de leche, velas, o incluso montar una pequeña hoguera. Hoy en día la gente vive en casas muy diferentes y en ciudades donde no siempre es posible celebrar grandes fiestas comunitarias, por lo que las celebraciones pueden tener un aspecto algo diferente, pero el espíritu sigue siendo el mismo. Además, en el pasado, la celebración tenía más que ver con la preparación para el año que se avecina, con la celebración del cambio de estación y con la entrada en un ritmo de vida diferente. En la actualidad, la atención se sigue centrando en Brígida, ya que la gente busca ganarse sus bendiciones, aunque dependemos menos del medio ambiente para ganarnos la vida.

En el siguiente capítulo, ofrecemos instrucciones sobre cómo montar un altar para Brígida. Esto es importante porque es una parte fundamental de las festividades de imbolc cuando se celebra a la diosa, no solo es el inicio de la fiesta, sino que también es un ritual que la gente realiza durante todo el año. Cuando prepare su altar en casa para el imbolc, recuerde que debe convertirlo en una experiencia personal, ya sea para buscar sus bendiciones o para agradecer a la deidad todo lo que ha hecho específicamente por usted. Hemos cubierto todo lo relativo a cómo puede montar un gran altar en casa para el imbolc y cómo puede utilizar cosas específicas para representar las diferentes características de Brígida, también.

Día de santa Brígida

A lo largo de los muchos siglos en que las religiones paganas han coexistido con el cristianismo, ciertos elementos se han trasladado de una religión a otra, y hay muchos puntos en común en las religiones actuales. Un buen ejemplo de ello es el concepto de santa Brígida en el cristianismo. Las raíces de la idea de Brígida provienen de las religiones paganas, como se explica en el capítulo 2.

Muchas de las cosas que se creían en el paganismo sobre Brígida son válidas también en el cristianismo. Hay celebraciones idénticas entre el imbolc y el día de santa Brígida, y se pueden encontrar al investigar el antiguo festival celta del imbolc. El día de santa Brígida también tiene que ver con el hecho de que el clima más cálido está dando paso a días más brillantes, así como con la bienvenida a la nueva vida y la fertilidad con el crecimiento de las plantas y el nacimiento de los animales de granja. La única diferencia principal es que esta la celebran los cristianos. Dado que estas fiestas se celebran el mismo día y comparten el mismo propósito, son casi intercambiables hoy en día. Lo bueno de esto es que se pueden tomar elementos de ambas festividades al celebrar hoy el 1 de febrero.

La historia del día de santa Brígida muestra cómo el cristianismo adoptó gran parte de la tradición de Brígida y cómo se honra a la diosa, con algunos retoques aquí y allá. La iglesia impuso la celebración del día de santa Brígida el 1 de febrero como una forma de anular la celebración más tradicional del imbolc. Los cristianos que celebraban este día solían hacer una efigie de santa Brígida y lavarla en el agua dulce del océano. Luego, la efigie se colocaba en un círculo de velas donde se dejaba secar. Para acompañarla, la gente utilizaba tallos de trigo para hacer cruces únicas conocidas como cruces de Brígida.

Actividades para el imbolc

Las celebraciones modernas del imbolc han evolucionado definitivamente a lo largo de los siglos. Una de las principales diferencias es el momento en que se celebra. Puesto que la primavera tiene lugar en diferentes momentos en distintos lugares del mundo, y los practicantes del paganismo están repartidos por todo el planeta, algunos celebran las festividades del imbolc en diferentes momentos. Algunos prefieren ceñirse a las estaciones naturales como punto de referencia, ya que es una celebración de la transición del invierno a la primavera y la celebran en su región siempre que llega la primavera. Otros creen que el 1 de febrero es más simbólico y optan por ceñirse a la fecha en lugar de seguir las estaciones reales del año.

Algunas de las celebraciones más comunes son las siguientes:

Creación de una muñeca de Brígida/paja

Hacer una efigie de Brígida en forma de muñeca de paja es una práctica común tanto en el cristianismo como en el paganismo. En el paganismo, se conoce como Brideog. Esta representación de Brígida representa la fertilidad, la fortuna y el despertar de la naturaleza. Hay varias formas de utilizar estas muñecas. Tradicionalmente, las muñecas se colocan en camitas decoradas con flores blancas y se sitúan junto a la chimenea o a una hoguera en el exterior; se cree que esto atrae la buena fortuna y la luz al hogar. Algunas personas prefieren lavar el muñeco con agua y luego colocarlo cerca del fuego para que se seque, mientras que otras prefieren hacer el muñeco y guardarlo en su altar.

Para hacer la muñeca:

Necesitará:

- Por lo largo de la paja suele hacerse con paja de trigo, pero puede utilizar de cualquier tipo que encuentre
- Algunas prendas decorativas como sombreros, bufandas, pelo rojo, zapatos, un vestido o cualquier otra cosa que quiera añadir
- Algo de hilo
- Hierbas secas para decorar

Indicaciones:

1. Empiece colocando todas sus tiras de paja en un poco de agua tibia para que se humedezcan un poco. Así serán más flexibles y no se partirán por la mitad cuando las doble en diferentes posiciones. También conservarán mejor la forma final cuando se sequen.
2. Si desea un muñeco de 15 centímetros de alto, necesitará un trozo de paja de al menos 30 centímetros de largo. Doble esta longitud de paja sobre sí misma a lo largo, de modo que tenga todos los extremos de la paja en un lado y un bulbo en el otro extremo.
3. Desde esta posición, ate un poco de hilo alrededor de la parte del bulbo de la paja. Átelo uno o dos centímetros más abajo de la curvatura real, esta será la cabeza de la muñeca.
4. Extienda las pajitas por debajo del punto en el que las ha atado y deje espacio para añadir más de ellas horizontalmente aquí, ya que estas serán los brazos de la muñeca. Para hacer los brazos, simplemente junte un poco de paja y átela en ambos extremos para que quede bien sujeta. Coloque este manojo de pajitas en horizontal debajo de la cabeza y entre las pajitas que ha extendido.
5. Una vez colocado, ate otro poco de paja debajo de los brazos del cuerpo principal de la muñeca para que los brazos queden bien sujetos.
6. A partir de ahí, extienda la paja por debajo del segundo hilo para que no parezca un vestido. Ahora la estructura de la muñeca está completa.

A partir de aquí, puede empezar a decorar la muñeca como desee. Podrá vestirla con ropa e incluso pegarle algo de pelo para hacerla más atractiva. Algunas personas prefieren ponerle un sombrero a la muñeca. Puede usar hierbas secas, como la lavanda, para decorar la falda de la muñeca, y puede hacerla tan colorida como quiera. Como Brígida está asociada al fuego, la mayoría de la gente le pone el pelo rojo, pero no es obligatorio.

La cruz de Brígida

La cruz de Brígida se utiliza habitualmente como decoración del altar, y la gente también la cuelga a la entrada de sus casas como símbolo de protección. Si desea conocer la cruz de Brígida y su elaboración, consulte el capítulo anterior, donde se explica con detalle. Tenga en cuenta que este es un aspecto importante del imbolc.

Limpieza de primavera

El imbolc se caracteriza por el cambio. Cambio en las estaciones, cambio en la comida, cambio en el estilo de vida y cambio por la aparición de una nueva vida. Al igual que no desearía comer alimentos frescos en un plato sucio, no puede esperar que se produzcan buenos cambios en su vida si no tiene una zona limpia para acoger estos cambios positivos. También es importante tener en cuenta que la limpieza y la ducha eran cosas que no ocurrían con mucha frecuencia para la gente en la antigüedad. Por lo tanto, los periodos de tiempo que se dedicaban a la limpieza se tomaban muy en serio y a menudo eran muy necesarios. La limpieza de primavera es un ritual común a todas las religiones paganas e incluso a los cristianos durante la época de imbolc.

Para garantizar una limpieza de primavera a fondo:

Necesitará:

- Un poco de agua fresca (también puede usar agua destilada si quiere)
- Un poco de sal marina
- Algunos aceites preciosos como el de romero, el de lavanda o una mezcla de ambos
- Una botella de spray o un cepillo
- Una vela

Indicaciones:

Lo primero que hay que hacer es preparar la mezcla. Para ello, va a combinar el agua, la sal y los aceites esenciales en una bolsa o cuenco si piensa utilizar un pincel para difuminarla por la casa, o puede ponerla en una botella de spray y rociarla por todas partes. Cuando vaya por la casa a rociar el agua, también lleve la vela con usted para exponer partes de la casa a la luz de la vela.

Para empezar, debe despejar la casa del desorden. Ordene el espacio, pase la aspiradora si es necesario, organice las cosas que están fuera de su sitio y, a continuación, limpie la cocina y los aseos, junto con todas las demás habitaciones que tenga previsto limpiar ese día. Este es el momento de evaluar el desorden que se ha ido acumulando durante los lentos meses de invierno para que pueda limpiar su casa de las cosas que no necesita y hacer espacio para lo que sí necesita para el año que viene.

Con todo bien ordenado, podrá pasar a la limpieza. Es una buena idea hacerlo en un día luminoso y soleado en el que pueda abrir todas las puertas y ventanas para que entre un poco de aire fresco en la estructura.

Para realizar esta limpieza, comenzará por la puerta principal y encenderá la vela. Puede rociar la mezcla alrededor del perímetro de la puerta, o puede utilizar el pincel para manchar las esquinas de la puerta. A continuación, mueva la vela por las esquinas de la puerta para iluminar todas las partes de la entrada. Después, muévase por las diferentes habitaciones de la casa. El objetivo es que la mezcla limpiadora llegue a todas las zonas de difícil acceso que no reciben el mismo mantenimiento y también que llegue algo de luz a esos rincones ocultos que suelen estar restringidos de aire fresco y luz. Puede seguir limpiando todas las habitaciones de su casa, incluso el exterior de la misma.

Algunas personas prefieren rezar una oración mientras lo hacen. Si lo desea, puede rezar una oración pidiendo felicidad, abundancia y limpieza antes de empezar la práctica. También debería seguir la limpieza de primavera con una oración al final del proceso. Una vez que haya terminado, simplemente deseche el líquido que haya quedado y espere a que todo se seque correctamente.

Hogueras

Como muchas otras celebraciones paganas, las hogueras también son una parte importante del imbolc. Algunas personas que no tienen acceso a un patio trasero pueden hacer una pequeña hoguera en el interior, en la chimenea, u optar por un fuego en el techo. Si tiene espacio para un fuego más grande, entonces haga una hoguera de buen tamaño en el exterior, en el jardín. Normalmente se celebra a última hora de la tarde y a primera hora de la noche para que la gente pueda reunirse alrededor del fuego a comer, rezar y bailar. Puede preparar un festín para una cena temprana, o puede limitarse a dar un refrigerio a los invitados mientras asisten a la hoguera.

Actividades familiares para el imbolc

Imbolc es una época para conectarse con los amigos y la familia y apreciar el tiempo que tienen juntos. En la antigüedad, era evidente que el invierno era una época difícil y que muchas personas no sobrevivían a las dificultades del tiempo. Imbolc daba a las familias la oportunidad de reunirse y tratar de superar las pérdidas que habían sufrido mientras se preparaban para el año que se avecinaba. Algunas de las mejores cosas que se pueden hacer en familia en esta época son:

Artesanía

Hay muchas cosas que hacer relacionadas con la artesanía durante el imbolc, como hacer la muñeca de Brígida, decorar el altar, hacer hogueras y hacer todo tipo de adornos para sus casas o para exponerlos en el altar. Se trata de actividades divertidas que puede hacer con sus hijos en lugar de comprar artículos en la tienda. Todas son muy básicas y se pueden hacer tan avanzadas o complejas como desee, o tan avanzadas como sus habilidades se lo permitan. Puede dar a los niños las herramientas que necesitan y dejarles que elaboren algo a través de su expresión creativa mientras se mantienen dentro de los requisitos del imbolc. Es una forma estupenda de pasar tiempo juntos, sumergiéndoos en el arte a la vez que les educa en la celebración y les enseña algunas habilidades.

Celebrar la salud y el hogar

Brígida rige la salud, el bienestar, la fertilidad y los nuevos comienzos. A medida que la estación pasa de un invierno lento a una primavera y un verano algo más rápidos, aprovecha este momento para celebrar los cambios con sus hijos y darles la oportunidad de apreciar su propia salud y el medio ambiente. Hágales partícipes de su ritual de limpieza del hogar, invítelos a construir el altar con usted, llévelos a pasear y a hacer excursiones, y deje que se diviertan en una hoguera al aire libre. También es el momento de enseñarles cómo pueden contribuir a cuidar su entorno, ya que muchas personas se preparan para la agricultura en esta época. Enséñeles la importancia del medio ambiente y cómo desempeña un papel vital en nuestro bienestar.

Magia

Imbolc es una época mágica, y los cambios que se producen en el mundo físico y espiritual son nada menos que mágicos. Aproveche este momento para enseñar a sus hijos a utilizar un péndulo, a estudiar el clima o a observar los cambios en las estrellas. Hágales saber cómo nos afecta la energía del mundo que nos rodea y la importancia de la magia en nuestras vidas. Puede enseñarles las diferentes piedras y otras herramientas que se utilizan en la magia y darles espacio para que jueguen con estos objetos mientras aprenden sobre ellos.

Comida del imbolc

Los festines del imbolc tienen fama de ser extremadamente deliciosos. Es la cumbre de la comida reconfortante de invierno, y se sirve en cantidades generosas, normalmente en un entorno sereno como la hoguera del patio trasero. Como Brígida se asocia con la leche y los productos lácteos, muchas de las recetas que se cocinan en esta fiesta suelen llevar muchos lácteos, con ingredientes como mantequilla, nata, queso y leche.

Uno de los mejores platos para esta ocasión es el cordero con cebada. Se puede preparar en una gran cantidad como comida completa sin necesidad de acompañamientos. Es muy fácil de hacer y se hace mejor cuando se cocina lentamente. Empiece a última hora de la mañana para tener el festín listo para la cena. Esto es lo que necesitas para hacer el plato:

Cordero y cebada

Ingredientes:

- 3 cucharadas de aceite o mantequilla
- 1 kg de cordero con hueso (los vástagos funcionan muy bien; si no le gusta la carne con hueso, puede utilizarla sin hueso)
- 1 taza de caldo de carne, cordero o verduras
- 1 cebolla grande picada
- ½ taza de cebada
- 2 cucharadas de curry en polvo o la mezcla de especias que prefiera

- ½ taza de pasas doradas
- 1 cucharada de ajo machacado
- Sal y pimienta al gusto
- Cilantro y limón para decorar

Indicaciones:

En una olla grande en la que quepan todos los ingredientes, comience a añadir el aceite, el ajo machacado y la cebolla picada. Saltéelos hasta que la cebolla esté translúcida y el ajo fragante. Esto no debería llevar más de 5 minutos a fuego lento para evitar que la cebolla y el ajo se quemen o caramelicen.

A continuación, se añade la carne y se empieza a dorar a fuego alto. El objetivo es que se dore el exterior de la carne para mantener toda la humedad, no para que se cocine completamente. Una vez dorada, añada el caldo, las especias y el curry, la sal y la pimienta, y deje que llegue a hervir. Una vez hirviendo, baje el fuego considerablemente y tape. Deje que se cocine lentamente a fuego lento para que la carne se cocine uniformemente. Si utiliza cordero con hueso, la carne puede tardar un par de horas en estar lista. Si utiliza cordero deshuesado y cortado en tiras finas, puede tardar tan solo veinte minutos. Cuanto más gruesa sea la carne, más tiempo tardará en cocinarse por completo.

Si utiliza cordero con hueso, déjelo cocer hasta que esté hecho en un 75% y luego añada la cebada y las pasas. Puede que tenga que añadir algo más de caldo para ajustar las proporciones. De este modo, la carne y la cebada se completarán juntas.

Si utiliza tiras finas de cordero deshuesado, añada la cebada con la carne para que se cocinen juntas al mismo tiempo. Cuando la cebada y la carne estén hechas en sus tres cuartas partes, añada las pasas.

Una vez cocido, el cordero debería desprenderse del hueso, la cebada debería ser agradable y esponjosa, y debería haber una salsa espesa en el fondo de la olla que se pueda verter sobre la carne y la cebada cuando se sirva. Pruebe a comprobar si está bien condimentado en la fase final y añada más especias si es necesario.

Para servir el plato, utilice cuencos en lugar de platos. Haga una base de cebada en el cuenco, coloque un trozo de carne encima y vierta un poco de salsa sobre la carne. Corte el cilantro y espolvoréelo como guarnición, y termine con un chorro de limón. También puede servir trozos de limón en el plato como guarnición.

Algunas de las mejores comidas para preparar en esta época del año son las albóndigas, los sowans, los bannocks, el barmbrack y el colcannon. También es tradición preparar un plato para Brígida y dejar en la mesa alguna comida deliciosa para que su espíritu la disfrute.

Capítulo 7: La construcción de un altar para Brígida

Los altares son lugares de culto, sacrificio y oración. Han formado parte de numerosas religiones y culturas desde el principio de los tiempos. Tener un altar en casa puede ayudarle a sacar fuerzas y mejorar su espiritualidad. Los altares pueden proporcionarnos oportunidades que de otro modo no habríamos podido experimentar.

Los altares abren un canal único de conexión directa entre el individuo y lo divino. Montar su propio altar le permite elegir su divinidad, forjar una conexión espiritual especial con su deidad y personalizar la experiencia general. Esta práctica le permite ver las situaciones y los acontecimientos de la vida a través de una perspectiva diferente. Le da la oportunidad de abordar las situaciones desafortunadas de forma positiva, ya que conectar con su deidad es siempre una experiencia aliviadora y constructiva. Construir un altar le permite mantener un centro espiritual, especialmente si no practica una forma organizada de religión. Sin embargo, los que sí lo hacen pueden beneficiarse enormemente de todos los elementos enriquecedores que ofrecen los altares caseros.

Montar un altar es una forma de arte. No es algo que se pueda montar en unas pocas horas. Averiguar qué quiere incluir en su altar, dónde desea colocarlo y cómo utilizarlo lleva mucho tiempo. El altar debe ser una mezcla ideal de cosas que funcionen para usted y su deidad elegida para darle el resultado deseado. Este proceso requiere contemplación y una profunda comprensión del simbolismo, lo que nos lleva al siguiente punto.

Cuando prepare un altar, acumula una enorme enciclopedia mental de simbolismo y significados subyacentes. Comprende los símbolos y los mensajes subyacentes de cada color, animal y figura mitológica. No solo es una experiencia de aprendizaje inigualable, sino que también es una actividad muy meditativa. Proporciona una forma de relajación muy necesaria en el mundo actual.

Tener un altar en casa proporciona una vía de escape temporal de la ajetreada naturaleza de la vida. Sirve como espacio seguro en el que puede recolectar sus fuerzas, reorganizar sus pensamientos y aprovechar su espiritualidad. Este espacio espiritual puede generar energía positiva y regular su flujo en su hogar. La creación de un altar es también una forma estupenda de establecer vínculos con su familia, enseña a sus hijos la espiritualidad y los introduce en el mundo de lo divino.

La mayoría de la gente utiliza los altares para conectar con las deidades y establecer una relación sólida con ellas. De este modo, las deidades pueden ofrecerle orientación y aceptar sus peticiones. No necesariamente pedirán objetos físicos específicos. En su mayor parte, lo que importa es su tiempo y su aparente voluntad de esforzarse. Los dioses quieren que demuestre su interés por trabajar con ellos. Para saber exactamente qué incluir en su altar y en sus ofrendas, es posible que tenga que buscar en sus mitos, cuentos y tradiciones. Afortunadamente, podrá establecer una fuerte conexión con Santa Brígida utilizando los conocimientos que ha acumulado sobre ella (y la orientación sobre cómo construirle un altar) en este capítulo.

Construir el altar

Crear un altar para Brígida es prácticamente lo mismo que montar uno para celebrar el imbolc. Esto se debe a que, como sabe, las celebraciones de dicha festividad se configuraron para honrar a la diosa Brígida. Dado que los conceptos de crecimiento, fertilidad, pureza, vida, nacimiento, virginidad, renacimiento, reunión y renovación están estrechamente relacionados con Brígida y el imbolc, incorporar elementos que transmitan estos temas en su altar sería una gran idea. Entre ellos se encuentran los siguientes:

- **La cama de Brígida**

  Puede hacer la cama de Brígida utilizando una caja de cartón, una caja de madera o una cesta de mimbre. Utilice pintura, flores, cintas, aceites esenciales y hierbas para decorarla (siga leyendo para saber cuáles utilizar). Este lecho es un símbolo de hospitalidad, que indica que está acogiendo a la diosa en su casa. Debería colocarlo cerca del fuego del hogar. A cambio de su invitación y su amabilidad, Brígida bendice su casa con curación, protección y fertilidad. Coloque una manta suave sobre ella antes de colocar el muñeco de maíz de Brígida y la varita priápica. Evoque una frase que dé la bienvenida a la diosa a su hogar.

- **Muñeca de maíz Brígida**

  Como se puede deducir del nombre, esta muñeca está hecha de maíz. Es un símbolo de buena fortuna, abundancia y fertilidad y debe colocarse en la cama de Brígida junto con la varita priápica. La madre del maíz de la fiesta de lammas sería una buena muñeca de maíz de Brígida. Asegúrese de vestir a la muñeca con los colores dorado, blanco y rojo.

- **Varita Priápica**

  La varita priápica debe estar hecha de madera de frutal envuelta en una cinta con una piña atada a un extremo. Este es un símbolo de la fertilidad masculina y, como hemos mencionado antes, debe colocarse con la muñeca en la cama de Brígida.

- **Cruz de Brígida**

  Si recuerda el capítulo 5, la cruz de Brígida es uno de los símbolos más destacados de la diosa y del imbolc. Está hecha de paja tejida y representa el Sol. Se cree que estas cruces bendicen el hogar con protección, fertilidad, suerte y prosperidad. Suelen colgarse sobre las cunas de los bebés, en las puertas, cerca del hogar, en los graneros o bajo los aleros.

- **Otras artesanías**

  Puede hacer otras artesanías como una bolsita de corazón, un amuleto de protección de la cruz de serbal y ruedas de velas e incorporarlas a la decoración de su altar.

- **Llamas sagradas**

  El fuego del hogar es el fuego sagrado de la temporada de imbolc y de la diosa Brígida. Representa el poder creciente del Sol. Si no tiene una chimenea o un fuego de hogar, puede quemar una vela de larga duración en un lugar seguro. Los pueblos antiguos solían llevar antorchas alrededor de sus pastos y campos para purificarlos y prepararlos para la temporada de cultivo. Los paganos italianos, especialmente en Roma, solían llevar antorchas en una marcha en honor a Juno, la diosa del matrimonio.

- **Agua que fluye**

  Brígida, la diosa del agua, dominaba los ríos y los pozos. Además de llevar varios de ellos en su nombre, creía que el agua era sagrada. Era costumbre arrojar una moneda en fuentes, pozos o manantiales como ofrenda para ella. Por esta razón, también puede incluir calderas o cálices en su altar.

Otros símbolos

- Hadas: Según la tradición, la diosa de la luz es la hermana de los fae o hados.
- Un martillo o un yunque: Brígida es la diosa de la artesanía y la herrería.
- Poesía/escritura creativa/lírica: Brígida es también la diosa de la poesía.

- Una imagen o estatua de Brígida

Colores

Los colores rojo y blanco son símbolos muy destacados de la diosa Brígida. El rojo simboliza el fuego del hogar. También representa la sangre que se produce al dar a luz. El color blanco se asocia con la nieve y la curación. Otros colores significativos son el verde claro, el rosa, el marrón, el amarillo y los colores pastel.

Plantas

- **Moras:** Se cree que las moras son sagradas para Brígida. No solo simbolizan la prosperidad, sino que también poseen propiedades curativas. Las moras son especialmente útiles cuando se trata de dolencias estomacales.
- **Lúpulo y cereales:** Las bebidas preferidas de Brígida eran la cerveza y la ale. Ofrecer sus bebidas favoritas de vez en cuando sería un gran gesto.
- **Flores:** Puede decorar su altar utilizando cualquier flor de principios de primavera, como campanillas de nieve, flores de bulbo en maceta, narcisos, crocus, forsythia, o flores blancas y amarillas, en general.
- **Hierbas:** Puede utilizar hierbas como el eneldo, el trébol rojo, el romero y la manzanilla para decorar su altar y el lecho de Brígida.
- **El avellano:** El avellano es representativo de la alegría. Se dice que fue inventado por la propia diosa Brígida cuando se lamentó por el asesinato de su hijo Ruadán.
- **El roble:** La celda del roble, era el lugar donde existía la abadía de Brígida. La diosa fue educada por un druida, que era considerado un sacerdote del roble. Los robles son un gran símbolo de Dagda, el padre de Brígida.
- **El salix:** Los salix son sagrados para febrero, que es el mes del imbolc. También simboliza el ciclo lunar y la energía femenina.
- **Sauce:** Los sauces también son sagrados para febrero. Se cree que proporcionan protección contra posibles desastres y contra la brujería o la magia maligna. Lo mejor es tener un ejemplar de Rowan cerca de la puerta.

- La celidonia, la albahaca, la artemisa y la dáctilo, con las que se asocia a Brígida, son también grandes plantas curativas. El uso de estas hojas puede ayudarle a atraer la prosperidad, la afluencia y la curación a su hogar.
- La angélica, el laurel, el jengibre, el iris, el tanaceto, el brezo, la mirra y las violetas son otras plantas asociadas al imbolc.

Animales

Puede incorporar figuras de algunos o de todos estos animales:

- **Vaca:** preferiblemente, seleccione una vaca de hadas (debe ser blanca con orejas rojas).
- **Jabalí:** es un símbolo celta de batalla y agresión.
- **Serpientes:** se dice que las serpientes salen de sus guaridas el 1 de febrero.
- **Peces:** se cree que los pequeños peces moteados son un signo de curación, ya que aparecen en los manantiales sagrados de la diosa.
- **Ovejas:** Brígida protege a los corderos nada más nacer. También actúa como comadrona, protegiendo a sus madres.
- **Tejón, lobo y oso:** todas ellas salen de su hibernación en torno al imbolc, lo que las relaciona con Brígida.
- **Cisne:** los cisnes abandonan Irlanda durante el imbolc y regresan durante Samhain. El hecho de que sepan exactamente cuándo partir y regresar es lo que los hace tan sagrados para la diosa del conocimiento, Brígida.

Incienso

Los beneficios del incienso se conocen desde hace cientos de años. Aunque las creencias exactas difieren de una época, un lugar y una cultura a otra, una cosa siempre ha estado clara. Y es que el incienso estimula y enriquece los aspectos espirituales de nosotros mismos y de nuestra mente. El incienso puede disfrutarse como medio de autocuidado o como herramienta para mejorar las experiencias espirituales y religiosas. En cualquier caso, su sentido puede estimular el cerebro e influir positivamente en el estado de ánimo. Es increíble cómo un aroma puede promover la energía positiva e influir en el ambiente general de una habitación. Estos son algunos de los aromas asociados a Brígida y al imbolc:

- Olíbano
- Alcanfor
- Basilio
- Canela
- Mirra
- Wisteria
- Vainilla
- Jasmin
- Violeta
- Loto

Cristales

- **Pirita:** trabajar con pirita puede ser una buena manera de honrar el papel de Brígida como diosa del trabajo de los herreros. Esta piedra está hecha de hierro, se asocia con la fuerza y el éxito.
- **Citrino:** el fuego del imbolc está hecho más de luz que de calor. Por eso la elección de la piedra citrina, también conocida como la marca de la luz, es una buena manera de honrar a la diosa de la vida. El citrino también se asocia con el éxito y es un símbolo de la cabellera ardiente de la diosa.
- **Piedra de sangre:** puede honrar las habilidades de partería de la diosa trabajando con la piedra de sangre. Esta piedra es representativa de todo lo que tiene que ver con la sangre y la salud.
- **Ópalo verde:** el cristal genera contenido de agua al formarse, lo que posteriormente da lugar a la creación del ópalo. El ópalo, en ese caso, es un símbolo del elemento agua de la diosa.
- **Estaurolita:** la estaurolita también se conoce como cruz de hada. Este cristal se parece a las alas de las hadas y se cree que trae la suerte de las propias hadas.
- Otros cristales asociados al imbolc y Brígida son la amatista, el granate, el rubí, el ónice y la turquesa.

Alimentos y bebidas

- **Semillas:** las semillas son un símbolo de la nueva vida que se espera. Puede utilizar semillas de girasol o de calabaza en su altar.
- **Productos horneados**: la diosa favorece los productos recién horneados como el pan, los bollos, los pasteles de semillas de amapola y las magdalenas.
- **Productos lácteos:** como recordará, los productos lácteos eran sagrados para los irlandeses celtas. Puede ofrecer cosas como leche o queso.
- Los pimientos, las cebollas, el ajo, las pasas, las infusiones y los vinos especiados también se asocian a Brígida y a su fiesta.

Dónde colocarlo

Puede colocar su altar donde guste. Puede construirlo encima de una mesa o de cualquier otro mueble existente, montarlo en la pared o incluso construir un soporte designado para él. Sin embargo, lo más importante que debe tener en cuenta es su tamaño y altura. Se recomienda mantener el altar por encima de la altura del chacra del corazón, por lo que deberá tener en cuenta la posición en la que suele practicar. Por ejemplo, si le gusta trabajar con la diosa en estado de meditación, probablemente se sentará en el suelo. Si suele estar de pie, asegúrese de colocarlo más alto. Colocar su altar por encima de su chacra del corazón es un símbolo de su deseo de unidad. Si lo desea, también puede crear un espacio privado para su altar o colocarlo detrás de unas cortinas o una puerta. De este modo, podrá mantenerlo a salvo de los niños, las mascotas y los accidentes.

Uso del altar

Debe intentar conectarse o interactuar con su altar todos los días, de una forma u otra. Esto no significa que tenga que rezar o hacer ofrendas todo el tiempo. Lo único que significa es que hay que esforzarse por atenderlo, ya sea quitándole el polvo, ordenándolo o incluso encendiendo una vela. Sin embargo, habrá días en los que se sentará durante horas para conectar con la diosa Brígida. También puede utilizar su altar para hacer rituales. Por ejemplo, puede utilizarlo para celebrar los ciclos estacionales, especialmente el imbolc, o ritos de paso. Como ya hemos explicado, se trata de establecer una relación con su deidad. Por eso, tendrá que esforzarse todos los días.

Después de crear su altar y asegurarse de que todo está en su sitio, tiene que darle vida. Para ello, tiene que:

1. Cierre los ojos y lleve su conciencia a su corazón. Sienta el amor, la devoción y el anhelo que siente por Brígida. Puede recitar una invocación o una oración que hable de su profunda admiración y aprecio por ella. Permita que su corazón sienta el lóbulo.
2. Siga centrando su atención en sí mismo y visualice a la diosa inmersa en el amor que siente por ella.
3. Después de unos minutos, abra los ojos y exteriorice este amor. Envíelo a la imagen o estatua de Brígida que tenga en su altar. Esto sirve como una invitación a Brígida para que habite en el espacio creado para ella. Aunque su energía está presente en todo el entorno, su altar actúa como punto central.
4. Haga ofrendas. La forma de hacer las ofrendas depende en gran medida de su experiencia personal y de sus tradiciones. También se basará en lo que crea que es adecuado para usted y que enriquece su conexión con su deidad, o en su caso, Brígida. Muchos consideran apropiado ofrecer a Brígida cerveza, incienso, productos lácteos, caramelos, productos de panadería e incluso crema de leche. Después de cerrar los ojos, sienta los latidos de su corazón, y sienta y envíe el amor que siente por ella. Asegúrese de que se siente relajado y con los pies en la tierra. Encienda la vela solo cuando se sienta tranquilo y centrado. A continuación, recite un canto o una oración (en el siguiente capítulo encontrará numerosas opciones para elegir). Tenga cuidado de apagar la vela cuando haya terminado, y manténgala siempre alejada de superficies inflamables. Es preferible que la tape y la apague en lugar de soplarla cuando la necesite. Debe deshacerse de sus ofrendas de forma segura cuando la diosa haya terminado con ellas y ya no las necesite, especialmente si consisten en alimentos y bebidas. Puede utilizarlas como abono o darlas de comer a los animales callejeros (si no les hacen daño, claro) en lugar de tirarlas por el desagüe o a la basura.

No hay mejor manera de establecer una relación con Brígida o con cualquier otra deidad que construir un altar. Los altares son una gran manera de forjar una conexión personal con su deidad. También sirve como una gran oportunidad para demostrar a su deidad que usted está interesado en trabajar con ellos.

Capítulo 8: Honrar a la diosa a diario

Hay varias formas de celebrar a la diosa en el imbolc. Sin embargo, también puede honrarla durante todo el año de muchas maneras. En este capítulo, ofrecemos información sobre las formas de celebrar a Brígida a diario de forma aceptable. No hace falta mucho para mostrar su aprecio y alabar a la diosa. Puede considerar atender su altar con regularidad, investigar sobre ella, encender velas y visitar pozos, entre otras ideas. Una vez que haya elegido su método, la última sección del capítulo ofrece oraciones, cantos y afirmaciones dedicadas a Brígida.

Lea acerca de Brígida

Hay varios mitos irlandeses sobre la diosa celta Brígida. Si desea honrarla, debe conocerla bien. La mejor manera de aprender sobre Brígida es leer varios libros y otras fuentes de literatura dedicadas a ella. En primer lugar, debe conocer los numerosos nombres que tiene, entre ellos los siguientes: Brigantia, santa Brígida, Brid, Novia, Briginda, Brigdu, Brigit, Breo-saighit, Brigantia y Bridey. Como aprendió al comienzo, el nombre de Brígida significa la "exaltada".

Para honrar a Brígida, equípese con las herramientas adecuadas, como varios cristales, entre ellos el citrino, el ágata de musgo, el granate, la esmeralda, la obsidiana arco iris y el ámbar. Del mismo modo, hay plantas específicas, como el roble, los juncos, el trébol y el trébol rojo que debe utilizar cuando realice sus ritos. Como se explica en el capítulo 5, ciertos animales como la vaca, el jabalí, la serpiente, la oveja, el lobo, el tejón, el cerdo, el salmón, el toro blanco, el caballo y el buitre son simbólicos cuando adora a la diosa Brígida. Los siguientes son otros símbolos importantes a tener en cuenta.

- **Cruz de Brígida:** Como sabe, está hecha de hierba o caña y se utiliza habitualmente como ofrenda a la diosa. Se recomienda colocar su cruz en las ventanas o puertas para proteger su hogar de las malas energías y los malos espíritus.
- **Serpiente:** El popular símbolo que representa la renovación es otra forma de honrar a la diosa Brígida.
- **Llama eterna:** Dado que la flamante cabellera roja de Brígida se asocia con el fuego y a menudo se simboliza con una llama, muchos fieles utilizan el fuego para rendir homenaje a la diosa del fuego. Por lo tanto, cuando encienda su vela blanca, invocará el elemento fuego, lo que le ayudará a sentir su presencia.

Para celebrar a Brígida, incluya las ofrendas y gestos ideales que ella considera sagrados, como agua, leche, huevos, moras, monedas, pan, lanzas y flechas, infusiones, cruces de Brígida y atar cintas en los árboles. También puede dejar comida y bebida para ella y su vaca en la puerta de su casa. Hay varios regalos caseros que puede ofrecer a la diosa, y que le ayudarán a desarrollar una fuerte relación con ella. Por ejemplo, las muñecas de Brígida se hacen con rafia seca y se exponen en camas improvisadas cerca de una chimenea. Se cree que traen fortuna y luz a su vida.

Prepare un pequeño altar

Brígida es una diosa cariñosa y nutritiva. Ella aprecia que sus seguidores le dediquen un pequeño lugar en sus casas para invocar su presencia. Puede conseguirlo colocando un pequeño altar en un lugar adecuado. Utilice la guía del capítulo anterior para construir un altar apropiado.

Visite su altar diariamente para meditar, abrirse a más experiencias con Brígida y entonar oraciones. En su altar, debe tener elementos como dibujos o pequeñas estatuas que le recuerden a las deidades paganas. Procure exponer en su altar objetos que honren a Brígida. Las hierbas curativas y las ovejas son necesarias, ya que son sagradas. Cada vez que visite su altar, límpielo para deshacerse de la energía negativa como parte del ritual que honra a su diosa

Atienda a su llama sagrada

Siempre que se hable con la diosa irlandesa, hay que quemar una vela. En la antigüedad, las sacerdotisas de Brígida mantenían el fuego encendido durante cientos de años. Gracias a las sacerdotisas modernas, el fuego arde y se cuida en Kildare en la actualidad. Sin embargo, la práctica de encender una vela y de cuidar su llama sagrada son formas de conectar con Brígida.

Siendo Brígida la dama de la llama sagrada, no se puede pasar por alto la importancia de asociarla con el fuego a la hora de honrarla. Por lo tanto, si se ha comprometido con esta deidad específica, debe encender una vela antes de recitar las oraciones. Encender una vela es una forma especial de declarar su lealtad y fe en la diosa. Asegúrese de elegir la vela adecuada que se adapte a un ritual específico que quiera realizar

Visite los pozos locales

Además de atender a los fuegos sagrados de Brígida, también debe reconocer el agua, y puede conseguirlo visitando un manantial o un pozo local. Cuando visite una masa de agua natural, debe rezar a la diosa que se encuentra allí. Como ya hemos dicho, Brígida es considerada la diosa del agua, ya que dominaba los pozos y los ríos. Por lo tanto, cuando visite un pozo, debe ofrecer su gratitud mientras pida la curación del alma, la mente y el cuerpo. Es una curandera y, como se cita en el primer capítulo, tenía dos pozos famosos: uno en el condado de Clare y otro en Kildare. Hasta hoy, mucha gente sigue visitando estos pozos para buscar bendiciones y presentar sus respetos.

Si no puede visitar estos famosos lugares, puede elegir cualquier masa de agua natural local para honrar a su diosa

Escriba poesía

Escribir poesía es otro aspecto crucial que puede considerar para honrar a la diosa Brígida. Se la considera la diosa de la poesía; la que los poetas solían seguir. Muchos todavía lo hacen, y se inspiran en la escritura de poesía. Por ello, es fundamental conocer el papel de los poetas en la antigua Irlanda. La diosa puede ayudarle a inspirarse para expresarse. Aproveche esta oportunidad para despertar su lado poético para honrarla. Escribir poesía, música, meditaciones y otras formas de arte pueden ayudarle a conocer mejor a Brígida. Esto puede ayudar mucho a celebrarla.

Celebre a Brígida con comida

Además de celebrar a la diosa celta con una fiesta durante el imbolc, hoy en día se pueden utilizar diferentes tipos de alimentos para honrar a Brígida. Los paganos siguen celebrándola encendiendo hogueras y presentando diversas ofrendas, incluidas cruces. Usted también puede hacer lo mismo con regularidad, pero no tiene por qué celebrar grandes eventos como fiestas. Hay diferentes tipos de alimentos que se pueden comer para celebrar a la diosa. No obstante, algunos alimentos son más apropiados para honrarla que otros. Por ejemplo, puede incluir en su dieta tubérculos como zanahorias y patatas, ya que se consumen tradicionalmente en las fiestas del imbolc y se asocian con Brígida. Otros alimentos que puede consumir para honrar a la diosa son los productos lácteos como la leche, el queso, el yogur y la nata.

Aprenda las oraciones tradicionales

Hay varias oraciones para Brígida que puede utilizar para venerarla. Recuerde que la diosa tiene muchos nombres, así que cuando aprenda sus nombres tradicionales, asegúrese de honrar todos sus aspectos. Si puede recitar una oración, es una buena forma de celebrar a su diosa. Otra forma de celebrarla es honrar y reconocer la importancia de sus antepasados irlandeses. Tiene que crear un árbol genealógico que le ayude a rastrear sus raíces hasta su ascendencia irlandesa. También puede interpretar canciones tradicionales irlandesas o cualquier acto que honre a Brígida.

Otra cosa que puede considerar es dedicar la chimenea de su hogar a Brígida, que bendecirá el centro de su casa, ya que también es la diosa doméstica. Ella también mantiene encendidos los fuegos sagrados y cotidianos. Cree un pequeño altar para ella en la chimenea. Si no tiene en su hogar, puede dedicarle un caldero. Como parte del homenaje a su diosa, debe ofrecer algunos granos, productos lácteos, trozos de pan o parte de sus comidas familiares.

Oraciones, cantos y afirmaciones dedicadas a Brígida

Cualquier ritual o hechizo que haga para honrar a la diosa irlandesa Brígida debe ir acompañado de una oración, un canto o unas afirmaciones. Considere lo siguiente cuando la celebre para mostrar su inquebrantable aprecio.

Cante alabanzas a Brígida

"Cada día, cada noche

alabo a la diosa,

sé que estaré a salvo:

No seré perseguido,

no seré atrapado,

no me harán daño.

El fuego, el Sol y la Luna no pueden quemarme. Ni

el lago, ni el arroyo, ni el mar

podrán ahogarme. Hada,

la flecha no puede atravesarme.

Estoy a salvo, a salvo, a salvo,

cantando sus alabanzas".

Oración de invocación a Brígida y ofrendas

"Diosa celta del hogar,

el hogar y la inspiración.

Patrona de la poesía,

la curación y la herrería.

Teje una red y cuenta una historia,

oh Brígida, para que los que tejen
puedan entender.
Bendita Brígida, conceda su paz y
paciencia a través de la tierra.
Cada colina, cada valle, cada río
y arroyo cantarán su alabanza.
Lady Brígida, la estoy llamando.
Venga a mi casa
y siéntese en mi chimenea.
Bendiga mi hogar y mi familia con la
protección que tiene que ofrecer.
Una cama está siempre aquí para usted.
Dama Brígida, si la desea.
La llamo mientras tejo mi red,
pinto mi cuadro y escribo mi historia.
Que sus bendiciones estén
siempre presentes en mi vida".

Durante esta oración a Brígida, debe encender una vela roja. El incienso que puede utilizar incluye lavanda, jazmín, manzanilla y romero. Recuerde que también puede incluir agua, monedas, pan, leche, té de hierbas y moras como ofrendas.

Agradezca a Brígida la bendición de la comida

"Esta es la temporada de Brígida,
La que protege nuestro hogar y nuestra casa.
La honramos y le agradecemos
por mantenernos calientes mientras comemos esta comida.
Gran Señora, bendícenos a nosotros y a esta comida
y protéjanos en su nombre".

Es costumbre en otras tradiciones paganas modernas ofrecer una bendición antes de la comida. Como parte del honor a Brígida, la diosa del hogar y la chimenea, debería bendecir su comida antes de comerla. Esta simple bendición de gratitud puede ayudarle a celebrar a la diosa del fuego del hogar que utiliza para preparar su comida.

Bendición de la comida de fin de invierno

"El invierno está llegando a su fin

Las reservas de alimentos disminuyen,

Y sin embargo, comemos y nos mantenemos calientes

En los fríos meses de invierno.

Estamos agradecidos por nuestra buena suerte

Y por la comida que tenemos ante nosotros".

Imbolc no se celebra en invierno, pero es bueno que honre a la diosa Brígida en cada estación. Cuando el invierno está a punto de terminar, se practican muchas tradiciones mientras la gente espera la primavera. Este es el momento de agradecer las bendiciones de la diosa que le han hecho pasar los meses más fríos ahora que el invierno está llegando a su fin, y puede hacerlo rezando oraciones.

Oración a Brigantia, guardiana de la fragua

"¡Salve, Brigantia! Guardiana de la fragua,

la que da forma al mundo mismo con el fuego,

la que enciende la chispa de la pasión en los poetas,

la que guía a los clanes con el grito de un guerrero,

ella que es la novia de las islas,

y que lidera la lucha por la libertad.

¡Salve, Brigantia! Defensora de la familia y del hogar,

la que inspira a los bardos a cantar,

la que impulsa al herrero a levantar su martillo,

la que es un fuego que recorre la tierra".

Brígida era conocida por varios nombres, y en aquellos lugares donde se la conocía como Brigantia, también se la consideraba la guardiana de la fragua. Desde esta perspectiva, se la asocia con los calderos y la herrería. En algunos casos, se la conoce como Minerva o la diosa guerrera (véase el capítulo 1 para conocer la razón de sus múltiples nombres).

Oración a Brígida, guardiana de la llama

"La poderosa Brígida, guardiana de la llama,

ardiendo en la oscuridad del invierno.

Oh diosa, te honramos, portadora de luz,

sanadora exaltada.

Bendícenos ahora, madre del hogar,

para que seamos tan fructíferos como la propia tierra

y nuestras vidas sean abundantes y fértiles".

Esta oración está dedicada a honrar a Brígida por su papel específico como guardiana de la llama.

Oración a Brígida, Esposa de la Tierra

"Novia de la tierra,

hermana de las hadas,

hija de los Tuatha de Danaan,

guardiana de la llama eterna.

En otoño, las noches comenzaron a alargarse,

y los días se acortaron,

mientras la tierra se dormía.

Ahora, Brigid aviva su fuego,

quemando las llamas en el hogar,

devolviéndonos la luz una vez más.

El invierno es breve, pero la vida es eterna.

Brigid hace que así sea".

Brígida, la diosa celta del hogar, también era conocida como la novia de la tierra. Es la patrona del hogar y de la domesticidad, y esta breve oración pretende honrarla por ese papel.

Salve Bríd

"Salve Bríd,

Exaltada,

Me enseña la mayor habilidad de la compra de la vida,

Le doy la bienvenida a mi corazón, sin reservas.

Salve Bríd,

poeta y vidente

Aquella que ilumina el laberinto de la lucidez incitando batallas dentro de los corazones de los hombres,

Usted estimula a levantarse y a ser el vencedor de la desarmonía interior.

Salve Bríd,

sanadora y sanguijuela

Mi sacrificio de gran importancia le doy,

Así me comprometo a seguir su voluntad.

Salve Bríd

herrera y artesana

A través de su don, la transformación es nuestra,

Guiados por su fuerza y gracia, desde lo crudo hacia el refinamiento.

Salve Bríd

Patrona de los poetas, médicos y artesanos,

Tres hermanas, fuego en la cabeza, fuego en el corazón y fuego en la mano,

Portador de la hidromiel de la inspiración,

Deje que mis palabras caigan suavemente sobre usted, en esplendor y verdad.

¡A Bríd, glacaigí lenár n-íobairt! (¡Bríd, acepte nuestro sacrificio!)

¡Bíodh sé amhlaidh! (¡Que así sea!)".

O dioses

"Oh dioses,

En mis actos,

En mis palabras,

En mis deseos,

En mi razón,

Y en el cumplimiento de mis deseos,

En mi descanso,

En mis sueños,

En mi reposo.

En mis pensamientos,

En mi corazón y mi alma siempre,

Que las llamas de Brid,

Y el paso del fuego, bien, y el arbolado.

En mi corazón y en mi alma siempre

Que las aguas de Brid,

Y la fuerza de la tierra, el cielo y el mar habiten.

¡Oh! en mi corazón y en mi alma siempre
Que la visión de Brid,
Y las palabras de los dioses, muertos, y Síd habiten".

Bosque de nines sagrado

"Dios sagrado, su triple fuego,
Exaltado que imparte,
que se agudiza con la ira ondulante,
Su mano se ve bien en las artes.
Sus hijos, tres dioses de los dones,
De Bres, su padre el Rey,
Que hospedó a sus escuadrones con ahínco,
Y todavía, su sátira cantamos.
Dios santo de bardo y herrero,
Tres hermanas de toda llama brillante,
Su sabio toque guarda la médula,
La diosa es Bríd, la magia reclama.
En la puerta estrellada de los cielos,
La maldición de Fili deja desnudos a los tontos,
Numera mis bendiciones siete,
Llamas calientes en nueve bosques sagrados".

Letanía de Bríd

"Exalte la verdad de la Altísima,
que ilumina la oscuridad y el frío con sus hermanas,
Ella está en nuestros hogares, en la tienda y en nuestras mentes,
Su brillo es la curación que nos lleva a través de la puerta al reino de los dioses.
Cuando la escucho, su canto me sostiene,
Cuando camino con ella, muchas historias escucho,
y cuando pregunto por su nombre, mis antepasados la exaltan.
De pie, en el campo verde, con el calor del sol en mi espalda,
miro hacia el oeste con un pie, con un brazo, y veo con un ojo,
Mi prohibición termina,

Mi lucha termina,
Mi esfuerzo termina,
Guiado por su mano".

Himno a Brígida

"A Bhrid, ár gcroí, an-gheal Bheanríon;
lo de thoil é beannachta sinn.
Is sinn bhur leanaí, is tu ár mamaí;
bí ag isteacht dúinn mar sin.
*Is tu an coire, anois inár doire *;*
a Bhean-Feasa tinfím orainn.
A thine ghrá, a thine bheatha;
lo de thoil é ag teacht Bhrid dúinn!
Oh Brígida, nuestro corazón, oh reina más brillante;
derrame sus bendiciones sobre nosotros.
Somos sus hijos; usted es nuestra madre;
así que escúchenos.
*Usted es el caldero, ahora en nuestra arboleda *;*
Mujer sabia inspírenos.
Oh fuego de amor, oh fuego de vida;
por favor, Brígida, venga a nosotros.
A Bhrid, ár gcroí, an-gheal Bheanríon;
lo de thoil é beannachta sinn.
Is sinn bhur leanaí, is tu ár mamaí;
bí ag isteacht dúinn mar sin.
*Is tu an coire, anois inár doire *;*
a Bhean-Feasa tinfím orainn.
A thine ghrá, a thine bheatha;
lo de thoil é ag teacht Bhrid dúinn!". - Isaac Bonewits

La diosa celta irlandesa, Brígida, es la sanadora, proveedora y protectora. Por lo tanto, los paganos dedicados, que están interesados en obtener bendiciones de ella, la honran con los métodos mencionados. Hoy en día, se pueden seguir aplicando las mismas tradiciones con un toque moderno. Con las diferentes oraciones, cantos y afirmaciones proporcionadas en este capítulo, puede honrar a su diosa durante el culto mientras le presenta ofrendas. Ahora que ya sabe qué hacer para celebrar a Brígida, el siguiente capítulo se centra en los rituales para buscar su curación y protección.

Capítulo 9: Rituales de curación y protección

El paganismo se asocia con una variedad de rituales diseñados para satisfacer las necesidades de diferentes personas. En este capítulo, describimos algunos rituales de curación y hechizos que utilizan colores, hierbas y otros elementos que honran a Brígida. También proporcionamos instrucciones paso a paso sobre cómo llevar a cabo el ritual o el hechizo, así como los cantos que se deben incluir al llamar a la diosa.

Honrar a una deidad asociada a la curación

Este ritual suele realizarse en nombre de un familiar o amigo enfermo. Antes de practicar la magia o intentar un ritual de curación, es habitual pedir permiso a la persona que no se encuentra bien. Es importante seguir las normas éticas y el sistema de creencias de su tradición. Sin embargo, es posible que un individuo con una enfermedad terminal no desee seguir viviendo como resultado del dolor insoportable que su enfermedad puede estar causándole. En este caso, no hay que ir en contra de los deseos del paciente. Si está dispuesto a aceptar ayuda, entonces puede realizar el ritual en su nombre. Tenga en cuenta que la deidad tendrá en considera los sentimientos del paciente antes de ofrecerle ayuda.

Deidades y curación

Cuando realice este ritual, pida a la diosa/dios de su tradición que cuide del individuo enfermo y lo cure. Hay diferentes formas de deidades asociadas con la curación en el paganismo de Brígida. Puede trabajar con otras deidades si su tradición no tiene una diosa efectiva. Las siguientes son algunas de las deidades que puede considerar para su ritual:

- **Celta:** Aimed, Brígida, Maponus, Sirona
- **Nórdico:** Eir
- **Egipcio:** Heka, Isis
- **Yoruba:** Babalu Aye, Aja
- **Griego:** Artemisa, Apolo, Hygaiea, Esclepio, Panacea
- **Romano:** Febris, Vejovis, Bona

Cuando decida invocar a una deidad, asegúrese de investigar para entender primero sus requisitos. También puede ser una buena idea consultar a un profesional.

Elementos necesarios:

Para realizar este hechizo, necesitará los siguientes elementos:

- Una pequeña vela blanca para representar a la persona a la que se quiere asistir en el ritual
- Incienso curativo que puede incluir milenrama, pimienta de Jamaica, flores de manzano, laurel, canela, melisa
- Una vela que represente a la diosa o al dios que desea invocar

para que le ayude

Puesta en marcha:

Dependiendo de su tradición, es posible que tenga que hacer un círculo. Asegúrese de preparar su altar como lo hace habitualmente y de colocar la vela de su diosa/dios en la posición ideal. Cuando realice este ritual, debe recitar lo siguiente:

"La invoco, Brígida, en un momento de necesidad.

Pido su ayuda y bendición para alguien que está enfermo.

(Nombre) está enferma y necesita su luz sanadora.

Le pido que la cuide y le de fuerza,

Manténgala a salvo de más enfermedades, y proteja su cuerpo y su alma.

Le pido, gran Brígida, que la sane en este tiempo de enfermedad".

Tome el incienso suelto y póngalo en su brasero o disco de carbón, y luego enciéndalo. El incienso empezará a emitir humo, y este es el momento en que debe visualizar la enfermedad de su compañero alejándose con los humos. Mientras el incienso arde, debe decir el siguiente canto.

"Brígida, le pido que se lleve la enfermedad de (Nombre de la persona),

Expúlsela a los cuatro vientos, para que nunca regrese.

Al norte, lleve esta enfermedad y sustitúyala por salud.

Al este, lleve esta enfermedad y sustitúyala por fuerza.

Al sur, lleve esta enfermedad y sustitúyala por vitalidad.

Al oeste, lleve esta enfermedad y sustitúyala por vida.

Expulse lejos de [Nombre], Brígida, para que se disperse y no exista más".

El siguiente paso es encender una vela que represente a la diosa o al dios. En este caso, su diosa es Brígida, así que encienda su vela y diga el siguiente verso.

"Le saludo, poderosa Brígida, le rindo homenaje.

Le honro y le pido este pequeño regalo.

Que su luz y su fuerza bañen a (Nombre de la persona),

apoyándola en este momento de necesidad".

Con la llama que sale de la vela, encienda la vela pequeña que representa a su amigo o a su compañero que no se encuentra bien. Cuando encienda la vela, diga las siguientes palabras.

"(Llame el nombre de la persona), esta noche enciendo esta vela en su honor.

Está encendida desde el fuego de Brígida, y ella velará por usted.

Ella lo guiará y lo curará, y aliviará su sufrimiento.

Que Brígida siga cuidando de usted y le abrace con su luz".

Cuando termine de recitar estas palabras, tómese unos minutos para meditar sobre todas las cosas buenas que desea para su ser querido. Cuando acabe el ritual, deje que las velas se consuman. Se irán con la enfermedad o dolencia que aqueja al paciente.

Ritual para Brígida

Este rito sirve para invitar a Brígida a su casa y convertirla en su guardiana del hogar para disfrutar de su presencia y protección. También puede servir para renovar su relación con la diosa. Para realizar este rito, busque y coloque una imagen de Brígida en un lugar estratégico para que pueda colocar su lámpara de aceite frente a ella. Sin embargo, si no dispone de una imagen, puede omitir este paso, ya que la llama puede ocupar su lugar.

Si tiene una chimenea, prepare un fuego, pero no se apresure a encenderlo. Ponga un cuenco y una jarra de leche delante de la chimenea. Busque un lugar donde sentarse o ponerse de pie para estar a la altura del fuego. En esta posición, extienda los brazos, las palmas de las manos deben mirar hacia delante y el codo debe estar ligeramente doblado. Esto se conoce como la "posición del orán", que se utiliza comúnmente para la oración pagana. Incline la cabeza hacia la fuente de fuego y recite el siguiente verso.

"La invito a entrar en mi casa,

usted que es la reina de la hoguera,

usted que es la llama brillante del fuego,

usted que es el resplandor ardiente.

La llamo, Brígida, para que venga a mí.

Le pido, Brígida, su presencia brillante",

Encienda el fuego y diga: "El fuego de Brígida es la llama de mi hogar".

Tome el cántaro con su mano derecha, y sosténgalo ante el fuego, diciendo:

"Un regalo para usted,

Brígida de las vacas,

Un regalo para usted,

Brígida de las bendiciones".

Vierta la leche en el cuenco, diciendo las siguientes palabras: "Mis oraciones se derraman con esta leche. Mis palabras y mis actos fluyen directamente hacia Brígida".

Deje su jarra y haga su petición. Puede rezar a Brígida para pedirle curación, protección e inspiración. Si no tiene ninguna petición, póngase de pie o siéntese en posición de meditación y visualice el fuego ardiendo en su corazón. El mantra que debe utilizar es: "*Brígida es la llama en mi corazón*". También puede utilizar este mantra para establecer o renovar su relación con la diosa.

Cuando termine el ritual, apague la vela diciendo: "*Siempre arda, señora del fuego, en mi corazón, en mi casa o en mi familia*". Por último, vuelva a adoptar la posición de orán e incline la cabeza para marcar el final del rito. Si decide utilizar una chimenea para su rito, utilice las mismas palabras, pero deje el fuego encendido. Puede pasar un rato disfrutando del calor del fuego. Deje su cuenco de leche en su posición durante 24 horas, y luego póngalo fuera para los espíritus de la tierra.

Ritual grupal de Brígida para la curación

Se trata de un rito que se realiza durante las curaciones en grupo cuando una comunidad se ve afectada por una crisis. Por ejemplo, el estallido de una pandemia o cualquier otro acontecimiento que pueda provocar la pérdida de vidas humanas o animales. Muchas personas creen que estas desgracias son causadas por hechizos malignos y no se toman a la ligera en muchas culturas. También creen que los problemas pueden resolverse realizando exorcismos y ceremonias de limpieza. A continuación se indican algunas opciones que se pueden tener en cuenta a la hora de emprender un ritual de Brígida en grupo con el fin de sanar.

Materiales necesarios:

- Recipiente con agua suficiente para ungir a todos los participantes
- Una vela de té ligera para cada participante
- Una vela grande para el altar
- Una vela de gran tamaño para el altar
- Una mesa de altar decorada con paños y cintas blancas, verdes y rojas
- Las cruces de Brígida, la imagen de Brígida (puede descargarla de internet) y las estatuas de Brígida

Para comenzar el ritual, reúna a todos los invitados en un círculo alrededor de la habitación. Las velas deben estar sin encender al principio mientras se crea un espacio sagrado. Los invitados a este ritual deben tomarse de las manos de uno en uno, y el líder hace una petición a Brígida diciendo *"Brígida, Señora de los pozos, le invitamos a nuestro espacio para sanar. Brígida, Señora de los bardos, ayuda a nuestras palabras..."*.

Encender la vela en el altar y ungir a cada individuo en el rito con agua después de decir una oración a la diosa Brígida. Los participantes encenderán sus velas de té de la grande que hay en la mesa. Esta ceremonia se caracteriza principalmente por los cánticos, la meditación y las oraciones, en las que los participantes invocan los poderes de Brígida para que les ayude a superar los problemas a los que se enfrentan. El líder señalará el final del rito cuando haya terminado y los restos de las velas encendidas sean enterrados.

Ritual de protección del hogar de Brígida

Para realizar este ritual, se necesita la cruz de Brígida, que es una artesanía tradicional del imbolc tejida con juncos y maleza. Otras personas pueden decorar este objeto con trozos de tela y flores de primavera. Cuando haga su cruz, deberá invocar a la diosa para que la bendiga con una luz poderosa. Para mantener su hogar a salvo de diferentes formas de negatividad, coloque la cruz en la puerta principal. No obstante, debe cerrar las puertas con llave. Algunas personas prefieren colgar esta cruz tradicional sobre el hogar para invocar el poder de la llama. La guardarán durante todo el año hasta que hagan otra. El colgado de la cruz suele ir acompañado del siguiente conjuro.

"Y quizás si admira,
Que esta gran casa nunca se incendie,
Donde las chispas, tan gruesas como las estrellas en el cielo,
Sobre la casa volaban a menudo,
y alcanzaban la paja marchita y sin hojas,
que, seca como una esponja, el fuego atrapaba,
Y no se construyó ninguna chimenea,
donde las chispas y las llamas pudieran ser dirigidas,
La cruz de santa Brígida colgaba sobre la puerta,
que protegía la casa del fuego,
Como pensaba Gillo, oh poderoso encanto,
Para evitar que una casa sufra daños,
Y aunque los perros y los sirvientes dormían,
Por el cuidado de Brígida, la casa se mantuvo".

Si no puede hacer su propia cruz de Santa Brígida, puede comprar una en una tienda. Se cree que pintar la cruz en las paredes es un método permanente para atraer la energía de Brígida a su casa. Cuando decida volver a pintar la pared, empiece por pintar su cruz primero y luego cúbrala con pintura. El poder de la cruz estará presente, aunque la cruz no sea visible.

Debe utilizar la oración para encantar la cruz de Santa Brígida para proteger su casa y su vida. La cruz hará saber a Brígida que desea que su casa esté bajo su protección, y su deseo se cumplirá. También debe reforzar estas palabras anualmente. Además, cuando su cruz hecha a mano muestre signos de deterioro, podrá reemplazarla.

Se cree que la diosa Brígida posee fuertes poderes curativos y protectores. Los paganos suelen invocar su poder espiritual para buscar ayuda en todo tipo de problemas. Con los muchos rituales diferentes que hemos explorado en este capítulo, usted puede considerar qué rituales de curación y protección resolverían su situación. Tenga en cuenta que algunos de estos ritos deben realizarse bajo la guía de un practicante pagano experimentado. Sin embargo, si no necesita adquirir curación o protección, aún puede querer practicar la adivinación con Brígida, que será el tema central del próximo capítulo.

Capítulo 10: Practicar la adivinación con Brígida

Muchos paganos recurren a la adivinación para obtener respuestas y soluciones a distintos problemas que puedan tener en la vida. Para ello, invocan los poderes de la diosa Brígida, y se utilizan varias herramientas. En este capítulo, aprenderá a obtener una visión del futuro con la ayuda de Brígida. Exploramos los métodos de adivinación que funcionan con Brígida como diosa del agua y del fuego, así como de la sabiduría y las palabras. Se tratan métodos como la ceromancia, la bibliomancia y la taseografía, aunque es libre de elegir el método que mejor se adapte a sus necesidades.

Ceromancia

La ceromancia es un método de adivinación que utiliza el agua y la cera de las velas. Planteando preguntas mientras la vela arde y luego goteando la cera caliente en el agua para enfriarla y darle forma, puede encontrar respuestas a sus preguntas. La quema de la vela tiene el poder de manifestar soluciones a los problemas que se enfrentan en la vida, y las soluciones suelen venir en formas fáciles de reconocer que pueden ser fácilmente interpretadas.

Hay varias formas de realizar la ceromancia, pero vamos a empezar por la más sencilla. Puede elegir una variedad de velas de colores, pero para este propósito, una es suficiente. Las velas de colores producen imágenes claras y hermosos contrastes. También puede asignar un color diferente para un aspecto específico de su lectura en su trabajo de adivinación. Si busca respuestas del pasado, elija una vela azul; si quiere abordar un problema actual, busque velas amarillas o blancas; si se centra en el futuro, utilice una vela verde.

En primer lugar, busque un espacio donde pueda practicar la ceromancia sin interrupciones. Encienda la vela y colóquela en un lugar alejado de materiales inflamables. Necesita cera líquida para el ritual, así que deje que la vela se consuma y produzca la cera derretida. Mientras la vela arde, llene un cuenco con agua (si no lo ha hecho ya). Cualquier tipo de cuenco servirá, aunque algunas personas tienen sus preferencias. Con la vela encendida y el cuenco lleno de agua, dedíquese a formular las preguntas en su mente, pensando en ellas y en cómo pueden responderse. Puede pensar profundamente en las preguntas o intentar meditar sobre ellas; puede ser útil mirar fijamente la llama de la vela mientras medita. Cuando tenga suficiente cera (y esto será más fácil de juzgar con el tiempo), puede apagar la vela.

Vierta la cera en el agua, prestando atención a la forma que toma. En cuanto la cera entre en contacto con el agua, se endurecerá y formará una imagen. La imagen no será perfecta, pero le dará lo que necesita. Puede dejar la cera en el agua o sacarla para estudiarla. Mire la cera desde todos los ángulos y vea lo que contiene, las imágenes y los pensamientos que contiene.

Cuando realice este ejercicio, la cera puede endurecerse para producir cualquier imagen que pueda visualizar. Una cosa que debe saber sobre esta práctica es que no proporciona ninguna respuesta definitiva a sus preguntas. Cuando mire la cera formada, tendrá que interpretarla. No se trata solo de lo que ve, sino también de cómo se siente al respecto. La imagen trata de comunicar lo que hay dentro de usted.

Hay libros a los que puede recurrir que le ayudarán a precisar lo que significa una imagen en el contexto de su problema, así que consulte libros de sueños, adivinación u otros para obtener ayuda. A lo largo del tiempo, ciertas imágenes se han asociado con cosas específicas, y esto puede ser un buen punto de partida. Sin embargo, no se limite a un único significado de una imagen concreta, ya que los símbolos comunes pueden significar varias cosas para diferentes personas. Todos venimos de entornos diferentes, por lo que nuestras percepciones de muchas cosas pueden diferir significativamente. Los símbolos y las imágenes no siempre significan lo que creemos que significan. Por ejemplo, si ve una imagen relacionada con la muerte, no es necesariamente algo malo. La muerte también puede significar el renacimiento, y la imagen debe resolverse en el contexto de la pregunta formulada.

También puede practicar la adivinación ceromántica mientras se da un baño en la bañera. Coloque las velas alrededor de la bañera y enciéndalas. Las llamas a su alrededor le ayudarán a relajarse, más aún si tiene velas perfumadas, y el parpadeo de la llama puede ayudarle a meditar. Cuando tenga suficiente cera, vierta un poco en la bañera y busque las imágenes y los símbolos que se presentarán. Las imágenes pueden parecer más grandes si se vierte la cera en una superficie de agua grande en comparación con un cuenco pequeño. Sin embargo, la ceromancia requiere paciencia si desea que sus respuestas sean lo más precisas posible. Si se precipita, puede acabar perdiendo el objetivo.

Bibliomancia

La poesía está relacionada con Brígida, y se han escrito muchos poemas en su honor y con su guía. Si es usted un lector empedernido y repasa a menudo diferentes tipos de literatura, el arte de la bibliomancia le resultará más cercano. Al igual que las imágenes visuales que acompañan a la ceromancia, las palabras pueden orientarle cuando tenga problemas o necesite respuestas. La bibliomancia puede ser realizada por cualquier persona y requiere una preparación mínima.

Todo lo que usted necesita es un libro. Cualquier libro sirve, pero debe intentar utilizar un libro que tenga muchas palabras. Es posible que encuentre las respuestas en un libro de poesía o de ilustraciones, pero es más probable que tenga éxito con una novela. Comience por concentrarse en el problema o la pregunta en cuestión, pidiendo una respuesta u orientación. Abra una página del libro al azar y coloque inmediatamente el dedo en un punto al azar del libro.

Lea desde el punto en el que se posó su dedo y busque una respuesta dentro de las palabras. No se desanime si no hay una respuesta concreta a su pregunta; el texto está ahí para ayudarle a desentrañar la respuesta. También es posible que tenga que tomarse un tiempo para reflexionar sobre lo que ha leído para obtener las respuestas adecuadas. Puede que se dé cuenta de que las palabras que obtiene del libro pueden tener un significado literal o implícito para lo que está buscando.

Puede leer cualquier tipo de libro para realizar la adivinación bibliomántica. Sin embargo, en algunos casos, puede encontrar que libros específicos son más apropiados para ciertas formas de preguntas y lecturas que desea realizar. Por ejemplo, la poesía puede ser una buena fuente de conocimiento e inspiración cuando desea encontrar respuestas a preguntas sobre las relaciones. Si su pregunta es mágica, espiritual, y los libros paganos son ideales.

No debe tomarse demasiado en serio cuando ejerza la bibliomancia. Puede leer cualquier libro, no tiene que ser demasiado específico o académico. Sin embargo, hay ciertos libros que deberías considerar si desea construir una fuerte conexión con Brígida. Además, la música también puede ser una fuente eficaz de inspiración si quiere ser creativo. En lugar de libros, puede utilizar canciones para obtener respuestas a sus preguntas. Si tiene un reproductor multimedia, concéntrese en su pregunta y reproduzca diferentes canciones al azar. Observe qué mensajes o información obtiene de la letra de la canción.

Al buscar un significado en las canciones interpretadas, es importante centrarse en el sentimiento de la canción. Combine el sentimiento con las palabras que se cantan, el mensaje general de la canción, el tono, la intención, la velocidad y todo lo relacionado con la pieza musical. También puede fijarse en el nombre de la canción y el artista. ¿Qué se puede discernir de ellos?

Cuando termine, asegúrese de dar las gracias a Brígida, ya que es ella quien le guía a través del proceso y le conduce a las respuestas. Puede hacerlo a través de la oración, los cantos, las ofrendas o hablando con ella directamente para mostrar su agradecimiento. Pida a la flecha ardiente de las aguas curativas, la inspiración y las palabras de sabiduría que le guíen en su adivinación.

Conclusión

Brígida es quizá una de las diosas celtas más polifacéticas, y también la más influyente. Según cuentan los mitos antiguos, llegó a Irlanda como parte de la antigua tribu Tuatha Dé Danann. Sus funciones iban desde ser la patrona del fuego y los herreros hasta guiar a los sanadores e inspirar a los poetas. Y no solo eso, sino que Brígida unió muchas culturas y tradiciones diferentes, como el paganismo y el cristianismo. Por lo tanto, es fácil ver cómo su tradición ha podido viajar a través de muchas generaciones y mantenerse viva hasta los tiempos modernos.

En la cultura popular, se la conoce sobre todo como santa Brígida de Kildare, una de las santas patronas de Irlanda. También se la conmemora en las tierras altas y las islas de Escocia como protectora de las parteras, los bebés, el ganado y las lecheras. En Haití, Brígida es Maman Brigitte, una loa vudú, y la esposa del Barón Samedi. Aquí, reina sobre la fertilidad, la maternidad, la vida, la muerte e incluso los cementerios. Sus funciones en estas religiones provienen de antiguas tradiciones celtas.

Sin embargo, antes de su transformación, era conocida como Brígida, la diosa triple. Su nombre es probablemente el resultado de sus papeles contradictorios, que son, una vez más, venerados en la cultura moderna. El paganismo contemporáneo se basa en su conexión con la llama sagrada, a través de la cual esta diosa puede ayudar a cualquiera que la invoque. Tanto si alguien necesita una suave mano sanadora como si quiere encender el fuego y la pasión para concebir, puede contar con la ayuda de Brígida en su viaje.

Su fiesta sagrada, el imbolc, se sigue celebrando en pleno invierno con generosas ofrendas en pozos y otras fuentes de agua. El sabbat va precedido de una preparación abundante que permite a las familias y a las comunidades conectarse entre sí y planificar la próxima temporada. Otra forma de honrar a Brígida es a través de los símbolos que se asocian a ella, como la cruz de Brígida y sus animales sagrados. Ya sea colocándolos en el altar o utilizándolos de cualquier otra manera, un practicante puede usar estos símbolos para invocar el poder de Brígida y mejorar sus hechizos y rituales.

Hoy en día, Brígida se asocia a menudo con los rituales paganos de curación. Aunque esta práctica se centra principalmente en la autocuración, en última instancia, conduce a una mayor compasión y a la capacidad de proporcionar ayuda a otros que la necesiten. Dado que tener un espacio sagrado también promueve el desarrollo de una conexión espiritual mucho más profunda con uno mismo, honrar a la diosa cada día capacitará al practicante para ser mejor en su oficio. Una vez que sea capaz de manifestar sus intenciones, su magia curativa será mucho más poderosa. En este libro, encontrará instrucciones detalladas sobre cómo dominar con éxito ambas partes de este proceso y comenzar a utilizar los cantos, llamando a Brígida para sanar a otros también.

Por último, habrá aprendido a vislumbrar cualquier parte del futuro con la ayuda de la diosa del fuego y la sabiduría. Y es que Brígida es la mejor guía a la que acudir cuando se desea buscar respuestas a través de la adivinación. Y aunque cada practicante debe utilizar un método de adivinación que le resulte adecuado, hacerlo con la ayuda de Brígida puede garantizar resultados mucho mejores. Ella será especialmente generosa si también se dedica a honrarla a diario.

Vea más libros escritos por Mari Silva

Su regalo gratuito

¡Gracias por descargar este libro! Si desea aprender más acerca de varios temas de espiritualidad, entonces únase a la comunidad de Mari Silva y obtenga el MP3 de meditación guiada para despertar su tercer ojo. Este MP3 de meditación guiada está diseñado para abrir y fortalecer el tercer ojo para que pueda experimentar un estado superior de conciencia.

https://livetolearn.lpages.co/mari-silva-third-eye-meditation-mp3-spanish/

Referencias

Cartwright, M. (2021a). Ancient Celtic Religion. World History Encyclopedia. https://www.worldhistory.org/Ancient_Celtic_Religion

Cartwright, M. (2021b). Ancient Celts. World History Encyclopedia. https://www.worldhistory.org/celt/

Duffy, K. (2000). Who were the Celts? Barnes & Noble.

Jarus, O. (2014, April 7). History of the Celts. Livescience.Com; Live Science. https://www.livescience.com/44666-history-of-the-celts.html

May, A. (2019, November 14). Celtic Wicca - myths and secrets explained. Welcome To Wicca Now. https://wiccanow.com/celtic-wicca-myths-and-secrets-explained

Putka, S. (2021, June 4). The ancient Celts: Iron age foes of Rome who left behind more than

weapons. Discover Magazine. https://www.discovermagazine.com/planet-earth/the-ancient-celts-iron-age-foes-of-rome-who-left-behind-more-than-weapons

Flanagan, K. (2020, February 13). Aengus Óg: The Irish god of love. The Brehon Academy. https://brehonacademy.org/aengus-og-the-irish-god-of-love

God Studies: Cernunnos. (n.d.). Sabrina's Grimoire. Retrieved from https://sabrinasgrimoire.tumblr.com/post/622301491987906560/god-studies-cernunnos

Goddess epona. (2012, June 13). Journeying to the Goddess. https://journeyingtothegoddess.wordpress.com/2012/06/13/goddess-epona

Info. (2020, February 11). Ogma: The god of speech & language. Order of Bards, Ovates &

Druids. https://druidry.org/resources/ogma-the-god-of-speech-language

Lugh. (n.d.). Wiccaneopagan.Com. Retrieved from http://www.wiccaneopagan.com/group/deities/forum/topics/2453436:Topic:59053

Mainyu, E. A. (Ed.). (2011). Belenus. Aud Publishing.

Mandal, D. (2018, July 2). 15 ancient Celtic gods and goddesses you should know about. Realm of History. https://www.realmofhistory.com/2018/07/02/ancient-celtic-gods-goddesses-facts

Mantrik. (2013, August 27). Introduction to Belenos. Wyrdfyre. https://belinus1.wordpress.com/2013/08/27/introduction-to-belinus

The Editors of Encyclopedia Britannica. (2017). Danu. In Encyclopedia Britannica.

The Editors of Encyclopedia Britannica. (2018). Belenus. In Encyclopedia Britannica.

Treanor, D., Elle, Walker, R., Roots, S., Fields, K., Duff, C., Latta, A. L., 30+ Types of Fairies Worldwide: Brownies, Elves, Gnomes, and More!, Celtic Deities: 10 Lesser-Known Celtic Gods and Goddesses, Tavernier, M., Are Fairies Real? Origins and Evidence that Fairies Exist, & Triple Goddess: Maiden, Mother, and Crone for Modern Practitioners. (2020, April 10). Celtic Goddess of War: 8 ways to work with The Morrigan. Otherworldly Oracle.

https://otherworldlyoracle.com/celtic-goddess-of-war

Wigington, P. (n.d.-a). Cernunnos, the wild Celtic god of the Forest. Learn Religions. Retrieved from https://www.learnreligions.com/cernunnos-wild-god-of-the-forest-2561959

Wigington, P. (n.d.-b). The Dagda, the father god of Ireland. Learn Religions. Retrieved from https://www.learnreligions.com/the-dagda-father-god-of-ireland-2561706

Zuberbuehler, A. (1996). Fieldstones. Players Press.

Aos Sí – ancestors of Ireland. (2021, June 7). Symbol Sage. https://symbolsage.com/aos-si-ancestors-of-ireland/

Irish Pagan beliefs. (2018, September 25). Lora O'Brien - Irish Author & Guide.

https://loraobrien.ie/irish-pagan-beliefs

Metalgaia. (2012, June 6). Why Wicca and Celtic Paganism are different things. Metal Gaia. https://metal-gaia.com/2012/06/06/why-wicca-and-celtic-paganism-are-different-things

Paganism in Scotland. (n.d.). Electricscotland.Com. Retrieved from https://electricscotland.com/bible/paganism.htm

Scott. (2017, April 24). Who the hell is Sidhe? – Fairy Faith and Animism in Scotland. A Challenge to Divinity. Cailleach's Herbarium.

https://cailleachs-herbarium.com/2017/04/who-the-hell-is-sidhe-fairy-faith-and-animism-in-scotland-a-challenge-to-divinity

Scottish folklore - Cat Sìth & Cù-Sìth. (n.d.). Timberbush-Tours.Co.Uk. Retrieved from https://www.timberbush-tours.co.uk/news-offers/scottish-folklore-cat-sith-cu-sith

The Newsroom. (2016, March 31). The tale of Scottish banshees: Baobhan Sith. The Scotsman. https://www.scotsman.com/whats-on/arts-and-entertainment/tale-scottish-banshees-baobhan-sith-1479692

The tuatha D' danann - Ireland's greatest tribe. (n.d.). IrelandInformation.Com. Retrieved from https://www.ireland-information.com/irish-mythology/tuatha-de-danann-irish-legend.html

Dana. (n.d.). invoking awen – The Druid's Garden. The Druid's Garden. Retrieved from https://druidgarden.wordpress.com/tag/invoking-awen

Druids of California. (n.d.). CaliforniaDruids.Org. Retrieved from https://californiaDruids.org/pages/history.html

Former Student. (2019, July 18). Modern-day Druids: No animal sacrifices, but connected to community, history. Cronkite News - Arizona PBS. https://cronkitenews.azpbs.org/2019/07/18/modern-Druids-arizona

Info. (2019a, November 27). Bard. Order of Bards, Ovates & Druids. https://druidry.org/druid-way/what-druidry/what-is-a-bard

Info. (2019b, November 27). Druid. Order of Bards, Ovates & Druids. https://druidry.org/druid-way/what-druidry/what-is-a-druid

Info. (2019c, November 27). Ovate. Order of Bards, Ovates & Druids. https://druidry.org/druid-way/what-druidry/what-is-an-ovate

Philip. (2019, November 21). Groups & groves. Order of Bards, Ovates & Druids. https://druidry.org/get-involved/groups-groves

Philip. (2020, March 16). The three functions of druidry. Order of Bards, Ovates & Druids. https://druidry.org/resources/the-three-functions-of-druidry

Rule of Awen. (n.d.). Aoda.Org. Retrieved from https://aoda.org/aoda-structure/gnostic-celtic-church-gcc/rule-of-awen

Shedding light on Stonehenge and the summer solstice. (2020, June 17). VisitBritain. https://www.visitbritain.com/au/en/media/story-ideas/shedding-light-stonehenge-and-summer-solstice-0

The order of bards ovates and Druids (OBOD). (2013, May 2). The Druid Network. https://druidnetwork.org/what-is-druidry/learning-resources/obod

All Answers Ltd. (2021, December 31). Trees in Celtic culture and art: An analysis.

Ukessays.Com; UK Essays. https://www.ukessays.com/essays/arts/trees-celtic-culture-art-analysis-3271.php

Hawthorn Tree in Celtic mythology. (2013, September 26). Ireland Calling. https://ireland-calling.com/celtic-mythology-hawthorn-tree

Festivals & Rituals. (n.d.). Retrieved from The Ancient Celtic Relgion website: http://theancientcelticreligion.weebly.com/-festivals--rituals.html

Info. (2019, November 27). Oracles & divination in druidry. Retrieved from Order of Bards, Ovates & Druids website: https://druidry.org/druid-way/teaching-and-practice/oracles-divination-druidry

Marketing The Conscious Club. (2019, November 13). Why ceremonies and rituals are still important today —. Retrieved from The Conscious Club website: https://theconsciousclub.com/articles/2019/10/17/why-ceremonies-and-rituals-are-still-important-today

Ancient Irish spells and charms to celebrate Halloween. (2021, October 9). Retrieved from IrishCentral.com website: https://www.irishcentral.com/roots/ancient-irish-spells-charms

Campsie, A. (2019, October 17). 9 charms, spells, and cures used by Highland witches. The Scotsman. Retrieved from https://www.scotsman.com/heritage-and-retro/heritage/9-charms-spells-and-cures-used-highland-witches-1404985

Cath. (2021, May 4). 11 fascinating Celtic symbols and their meanings. Travel Around Ireland. https://travelaroundireland.com/celtic-symbols-and-their-meanings

O'Reilly, L. J. (2020, 7 de mayo). Paganismo: el brillo contemporáneo de Irlanda. Trinity News. http://trinitynews.ie/2020/05/paganism-irelands-contemporary-shining-light

Creencias paganas irlandesas. (2018, 25 de septiembre). Lora O'Brien - Irish Author & Guide. https://loraobrien.ie/irish-pagan-belief

Religión celta - Creencias, prácticas e instituciones. (s.f.). En Enciclopedia Británica.

Culture Northern Ireland. (s.f.). Dioses paganos irlandeses. Culture Northern Ireland. https://www.culturenorthernireland.org/features/heritage/irish-pagan-gods

Daimler, M. (2015). Paganismo irlandés: Reconstruyendo el politeísmo irlandés. Moon Books.

Creencias paganas irlandesas. (2018, 25 de septiembre). Lora O'Brien - Irish Author & Guide. https://loraobrien.ie/irish-pagan-beliefs

Joyce, P. W. (2018). La historia de la antigua civilización irlandesa. Outlook Verlag.

O'Reilly, L. J. (2020, 7 de mayo). Paganismo: el brillo contemporáneo de Irlanda. Trinity News. http://trinitynews.ie/2020/05/paganism-irelands-contemporary-shining-light

Pizza, M., & Lewis, J. (Eds.). (2008). Manual de Paganismo contemporáneo. Brill Academic. https://doi.org/10.1163/ej.9789004163737.i-650

Las serpientes siguen en Irlanda: Paganos, chamanes y druidas modernos en un mundo católico. (2013, 10 de mayo). The On Being Project. https://onbeing.org/blog/the-snakes-are-still-in-ireland-pagans-shamans-and-modern-Druids-in-a-catholic-world

Los principales dioses y diosas de la mitología celta. (2021, 30 de diciembre). IrishCentral.Com. https://www.irishcentral.com/roots/history/celtic-mythology-gods-goddesses

Cartwright, M. (2021). Druida. Enciclopedia de Historia Mundial. https://www.worldhistory.org/Druid

¿Quiénes eran los druidas? (2017, 21 de marzo). Historic UK. https://www.historic-uk.com/HistoryUK/HistoryofWales/Druids

Un día en la vida de un druida celta - Philip Freeman. (2019, 17 de septiembre). TED-Ed.

Crawford, C. (2020, 14 de julio). Una guía para principiantes sobre la Rueda del Año - The Self-Care Emporium. https://theselfcareemporium.com/blog/beginners-guide-wheel-of-the-year

El Grimorio Pagano. (2020, 18 de abril). La Rueda del Año: Los 8 sabbats wiccanos (2021 + 2022 fechas). The Pagan Grimoire. https://www.pagangrimoire.com/wheel-of-the-year

Barry, B. (2017, 12 de octubre). ¿Qué provocó nuestro miedo a las brujas - y qué lo mantuvo encendido tanto tiempo? Washington Post (Washington, D.C.: 1974). https://www.washingtonpost.com/entertainment/books/what-sparked-our-fear-of-witches--and-what-kept-it-burning-so-long

Bradley, C. (2020, 23 de diciembre). "Pagano" vs. "Wicca": ¿Cuál es la diferencia? Página web de Dictionary.com: https://www.dictionary.com/e/pagan-vs-wicca-pagan-vs-heathen

Lewis, I. M., & Russell, J. B. (2021). brujería. En Enciclopedia Británica.

SelFelin, Fields, K., John, Ben, Magia medieval: Alquimia, brujería y magia de la Edad Media, Jennifer, ... Morganwg, R. (2019, 17 de junio). Diosas y dioses galeses: Lista y descripciones + cómo honrarlas. Sitio web del Otherworldly Oracle:

https://otherworldlyoracle.com/welsh-goddesses-gods

Brujería - La caza de brujas. (s.f.). En Enciclopedia Británica.

Little, B. (2018, 10 de enero). Cómo las iglesias medievales utilizaron la caza de brujas para ganar más adeptos. Sitio web de HISTORY: https://www.history.com/news/how-medieval-churches-used-witch-hunts-to-gain-more-followers

Dios celta de la herrería y la hospitalidad, Goibniu. (s.f.). Worldanvil.Com. https://www.worldanvil.com/w/tyran-jackswiftshot/a/celtic-god-of-blacksmithing-and-hospitality-goibniu-article

Gill, N. S. (s.f.). Una lista de dioses y diosas celtas. ThoughtCo. https://www.thoughtco.com/celtic-gods-and-goddesses-117625

Heritage, E. (2017, 31 de octubre). Dioses y diosas legendarios irlandeses. Emerald Heritage. https://emerald-heritage.com/blog/2017/legendary-irish-gods-and-goddesses

Klimczak, N. (2021, 4 de junio). Aine: La radiante diosa celta del amor, el verano y la soberanía. Ancient-Origins.Net; Ancient Origins. https://www.ancient-origins.net/myths-legends/aine-radiant-celtic-goddess-007097

Mandal, D. (2018, 2 de julio). 15 antiguos dioses y diosas celtas que debe conocer. Realm of History. https://www.realmofhistory.com/2018/07/02/ancient-celtic-gods-goddesses-facts

Perkins, M. (s.f.). Mitología irlandesa: Historia y legado. ThoughtCo. http://thoughtco.com/irish-mythology-4768762

La llamada de Danu. (s.f.). The Call of Danu. https://thecallofdanu.wordpress.com

El dios celta Nuada. (s.f.). Thecottagemystic.Com. https://www.thecottagemystic.com/nuada.html

Whitecatgrove, V. A. P. (2010, 27 de julio). Invocaciones a Goibhniu y Manannan. White Cat Grove. https://whitecatgrove.wordpress.com/2010/07/27/invocations-to-goibhniu-and-manannan

Williams, A. (2020, 16 de agosto). Cu Chulainn. Mythopedia. https://mythopedia.com/topics/cu-chulainn

Dewey, P. (2020, 10 de abril). La historia del Mabinogion y su impacto en la literatura galesa y más allá. Sitio web de WalesOnline: https://www.walesonline.co.uk/whats-on/arts-culture-news/story-mabinogion-impact-welsh-literature-18040842

SelFelin, Fields, K., John, Ben, Magia medieval: Alquimia, brujería y magia de la Edad Media, Jennifer, ... Morganwg, R. (2019, 17 de junio). Diosas y dioses galeses: Lista y descripciones + cómo honrarlas. Sitio web del Otherworldly Oracle: https://otherworldlyoracle.com/welsh-goddesses-gods

Por qué la mitología sigue siendo importante hoy en día. (s.f.). Sitio web Parmaobserver.com:

http://www.parmaobserver.com/read/2013/02/01/why-mythology-is-still-important-today

20 tradiciones modernas con orígenes paganos. (2019, 5 de septiembre). TheEssentialBS.Com. https://theessentialbs.com/2019/09/05/20-modern-traditions-with-pagan-origins

John Halstead, C. (2015, 2 de octubre). No todos somos brujos: Una introducción al neopaganismo. HuffPost.

Wigington, P. (s.f.). La magia y el simbolismo de los animales. Aprenda las religiones.

https://www.learnreligions.com/the-magic-of-animals-2562522

Un altar pagano irlandés - Lora O'Brien - Autora y guía irlandesa. (2018, 22 de octubre). Extraído del sitio web de Lora O'Brien - Sitio web Irish Author & Guide: https://loraobrien.ie/irish-pagan-altar

Configuración del altar de la wicca celta. (s.f.). Sitio web Deviantart.com:

https://www.deviantart.com/morsoth/art/Celtic-Wicca-Altar-Setup-539056829?comment=1%3A539056829%3A3879380538

El movimiento de la diosa. (s.f.).

https://www.bbc.co.uk/religion/religions/paganism/subdivisions/goddess.shtml

The Irish Times. (2000, 22 de enero). Por aquí viene algo wiccano. Irish Times. https://www.irishtimes.com/news/something-wiccan-this-way-comes-1.236955

McGarry, M. (2020, 30 de abril). Fuego, agua, luz y suerte: Las tradiciones de Beltane en Irlanda. Sitio web de RTÉ: https://www.rte.ie/brainstorm/2019/0429/1046282-fire-water-light-and-luck-Beltane-traditions-in-ireland

Gardner, P. (2016). Wicca: El libro de las sombras de Pan Gardner - Una guía espiritual de hechizos, rituales y tradiciones wiccanas. North Charleston, SC: Plataforma de publicación independiente CreateSpace.

Ingredientes clave para usar en los hechizos para traer a alguien de vuelta. (s.f.). Org. Sitio web del Reino Unido: https://rfs.org.uk/articles/key_ingredients_to_use_for_spells_to_bring_someone_back.html

Diseño de Claddagh. (2022, 19 de enero). Festivales celtas: ¿Qué es Beltane? Sitio web de Claddaghdesign.com:

Periodista del Guardian. (2000, 28 de octubre). La hora de las brujas. The Guardian. https://www.theguardian.com/theguardian/2000/oct/28/weekend7.weekend3

Creencias paganas irlandesas. (2018, 25 de septiembre). Lora O'Brien - Irish Author & Guide. https://loraobrien.ie/irish-pagan-beliefs

O'Reilly, L. J. (2020, 7 de mayo). Paganismo: El brillo contemporáneo de Irlanda. Trinity News. http://trinitynews.ie/2020/05/paganism-irelands-contemporary-shining-light

Morissette, A. (2015, 11 de octubre). Las 10 mejores herramientas de adivinación. Sitio web de Alanis Morissette: https://alanis.com/news/top-10-tools-of-divination

Wigington, P. (s.f.). 14 herramientas mágicas para la práctica pagana. Sitio web de Learn Religions: https://www.learnreligions.com/magical-tools-for-pagan-practice-4064607

Información. (2020, 11 de febrero). Morrigan. Orden de Bardos, Ovates y Druidas. https://druidry.org/resources/morrigan

O'Hara, K. (2020, 21 de abril). La Morrigan: La historia de la diosa más feroz del mito irlandés. El viaje por carretera de Irlanda. https://www.theirishroadtrip.com/the-morrigan

Greenberg, M. (2020, 29 de diciembre). La diosa irlandesa de la Morrigan: La guía completa. MythologySource. https://mythologysource.com/badb-irish-goddess-morrigan

Mitologías, B. (2014, 5 de junio). Macha. Mitologías del bardo. https://bardmythologies.com/macha

Wright, G. (2020, 16 de agosto). Danu. Mythopedia. https://mythopedia.com/topics/danu

https://www.sciencealert.com/new-research-finds-crows-can-ponder-their-own-knowledge

Wigington, P. (s.f.). La triple diosa: Doncella, Madre y Anciana. Learn Religions. https://www.learnreligions.com/maiden-mother-and-crone-2562881

West, B. (2020, 29 de enero). Eriu : Una gran diosa de la trinidad femenina de la antigua Irlanda. Projeda. http://www.projectglobalawakening.com/eriu

La Morrigan: Reina Fantasma y cambiadora de forma. (s.f.). IrelandInformation.Com. https://www.ireland-information.com/irish-mythology/the-morrigan-irish-legend.html

Russo, L. (2015). La Morrigan. P'Kaboo.

Nemain - mundo oculto. (s.f.). Occult-World.Com. https://occult-world.com/nemain

Muse, A. (2020, 22 de octubre). La Morrigan - Reina de las Hadas. Adamantine Muse. https://www.patheos.com/blogs/adamantinemuse/2020/10/the-morrigan-faerie-queen

CelticJourney, y Ver mi perfil completo. (s.f.). CelticJourney-gifts. Blogspot.Com. http://carmenceltic journey.blogspot.com/2010/12/this-is-one-of-images-of-many-iv.html

Anu/Anann. (s.f.). Maryjones.Us. https://www.maryjones.us/jce/anu.html

Carmody, I. Ó. (s.f.). La mórrígan habla - sus tres poemas. Storyarchaeology.com Sitio web:

https://storyarchaeology.com/the-morrigan-speaks-her-three-poems-2

Daimler, M. (2015). El papel de la Morrigan en el Cath Maige Tuired: Incitación, magia de batalla y profecía.

https://www.academia.edu/15486900/The_Role_of_the_Morrigan_in_the_Cath_Maige_Tuired_Incitement_Battle_Magic_and_Prophecy?pop_sutd=false

Fir bolg: Un antiguo pueblo de la mitología irlandesa. (2021, 29 de septiembre). MythBank Sitio web: https://mythbank.com/fir-bolg

La Morrigan: Reina Fantasma y cambiadora de forma. (s.f.). IrelandInformation.com Sitio web: https://www.ireland-information.com/irish-mythology/the-morrigan-irish-legend.html

Williams, A. (2020, 16 de agosto). Morrigan. Sitio web de Mythopedia:

https://mythopedia.com/topics/morrigan

El simbolismo animal en la mitología celta - mongoose publishing. (s.f.).

Mongoosepublishing.Com.

Garis, M. G. (2020, 2 de diciembre). Las lunas crecientes y menguantes afectan a su mentalidad y estado de ánimo de forma diferente: esto es lo que hay que saber. Well+Good. https://www.wellandgood.com/waxing-waning-moon

hÉireann, S. na. (2016, 11 de diciembre). La diosa cuervo - Morrigan. Stair Na HÉireann | Historia de Irlanda. https://stairnaheireann.net/2016/12/11/the-crow-goddess-morrigan

History.com Editors (2018, 6 de abril). Samhain. HISTORY. https://www.history.com/topics/halloween/samhain

Kneale, A. (2017, 17 de junio). Los cuervos en la mitología celta y nórdica. Transceltic - Casa de las naciones celtas. https://www.transceltic.com/pan-celtic/ravens-celtic-and-norse-mythology

MacCulloch, J. A., Gray, L. H., & Machal, J. (2018). Mitología celta. Franklin Classics

Morrigan - la antigua diosa irlandesa de la trinidad. (2020, 14 de septiembre). Symbol Sage. https://symbolsage.com/morrigan-goddess-origin

Símbolos sagrados: Triqueta y el poder del "3". (2019, 1 de octubre). The Spells8 Forum. https://forum.spells8.com/t/sacred-symbols-triquetra-the-power-of-3/233?_ga=2.185581673.1108131998.1644631994-818242194.1644631994

Símbolo de la triple luna/símbolo de la triple diosa, significado y orígenes explicados. (2021, 11 de marzo). Símbolos y significados - Su guía definitiva para el simbolismo.

https://symbolsandmeanings.net/triple-moon-symbol-triple-goddess-symbol-meaning-origins

Wigington, P. (s.f.). La magia detrás de la mitología del cuervo, las leyendas y el folclore. Learn Religions.

https://www.learnreligions.com/the-magic-of-crows-and-ravens-2562511

O'Hara, K. (2020, 21 de abril). La Morrigan: La historia de la diosa más feroz del mito irlandés. The Irish Road Trip Sitio web: https://www.theirishroadtrip.com/the-morrigan

(1992). Sitio web de Whitcraftlearningsolutions.com:

https://whitcraftlearningsolutions.com/wp-content/uploads/2015/07/Animal_Symbolism.pdf

Daimler, M. (2014). Portales paganos - La Morrigan: El encuentro con las grandes reinas.

https://books.google.at/books?id=ckOQBQAAQBAJ

31 días de samhain creativo día 5: La diosa oscura Morrigan. (s.f.). Thecreativepriestesspath.Com. https://thecreativepriestesspath.com/31-day-of-creative-samhain-day-5-dark-goddess-morrigan

Cartwright, M. (2021). La Morrigan. World History Encyclopedia.

https://www.worldhistory.org/The_Morrigan

Clark, R. (1987). Aspectos del Morrigan en la literatura irlandesa temprana. Irish University Review, 17(2), 223-236. http://www.jstor.org/stable/25477680

García, J. (s.f.). La Morrigan: La reina fantasma de la mitología celta la Morrigan: La reina fantasma de la mitología celta. Chapman.Edu.

https://digitalcommons.chapman.edu/cgi/viewcontent.cgi?article=1407&context=cusrd_abstracts#:~:text=Neiman%2C%20pero%20está%20también%20asociada%20con%20las%20diosas%2C,del%20fato%2C%20la%20Morr%C3%ADgan%20es%20también%20una%20de

Morrigan. (2022, 27 de enero). Dioses y diosas.

https://godsandgoddesses.org/celtic/morrigan

Morrigan y Danu. (s.f.). Livejournal.Com. https://mhorrioghain.livejournal.com/23009.html

Morrígan: Ofrendas, signos, símbolos y mitos de la diosa. (2021, 17 de septiembre). Hechizos8. https://spells8.com/lessons/goddess-morrigan-signs

O'Hara, K. (2020, 21 de abril). La Morrigan: La historia de la diosa más feroz del mito irlandés. The Irish Road Trip. Sitio web: https://www.theirishroadtrip.com/the-morrigan

Russo, L. (2015). La Morrigan. P'Kaboo.

Shaw, J. (2014, 31 de diciembre). Morrigan, diosa celta de la soberanía, la guerra y la fertilidad por Judith Shaw. Feminismandreligion.Com. https://feminismandreligion.com/2014/12/31/morrigan-celtic-goddess-of-sovereinty-war-and-fertility

Tuatha Dé Danann explicado y lista de dioses. ( ). Timeless Myths.

https://www.timelessmyths.com/celtic/danann

Weber, C. (2021). La Morrigan: La diosa celta de la magia y el poder. Tantor Audio

Wigington, P. (s.f.). La Morrigan. Learn Religions. https://www.learnreligions.com/the-morrighan-of-ireland-2561971

Woodfield, S. (2011). Tradición celta y hechicería de la diosa oscura. Llewellyn Publications. https://books.google.at/books?id=CRN4w6g2mMwC

Morrigan, R. (2011, 14 de noviembre). Sobre el altar (y cómo montarlo). Rowan Morrigan. https://rowanmorrigan.wordpress.com/2011/11/14/the-altar

Warren, Á. (2020). Altares para la Morrigan: la agencia legitimadora de una diosa en el flujo de autoridad en red de una subcultura de YouTube. Journal of Contemporary Religion, 35(2), 287-305. https://doi.org/10.1080/13537903.2020.1761632

Anónimo, Runas Futhark Antiguas: Cómo leer las runas para la adivinación, la diosa Medusa y la Gorgona: 7 maneras de trabajar con su feroz energía, Ciera, Ritual de adivinación con agua: magia egipcia y adivinación, y Lectura del tarot con cartas: Historia y Cómo Hacerlo con Ejemplos. (2020, 17 de junio). Cómo utilizar el tarot para trabajar con dioses y diosas. Otherworldly Oracle Sitio web: https://otherworldlyoracle.com/how-to-use-tarot-to-work-with-gods-and-goddesses

Holmes, S., Lynch, S., Mcgrath, G., Castillo, M., Bethany, Russell, L., ... Burch, I. (2021, 24 de febrero). Runas celtas. Predict My Future. Sitio web: https://predictmyfuture.com/celtic-runes-everything-you-need-to-know

¿Cómo se escudriña con un espejo negro? (s.f.). Sitio web Kelleemaize.com:

https://www.kelleemaize.com/post/how-do-you-scry-with-a-black-mirror

Tarot de los dioses: La Morrigan. (2014, 2 de mayo). Sitio web de Áine Órga:

http://aineorga.com/2014/05/02/tarot-gods-morrigan

La llamada de la Morrigan. (2013, 8 de febrero). Sitio web Coru Cathubodua Priesthood:

https://www.corupriesthood.com/the-morrigan/morrigans-call

Treanor, D., Elle, Walker, R., Roots, S., Fields, K., Duff, C., ... Triple diosa: La Doncella, la Madre y la Anciana para los practicantes modernos. (2020, 10 de abril). Diosa celta de la guerra: 8 formas de trabajar con La Morrigan. Otherworldly Oracle Sitio web: https://otherworldlyoracle.com/celtic-goddess-of-war

¿Qué es la visualización y cómo la hago? (s.f.). Sitio web de Cosas de brujos:

https://themanicnami.tumblr.com/post/160105192986/what-is-visualization-how-do-i-do-it (s.f.). Sitio web Llewellyn.com: https://www.llewellyn.com/journal/article/2877

Maxberry, A. (2011). La Morrigan. Wisdom House Books.

Treanor, D., Elle, Walker, R., Roots, S., Fields, K., Duff, C., ... Triple diosa: La Doncella, la Madre y la Anciana para los practicantes modernos. (2020, 10 de abril). Diosa celta de la guerra: 8 formas de trabajar con La Morrigan. Otherworldly Oracle Sitio web: https://otherworldlyoracle.com/celtic-goddess-of-war

Caro, T. (2020, 21 de diciembre). Diosa Morrigan: Oraciones, símbolos, libros y más [guía]. Magickal Spot Sitio web: https://magickalspot.com/morrigan

Wilson, A. (2018, 11 de mayo). La magia de la Morrigan: Arrojando luz sobre la diosa oscura. Exemplore Sitio web: https://exemplore.com/paganism/The-Magic-of-the-Morrigan-A-Three-Part-Series

Conozca a la diosa Morrigan: El trabajo de las sombras y la magia oscura con la Morrigan. (s.f.). Everyday Laurali Star Sitio web: https://www.everydaylauralistar.com/2021/09/meet-goddess-morrigan-shadow-work-and-dark-magic-with-the-morrigan.html

La Morrigan 2. (s.f.). Orderwhitemoon.Org. https://orderwhitemoon.org/goddess/morrigan-2/Morrigan2.html

Caro, T. (2020, 21 de diciembre). Diosa Morrigan: Oraciones, símbolos, libros y más [Guía]. Magickal Spot. https://magickalspot.com/morrigan

Daniel, S. (s.f.). Ritual para desterrar la depresión. Tripod.Com.

https://nemain.tripod.com/spells/BanishingDep.htm

Daniel, S. (s.f.). El ritual de la memoria. Tripod.Com.

https://nemain.tripod.com/spells/MemoryRitual.htm

Treanor, D., Elle, Walker, R., Roots, S., Fields, K., Duff, C., ... Triple diosa: La Doncella, la Madre y la Anciana para los profesionales modernos. (2020, 10 de abril). Diosa celta de la guerra: 8 formas de trabajar con La Morrigan. The Irish Road Trip. Sitio web: https://otherworldlyoracle.com/celtic-goddess-of-war

Morrigan: Ofrendas, signos, símbolos y mitos de la diosa. (2021, 17 de septiembre). Sitio web de Spells8: https://spells8.com/lessons/goddess-morrigan-signs

Rose, A. (2021, 19 de abril). Signos de la Morrigan: La guía definitiva de los signos de la diosa Morrigan. Occultmafia.com Sitio web: https://occultmafia.com/signs-of-the-morrigan-the-ultimate-guide-to-the-morrigan-goddess-signs

Caro, T. (2020, 21 de diciembre). Diosa Morrigan: Oraciones, símbolos, libros y más [guía]. Magickal Spot Sitio web: https://magickalspot.com/morrigan

anninyn (2018, 20 de agosto). El culto a Morrigan en la vida cotidiana - ¡no se necesita un altar! Siguiendo a la Diosa Oscura. Sitio web:

https://fatqueerpagan.wordpress.com/2018/08/20/morrigan-worship-in-daily-life-no-altar-required

O'Hara, K. (2020, 21 de abril). La Morrigan: La historia de la diosa más feroz del mito irlandés. The Irish Road Trip: https://www.theirishroadtrip.com/the-morrigan

Información. (2020, 11 de febrero). Morrigan. Orden de Bardos, Ovates y Druidas.

https://druidry.org/resources/morrigan

Bhride, C. (2015, 7 de junio). Los exaltados. Página web de Clann Bhríde: https://clannbhride.org/2015/06/07/the-exalted-ones

Brígida: Diosa de la Llama y del pozo. (s.f.). Sitio web Wicca-spirituality.com: https://www.wicca-spirituality.com/brigid.html

Brígida: Ofrendas de la diosa, signos, símbolos y mitos. (2021, 10 de octubre). Página web de Spells8: https://spells8.com/lessons/brigid-goddess-symbols

Faireroseswitchygarden, V. A. P. (2019, 30 de enero). Brígida, la diosa del Fuego y del Agua.

Página web del Jardín de las Brujas de Fairerose: https://faireroseswitchygarden.wordpress.com/2019/01/30/brigid-the-goddess-of-fire-and-water

Greenberg, M. (2021, 12 de enero). Brígida, diosa de los celtas: La guía completa (2022). Sitio web de MythologySource: https://mythologysource.com/brigid-irish-goddess

Info. (2020, 11 de febrero). Brígida: la supervivencia de una diosa. Orden de bardos, ovatas y druidas

página web: https://druidry.org/resources/brigid-survival-of-a-goddess

MacGowan, D. (2016, 9 de diciembre). La diosa celta Brígida y su deidad perdurable. Página web de Misterios Históricos: https://www.historicmysteries.com/celtic-goddess-brigid-saint-irish-myth

Cómo Brígida pasó de diosa celta a santa católica. (2022, 1 de febrero). IrishCentral.Com. https://www.irishcentral.com/roots/brigid-celtic-goddess-catholic-saint

Info. (2020, 11 de febrero). Brígida: la supervivencia de una diosa. Orden de bardos, ovatas y druidas. https://druidry.org/resources/brigid-survival-of-a-goddess

Klimczak, N. (2019, 30 de marzo). Una historia de dos Brígidas: Una diosa celta y una santa cristiana. Ancient-Origins.Net; Antiguos orígenes. https://www.ancient-origins.net/history-famous-people/tale-two-brigids-celtic-goddess-and-christian-saint-006027

Leyenda del manto de Santa Brígida. (s.f.). Org.Au. https://brigidine.org.au/about-us/our-patroness/legend-of-st-brigids-cloak

Santa Brígida de Irlanda. (2018, 16 de agosto). Medallas de santos católicos. https://catholicsaintmedals.com/saints/st-brigid-of-ireland

Thompson, S. (2009, 31 de enero). De diosa a santa y viceversa. Irish Times. https://www.irishtimes.com/news/from-goddess-to-saint-and-back-again-1.1238405

Thomson, C. (2006). Brígida de Irlanda: Una novela histórica. Monarch Books.

Brígida: Ofrendas de la diosa, signos, símbolos y mitos. (2021, 10 de octubre). Spells8. https://spells8.com/lessons/brigid-goddess-symbols

Brígida: Dama de la llama sagrada. (s.f.). El Círculo de la Diosa. https://thegoddesscircle.net/visionary-writing/brigid-lady-sacred-flame

Brígida: triple diosa de la llama (salud, hogar y fragua). (s.f.). Mimosa Books & Gifts. https://www.mimosaspirit.com/blogs/news/brigit-triple-goddess-of-the-flame-health-hearth-the-forge

galros. (2020, 11 de junio). ¿Me llama Brígida? La fragua de Brígida. https://mybrigidsforge.com/2020/06/11/is-brigid-calling-me

Diosa Brigit. (2012, 1 de febrero). Viaje a la Diosa. https://journeyingtothegoddess.wordpress.com/2012/02/01/goddess-brigit

Encendido de la llama perpetua de Brígida. Breve historia de la llama. (s.f.). Kildare.Ie. https://www.kildare.ie/community/notices/perpetual-flame.asp

Ancestros Divinos: Descubre si desciendes de un dios o diosa celta, Deidades celtas: 10 dioses y diosas celtas menos conocidos, Triple diosa: Maiden, Madre y Arpía para los practicantes modernos, y Jezabel: Reina antigua, sacerdotisa pagana y cómo trabajar con ella. (2020, 7 de enero). La diosa celta Brígida: Cómo trabajar con la triple diosa irlandesa. Oráculo de otro mundo. https://otherworldlyoracle.com/celtic-goddess-brigid

Wigington, P. (s.f.). Maman Brigitte, loa de los muertos en la religión vudú. Aprender las religiones. https://www.learnreligions.com/maman-brigitte-4771715

Watson, C. (2019, 9 de diciembre). Conoce a los loa, los espíritus invisibles del vudú. History101.Com.

Vidani, P. (s.f.). Consejo en la sombra. Consejo en la sombra. https://shadowcouncil.tumblr.com/post/4445723165/maman-brigitte-maman-brigitte-surprisingly

Víspera de Maman Brigitte. (s.f.). Symbols.Com. https://www.symbols.com/symbol/veve-of-maman-brigitte

Veve. (s.f.). Symbols.Com. https://www.symbols.com/group/72/Veve

Maman Brigitte. (s.f.). Wiki de mitos y folclore . https://mythus.fandom.com/wiki/Maman_Brigitte

Kathryn, E. (2019, 16 de enero). Vida, luz, muerte y oscuridad: Cómo Brighid se convirtió en maman Brigitte. La casa de las ramitas. https://thehouseoftwigs.com/2019/01/16/life-light-death-darkness-how-brighid-became-maman-brigitte

Calann. (2019, 9 de junio). ¿Quién es maman Brigitte? Morrigan en la cocina.

Beyer, C. (s.f.). Símbolos vudú para sus dioses. Aprender las religiones. https://www.learnreligions.com/vodou-veves-4123236

Árrados, (53), Street Yoga, (55), Skycae, (56), Treeplanter, (68), Steemitboard, (66), Blanca237, (49), Espalatino, (53), Wnfdiary, (68), Arte-Zen, (68), Lunaticpandora, (69), Rodeo670, (61), Derosnec, (65), & Inconmovible, (49). (2018, 28 de febrero). El vudú haitiano. Baron Samedi & Maman Brigitte. El señor y la señora de la muerte y la sexualidad. Steemit. https://steemit.com/mythology/@arrrados/haitian-vodou-baron-samedi-and-maman-brigitte-the-lord-and-the-lady-of-death-and-sexuality

Brígida. Diosa irlandesa (simbolismo y significado). (2020, 3 de octubre). Sitio web de Symbol Sage: https://symbolsage.com/brigid-irish-goddess-significance

Brígida: Ofrendas de la diosa, signos, símbolos y mitos. (2021, 10 de octubre). Página web de Spells8: https://spells8.com/lessons/brigid-goddess-symbols

Símbolos de Brígida. (2019, 3 de junio). Página web del regalo de la diosa: https://www.goddessgift.com/goddess-info/meet-the-goddesses/brigid/brigid-symbols

Crow, C. (2020, 21 de junio). El Cisne ★. Sitio web del Santuario de Brígida: https://www.sanctuaryofbrigid.com/the-swan/

Greenberg, M. (2021, 12 de enero). Brígida, diosa de los celtas: La guía completa (2022). Página web de MythologySource: https://mythologysource.com/brigid-irish-goddess

Cómo hacer una cruz de Santa Brígida. Brígida. (s.f.). Sitio web Scoil-bhride.com: https://scoil-bhride.com/how-to-make-a-st-brigids-cross

Info. (2020, 11 de febrero). Brigit. Página web de la Orden de bardos, ovatas y druidas: https://druidry.org/resources/brigid-2

Encendido de la llama perpetua de Brígida. Breve historia de la llama. (s.f.). Sitio web Kildare.ie: https://www.kildare.ie/community/notices/perpetual-flame.asp

Santa Brígida y el lobo (s.f.). Sitio web de la Colección de Historias de la Tierra: https://theearthstoriescollection.org/en/saint-brigid-and-the-wolf

Slaven, J. (2015, 7 de diciembre). La tradición celta de la abeja de la miel. Sitio web de Owlcation: https://owlcation.com/humanities/Celtic-Lore-of-the-Honey-Bee

Símbolos asociados a Brígida (s.f.). Sitio web de Moonlight and Flowers: https://moonlight-and-flowerss.tumblr.com/post/182427854816/symbols-associated-with-brigid-since-imbolc-is

History.com Editores. (2018, 5 de abril). Imbolc. HISTORY. https://www.history.com/topics/holidays/imbolc

Wigington, P. (s.f.). Celebrando Imbolc con los niños. Learn Religions. https://www.learnreligions.com/celebrating-imbolc-with-kids-4118557

10 beneficios de construir altares en tu casa. (s.f.). Sitio web AuthorsDen.com: https://www.authorsden.com/visit/viewarticle.asp?id=21959

Un altar pagano irlandés. Lora O'Brien. Autora y guía irlandesa. (2018, 22 de octubre). Sitio web de Lora O'Brien. Autora y guía irlandesa: https://loraobrien.ie/irish-pagan-altar

Brígida: Ofrendas de la diosa, signos, símbolos y mitos. (2021, 10 de octubre). Página web de Spells8: https://spells8.com/lessons/brigid-goddess-symbols

Brigit. (s.f.). Sitio web Sacredwicca.com: https://sacredwicca.com/brigit

Cómo crear un altar casero y mantenerlo vivo. (2019, 25 de enero). Página web de Hridaya Yoga: https://hridaya-yoga.com/how-to-create-a-home-altar

Kyteler, E. (2019, 16 de diciembre). La guía definitiva para la decoración de altares imbolc. Sitio web de brujería ecléctica: https://eclecticwitchcraft.com/the-ultimate-guide-to-imbolc-altar-decor

Ofrendas a domicilio. (2020, 23 de enero). Sitio web del Foro Spells8: https://forum.spells8.com/t/offerings-at-home/807?_ga=2.121020747.218465654.1644054967-13729897.1643797479

Sisterlisa. (s.f.). Imbolc y la diosa Brígida. Sitio web Intuitivehomesolutions.com: https://intuitivehomesolutions.com/imbolc-and-the-goddess-brigid

Símbolos asociados a Brígida (s.f.). Sitio web de Moonlight and Flowers: https://moonlight-and-flowerss.tumblr.com/post/182427854816/symbols-associated-with-brigid-since-imbolc-is

¿Qué hace el incienso? El humo sagrado y la espiritualidad. (2021, 30 de agosto). Sitio web de Spiru: https://spiru.com/what-does-incense-do-sacred-smoke-and-spirituality

Chrysanthou, A. (2018, 7 de febrero). Los paganos honran a la diosa gaélica Brígida en el ritual de Imbolc, dando la bienvenida al regreso de la luz. Página web del Daily Egyptian: https://dailyegyptian.com/78486/uncategorized/pagans-honor-gaelic-goddess-brigid-at-imbolc-ritual-welcome-returning-of-the-light

Wigington, P. (s.f.). Brighid, la diosa del hogar de Irlanda. Sitio web de Learn Religions: https://www.learnreligions.com/brighid-hearth-goddess-of-ireland-2561958

Brígida: Ofrendas de la diosa, signos, símbolos y mitos. (2021, 10 de octubre). Página web de Spells8: https://spells8.com/lessons/brigid-goddess-symbols

Hertzenberg, S., & Hertzenberg, S. (s.f.). 5 ways to celebrate Imbolc. Sitio web Beliefnet.com: https://www.beliefnet.com/faiths/pagan-and-earth-based/5-ways-to-celebrate-imbolc.aspx

Wigington, P. (s.f.-b). Oraciones paganas para celebrar el sabbat de Imbolc. Sitio web de Learn Religions: https://www.learnreligions.com/imbolc-prayers-4122188

Wigington, P. (s.f.-b). Cómo celebrar un ritual de curación de dioses/diosas. Sitio web de Learn Religions: https://www.learnreligions.com/god-goddess-healing-ritual-2562842

Diosa Brígida. (s.f.). Sitio web Goddessschool.com: http://www.goddessschool.com/projects/baywytch/brigid.html

Rach, Divina, Whitehurst, T., y Kim. (2019, 28 de enero). 5 tipos de magia para trabajar en Imbolc. Sitio web de Tess Whitehurst: https://tesswhitehurst.com/5-types-of-magic-to-work-on-imbolc

Corak, R. (2020, 8 de febrero). El Fénix se levanta: Fuego, agua y palabras: Adivinación con la diosa Brígida. Página web del Ágora: https://www.patheos.com/blogs/agora/2020/02/phoenix-rising-fire-water-and-words-divination-with-the-goddess-brigid

Info. (2020, 11 de febrero). Brígida: la supervivencia de una diosa. Orden de bardos, ovatas y druidas. https://druidry.org/resources/brigid-survival-of-a-goddess

Wright, G. (2020, 16 de agosto). Brígida. Mitopedia. https://mythopedia.com/topics/brigid

Milton Keynes UK
Ingram Content Group UK Ltd.
MKHW020943271223
434995UK00006B/212

9 781638 182382